U0719966

金陵全書

甲編・方志類・府志

康熙江寧府志（一）

（清）陳開虞　纂修

南京出版社

圖書在版編目（CIP）數據

康熙江寧府志 /（清）陳開虞纂修.—南京：南京出版社，2011.3
（金陵全書）
ISBN 978-7-80718-715-8

Ⅰ. ①康… Ⅱ. ①陳… Ⅲ. ①南京市—地方志—清代
Ⅳ. ①K295.31

中國版本圖書館CIP數據核字（2011）第029628號

書　名	【金陵全書】（甲編·方志類·府志） 康熙江寧府志
編 著 者	（清）陳開虞　纂修
出版發行	南京出版社 社址：南京市成賢街43號3號樓　郵編：210018 網址：http://www.njcbs.com 聯系電話：025-83283871（營銷）　025-83283883（編務） 電子信箱：njcbs1988@163.com
責任編輯	徐碧超　范　憶　吳衛澤　余　力
裝幀設計	楊曉崗
製　版	南京新華豐製版有限公司
印　刷	南京凱德印刷有限公司
經　銷	全國新華書店
開　本	889×1194毫米　1/16
印　張	208
版　次	2011年4月第1版
印　次	2011年4月第1次印刷
書　號	ISBN 978-7-80718-715-8
定　價	3200.00元（全四册）

總序

南京，俗稱金陵，中國著名的四大古都之一，是國務院首批公佈的國家歷史文化名城。

南京有着六十萬年的人類活動史，近二千五百年的建城史，約一千七百年的建都史，享有『六朝古都』、『十朝都會』的美譽。南京歷史的興衰起伏在某種程度上可以説是中國歷史的一個縮影。在中華民族光輝燦爛的歷史長河中，古聖先賢在南京創造了舉世矚目、富有特色的六朝文化、南唐文化、明文化和民國文化，爲中華民族文化的傳承和發展作出了不朽貢獻。然而，由于時代的遞遷、戰争的破壞以及自然的損毁等原因，歷史上南京的輝煌成就以物質文化形態留存下來的相對較少，見諸文獻典籍的則相對較多。南京文獻内涵廣博，卷帙浩繁，版本複雜。截至一九四九年中華人民共和國成立，南京文獻留存下來的有近萬種，在全國歷史文化名城中名列前茅。以六朝《世説新語》、《文心雕龍》、《昭明文選》，唐朝《建康實録》，宋朝《景定建康志》、《六朝事迹編類》，元朝《至正金陵新志》，明朝《洪武京城圖志》、《金陵古今圖考》、《客座贅語》，清朝《康熙江寧府志》、《白下瑣言》，民國《首都計劃》、《首都志》、《金陵古蹟圖考》等爲代表的南京地方文獻，不僅是南京文化的集中體現，也是中華民族優秀傳統文化的重要組成部分。這些南京文獻，積淀貯存了歷代南京人民的經驗和智慧，翔實地反映了南京地區的社會變遷，是研究南京乃至全國政治、經濟、軍事、文化、外交和民風民俗的重要資料。

歷史上的南京文化輝煌燦爛，各類圖書典籍琳琅滿目。迄今爲止，南京文獻曾經有過三次不同程度的整理。

第一次是距今六百多年前的明朝永樂年間，明朝中央政府在南京組織整理出版了《永樂大典》。《永樂大典》正文二萬二千八百七十七卷，凡例和目録六十卷，分裝成一萬一千零九十五册，總字數約三億七千萬字。書中保存了中國上自先秦、下迄明初的各種典籍資料達七八千種，是中國古代最大的類書。

第二次是民國年間，南京通志館編印了一套《南京文獻》。《南京文獻》每月一期，從一九四七年元月至一九四九年二月共刊行了二十六期，收入南京地方文獻六十七種，包括元明清到民國各個時期的著作，其中收録的部分民國文獻今天已經成爲絶版。

第三次是二〇〇六年以來，南京出版社選取部分南京珍貴文獻，整理出版了一套《南京稀見文獻叢刊》點校本，到目前爲止，已經出版了二十四册五十種，時代上起六朝，下迄民國，在學術普及方面作出了一定的貢獻。

新中國成立六十年來，尤其是改革開放三十年來，南京的政治、經濟、文化建設飛速發展，但南京文獻的全面系統整理出版工作一直没有得到應有的重視，這與南京這座國家歷史文化名城的地位頗不相稱。據調查，目前有關南京的各類文獻主要保存在南京圖書館、南京市檔案館，以及全國各地的高等院校、科研院所、圖書館、檔案館、博物館，少數流散于民間和國外。一方面，廣大讀者要查閲這些收藏在全國各地的南京文獻殊爲不便；另一方面，許多珍貴的南京文獻隨着歲月的流逝而瀕臨損毁和失傳。南京文獻的存史、資治、教化、育人功能没有得到應有的發揮。

盛世修史（志）。在中華民族和平崛起和大力弘揚民族傳統文化、全力發展民族文化事業的大背景下，在建設『文化南京』的發展思路下，中共南京市委、南京市人民政府于二〇〇九年十二月作出决定，將南京有史以來的地方文獻進行全面系統的匯集、整理和影印出版，輯爲《金陵全書》（以下簡稱《全書》），以更好地搶救和保護鄉邦文獻，傳承民族文化，推動學術研究，促進南京文化建設；同時，也更爲有効地增加南京文獻存世途徑，提昇南京文獻地位，凸顯南京文獻價值。

爲編纂出能够代表當代最高學術水平和科技成就，又經得起時間檢驗的《全書》，我們將編纂工作分成三個階段進行。第一個階段爲調研階段，主要對南京現存文獻的種類、數量、保存現狀以及收藏地點等進行深入細緻的調研，召集專家學者多次進行學術論證和可操作性論證，撰寫出可行性調查報告，爲科學決策提供依據，此項工作主要由中共南京市委宣傳部和南京出版社組織完成。第二個階段爲啓動階段，以二〇〇九年十二月二十四日召開的『《金陵全書》編纂啓動工作會』爲標志，市委主要領導親自到會動員講話，市委宣傳部對《全書》的編纂出版工作作了明確部署。在廣泛徵求專家學者意見的基礎上，確定了《全書》的總體框架設計，確定了將《全書》列爲市委宣傳部每年要實施的重大文化工程，確定了主要參編責任單位和責任人，并分解了任務。第三個階段爲編纂出版階段，主要在全國範圍内進行資料的徵集、遴選和圖書的版式設計、複製、排版及印製工作。

爲了確保《全書》編纂出版工作的順利進行，中共南京市委、南京市人民政府成立了專門的編纂出版組織機構。其中編輯工作領導小組，由中共南京市委、市政府領導以及相關成員單位主要負責人組成；《全書》的編纂出版工作由市委宣傳部總牽頭；學術指導委員會，由蔣贊初、茅家琦、梁白泉等一批全國著名的專家學者組成，負責《全書》的學術審核和把關。

《全書》分爲方志、史料和檔案三大類。自二〇一〇年起，計劃每年出版十册以上。鑒于《全書》的整理出版工作難度較大，周期較長，在具體操作中，我們採取了分工協作的方式。市委宣傳部和南京出版社負責《全書》的總體策劃，其中方志部分，主要由南京市地方志編纂委員會辦公室承擔；史料部分，主要由南京圖書館承擔；檔案部分，主要由南京市檔案局（館）承擔。《全書》的編輯出版，得到了江蘇省文化廳、江蘇省新聞出版局、江蘇省檔案局（館）、南京大學、南京圖書館、南京市文廣新局、南京市社科聯（社科院）、南京市文聯、南京市博物館、金陵圖書館以及各區、縣委宣傳部和地方志辦公室等單位及社會各界的熱情鼓勵和大力支持，尤其是得到了中國國家圖書館和全國各地（包括港臺地區）高等院校、科研院所、圖書館、檔案館、博物館等藏書單位的鼎力相助，在此表示深深的謝意！

我們相信，在中共南京市委、南京市人民政府的長期不懈支持下，在各部門、各單位的積極配合和衆多專家學者的共同努力下，這項功在當代、利在千秋的傳世工程一定能够圓滿完成。

《金陵全書》編輯出版委員會

二〇一〇年七月

凡例

一、《金陵全書》（以下簡稱《全書》）收録的南京文獻，依内容分爲方志、史料和檔案三大類。

二、《全書》按上述三大類分爲甲、乙、丙三編，以不同的封面顔色加以區分；每編酌分細類，原則上以成書時代爲序分爲若幹册，依次編列序號。

三、《全書》收録南京文獻的範圍，以二〇一〇年南京市所轄十一區（玄武、白下、秦淮、建鄴、鼓樓、下關、浦口、六合、棲霞、雨花臺、江寧）二縣（溧水、高淳）爲限。

四、《全書》收録的南京文獻，其成書年代的下限爲一九四九年。

五、《全書》收録方志和史料，盡量選用善本爲底本。《全書》收録的檔案以學術價值和實用價值較高爲原則，一般選用延續時間較長、相對比較完整的檔案全宗。

六、《全書》收録的南京文獻底本如有殘缺、漫漶不清等情况，必要時予以配補、抽換或修描，以保證全書完整清晰；稿本、鈔本、批校本的修改、批注文字等均保留原貌。

七、《全書》收録的南京文獻，每種均撰寫提要，置于該文獻前，以便讀者了解其作者生平、主要内容、學術文化價值、編纂過程、版本源流、底本採用等情況。

八、《全書》所收文獻篇幅較大時，分爲序號相連的若幹册；篇幅較小的文獻，則將數種合編爲一册。

九、《全書》統一版式設計，大部分文獻原大影印；對于少數原版面過大或過小的文獻，適當進行縮小或放大處理，并加以説明。

十、《全書》各册除保留文獻原有頁碼外，均新編頁碼，每册頁碼自爲起訖。

提要

《康熙江寧府志》三十四卷，清陳開虞纂修。

清朝建立後，歷時數年方平定南方諸省。順治二年（一六四五年），設江南省，改應天府爲江寧府。順治五年（一六四八年），江寧知府林天擎將《萬曆應天府志》改名爲《江寧府志》，并親爲作序，重新印行。此本今已無存。

康熙六年（一六六七年），江寧知府陳開虞重修府志，手自輯録，并獲邑人鄧旭等襄助，歷時八月而志成，叙事止于康熙六年，康熙七年（一六六八年）刊行。這是清朝江寧府的第一部官修府志。康熙二十二年（一六八三年），江寧知府于成龍在此基礎上重修《江寧府志》四十卷。

陳開虞，字大亨，陝西關中人，時任江寧知府。

鄧旭（一六〇九—一六八三年），字元昭，號九日。明末自壽州遷金陵，遂爲江寧人，順治四年進士。官至甘肅洮珉道按察副使。古體詩爲諸大家所推重，存《林屋詩集》九卷。

《康熙江寧府志》分爲圖紀、沿革表、疆域志（附風俗）、山水志、建置志、賦役志、學校志、科貢表（附薦舉）、歷官表（附封爵）、宦績傳、人物傳、古蹟志、災祥志、祠祀志、寺觀志、摭佚等十六類。其中圖紀兩卷分别取于明代陳沂《金陵古今圖考》、元代張鉉《至正金陵新志》中的山川封域圖、明代顧起元《客座贅語》中的《金陵宫闕都邑圖》和俞光禄《重訂圖説八縣治境圖》，而將明朱之蕃《金陵四十景圖説》請當時金陵畫派之大家高岑（一六二一—一六九一年）重爲繪制，周亮工（一六一二—一六七二年）特爲題跋，總圖多達七十餘幅，在方志中實爲罕見。而其中彊域志所附録之風俗，山水志所附録之碑、板、詩、頌、序、記等，隨在附記，便于披覽，以是後人贊其『體例整齊，搜羅該博』（嘉慶七年補刻本序）。

清朝初定江南，田户統計未周，順治十四年（一六五七年）頒佈《賦役全書》，規定錢糧則例具照萬曆年間的標準執行，其時江南經順治、康熙二十餘年休養，當有所恢復，但彼時地方官員持愛民之心，不欲增加賦税，所以于人口增殖等一律不報。此志中具載萬曆年間及其後錢糧則例、田畝、户數、人口等等各項資料，而修志時各縣的田畝、户數、人口數據亦有反映，不但可供當時行政者鏡鑒，亦可供後之研究歷史、經濟者取資。

《康熙江寧府志》版本，有清康熙七年（一六六八年）刻本，康熙五十四年（一七一五年）宋觀光刻本，嘉慶七年（一八〇二年）補刻本。《金陵全書》本據中國科學院南京地理與湖泊研究所圖書館藏清康熙七年刻本原大影印，并據南京圖書館藏清康熙七年刻本以及嘉慶七年補刻本校補。

趙彦梅

江寧府志序

古稱王道之要本乎人情宜乎土俗其大者昭示於詩書之文而其詳則散見于郡邑之志此聖君賢相

本頁原闕，現據南京圖書館藏《康熙江寧府志》（清嘉慶七年補刻本）補頁。

所以不下堂階而周知天下之故也孜昔成周以職方氏掌輿圖而以外史小史領邦國四方之志故十五國之風謠遂得上聞于

本頁原闕，現據南京圖書館藏《康熙江寧府志》（清嘉慶七年補刻本）補頁。

天子而遠及千百世之人心自漢儒撰風俗地理諸編而郡邑始各爲志其間考分星辨封井則山川之流峙於是乎書均道里表

宅舍則創制之廢興於是乎識挺英植秀則人物勳名於是乎傳且吏治純疵民風奢儉生齒聚養財賦盈虛皆於是乎溯委而窮

源不重賴此邦文獻哉金
陵海內一勝區也人文蔚
起景物光華六代風流依
然未墜攬轡於斯者每留
連不能去我

皇清御宇廿載以來深仁厚澤

遐邇蒙休維此一方襟帶

千里上扼荊楚下控閩越

山川形勢人文勝蹟忠孝

節義規模制度書不勝書

一有缺畧即無以備
朝廷採風問俗之資職司民牧
者得毋重其任乎今陳君
大享毅然修舉廢墜攷訂
見聞準今酌古取舊志而

重輯之丐余言爲弁余亦何能辭因念奉

命督漕越在淮干簿書鞅掌日以飛輓轉輸爲役公餘之頃雖左圖右史臨翰揮毫

無能浣我塵俗每望白門山色蒼蒼江流浩浩輒思坐幕府東山桃葉青溪之畔與諸君子追論當年王謝共圖所以善俗宜民求

寛

聖天子南顧憂者竊有志而未逮也今陳君撰述斯志彬彬乎質有其文詳而不雜以持風化而正人心亦幾

備矣後之人其欲識兹土
聲名文物之盛按籍而求
猶列眉指掌也踵事增華
使事無弗備弊無弗去以
加惠於南國則是書且煌

煌日星可與麟史風詩共

垂不朽云

旹

康熙柒年歲次戊申夏月朔日

總督淮揚等處地方提督

漕運海防軍務兼理糧餉
兵部右侍郎兼都察院右
副都御史屈盡美撰

江寧府志序

周禮職方氏掌天下地志不下堂階而知邦國都鄙人民財用川流岳鎮之詳是以漢高入咸陽酇侯取

丞相府圖籍遂知山河阨
塞功爲第一則郡邑有志
關
朝廷體國經野之重顧不盛歟
余奉

天子命撫循南土彌節江寧首詢郡志闕焉失修者將百年陳守慨請纂修閱三月草創就矣憖然自歎以稿來正因進而語之曰夫志

者誌也不考建置沿革何以知方隅城市所由分不考形勝險阻何以知武備兵防所由餙不考丁男戶口何以知民生之盛衰不

考賦稅重輕何以知國儲之盈絀且志其科名學較則知文運之降升志其物產土宜則知風俗之同異志其忠孝節烈則知為善

之當勸志其躍冶反側則知爲惡之當懲以至天文分野之必詳碑銘詩賦之必錄於是遠採舊聞近摭逸事再閱月乃告成昔人

謂作志之體土地賦役水利兵農諸大務有裨於實用者為急其他藝文小道特附見耳今觀是書典制釐然辭尚體要董教者視

此無悖行修政者覩此無遺慮以數月之勤勞補百年之遺闕不亦深識先後輕重之宜者耶異日者

天子開左个青陽採風南國予

亦得藉此備陳民生之利弊於

廣廈細旃之下矣是爲序　旹

康熙七年歲次戊申孟秋朔日

總理糧儲巡撫江寧蘇松

常鎮淮揚徐等處地方工
部尚書兼都察院右副都
御史正一品癸卯丙午文
武兩闈監臨主試前
宗人府啓心郎纂修

王牒副總裁吏部啓心郎河中

韓世琦撰

江寧府志紀

太守者爲

天子守兹土也守兹土而問其

戶口幾何曰不知也問其

財賦幾何曰不知也問其

山川幾何曰不知也問其園壘漆林之屬舟車夫役之數幾何與古之賢人君子鄉之士大夫嘉言逸行足矜式而從我遊者幾何

曰不知也不知而太守可知也卽或知之矣而樂取遺籍博物名高其戶口如是而彫瘠幾何其財賦如是而盈縮幾何其山川如

是而陵谷幾何其壓林舟車之數如是而悉索幾何其賢人君子士大夫如是而賢知者幾何曰不知也不知而太守可知也即或

知之矣而戶口之壯老爲一書財賦之多寡爲一書山川之高下爲一書園壓林欈舟車夫役爲一書一行一言制作文物之煩爲

一書亦未嘗不按其圖籍而讀之而煢煢遺子困於潄賦困於奔走山無所畜水無所漁壓林爲牧舟車不皇初鬻田屋繼鬻稚子

以供正賦亦資異歛嘆息於道哭聲在室山青水綠草變蛩吟雖有賢人君子亦唯歌黃草之無知而寄白露之蕭蕭者其亦如大

守何也太守亦無如之何而置戶口不問置財賦不問置山川不問置園林舟車之屬賢士大夫之行事不問太守能已於懷乎曰

未可已也未可已而戸口財賦山川園林舟車之屬與古今之賢士大夫嘉言懿行各爲一書異日者
聖天子問江南形勝而上之

殿上大守必將列冊而獻曰
某勞民其與休息某財賦
困於水旱者其與蠲某山
川之變遷者其與修省某
園林之荒蕪舟車之馳驅

其與省某賢士大夫之言
行可關治亂而俾皇謨者
其與奏之簡書
天子曰賢哉太守也太守者秦
人陳大亨也其志成於

今上七年而余爲之記

旨

康熙七年歲次戊申秋七月江

南安徽等處布政使司布

政使前湖廣布政使司右

布政使浙江按察使司按
察使福建布政使司左參
政內翰林秘書院侍講奉
命纂修
實錄國史院編修加一級掌

六曹章奏

誥勑撰文典試八閩正主考國

史院庶吉士乙酉科五經

異材

特召考選授內翰林國史院試

中書舍人

特賜會試丙戌會魁法若眞撰

江寧府志序

國必有史所以紀
朝廷之功實詳統馭之經權
而各方英彥臣子經營無
不盡歸誌載其外更有天

官河渠藝文孝友逸民烈女諸耑紀所以分端羅列闡悉天下之盛美者慮無不具備矣然要以

國家爲統紀而因之散見于

方州不能盡十之三四若其勝蹟遺烈不得不待區分疆畫者之各極其該詳其事雖分隸于各郡邑而掌之司牧繫之職業請之

御史中丞其寃同于
國典非一人之私言也但其
間方士有厚薄人才有衆
寡不足盡光傳述而一時
有其責者又未即爲賢士

大夫號爲才學淹通者流以故雖多成書而未足備藝林採覽至金陵古稱龍蟠虎踞歷代帝王所都居山川宮闕之壯麗人物制

度之風流遝遝甲于他方及考其紀載之書自六朝而後惟宋馬制使光祖景定建康志最稱詳洽今既不可得見而元張鉉金陵

新志雖存膚蔓實無足觀

前正德間府丞寇公天敘

曾一修之書亦不傳至萬

曆五年府尹汪公少泉復

事重修紀事較稱簡確今

所傳府志是也以今觀之山水人文猶未盡六朝之盛而萬曆以後紀載尚復缺如

皇清典改都爲省其間沿革吏

治懿烈貞芳足輿史乘相
表裏者歷二十餘禩未見
表章識者悼之以金陵地
勢攬勝中區而遺聞同乎
若滅若没其所關文獻絕

續豈細事而已哉太守大亨陳君蒞兹土也惠我人斯以膏以雨乃于政成之日痛斯事之將湮也慨然謀所以修舉之于是請之

督公請之　撫公請之
藩臬諸公僉曰允宜哉陳
君則于退食暇卽手一編
勤纂輯而一旹博雅有聲
者亦不吝虛心諮訪得而

叅佐之適八閱月而志成因取其書讀之闕者續略者詳一時學士遺編故老傳說莫不兼茹而精採不獨風土節烈聲名文物之

大足以昭示來許卽其一二軼事可傳士林資談佐者固將不勝其漁取于是知陳君之以著作之才而託之一方見之當世殆有

耀簡冊而彌光者矣夫以天下之大職方所隸之多且廣合計其誌載遺編當不啻繁星之麗天支山之亘地雖使窮年孜矻莫能

竟其疆域居平毋作僻想安得好事者流盡舉百國之方書芟繁亂而就統紀勒爲一編藏之石室與七十二代之金函二十一家

之載筆並傳不朽豈非更爲極快而終不能苟學者恣意搜討但攬其一二最勝以蓋其餘如讀史者之先馬班獵百家者之首韓

蘇歐柳則舍是編其何求豈徒孟堅兩京之作太冲三都之製爲各侈方風腴文炫麗而已哉知後有作者僅能增其所未歷而莫

能文其所已備也已予少
遊金陵毎愛此間名勝今
復官江左得觀郡志之成
因喜陳君芳烈有將與此
志聲施無窮者遂因其請

略識始末以爲之序若夫
陳君惠政昭昭耳目間人
士親之如飲吉醴焉金陵
有口者固能言之不俟予
之詳述之矣郡八邑邑各

有志要之多統于郡志或文不雅馴尤以郡志爲斷云　昔

康熙陸年歲次丁未長至前二日管理江南江安等處督

糧道布政使司參議加一
級前山東分巡青州海防
道總督錢法戸部右侍郎
協理院事都察院左副都
御史福建布政使司左右

布政使按察司按察使江南淮揚海防鹽法道布政司右參政櫟下周亮工撰

重修江寧府志序

志曷昉乎昉於史也史之爲志曷昉乎昉於班固之易八書而爲十志也禮樂律歷天官封禪河渠平準遷則書之所謂雅馴之文固則志之所謂愼覈之事

也且微特此也固留意于本朝之掌故凡志之散見于列傳者如黄霸之在頴川則某所大木某亭豬子之必記龔遂之在渤海則一樹榆百本䪥五十本葱一畦韭之不忽凡埤益吏治臣

助王官者謹志之例昉于周也
義非昉于周也周官小吏掌邦
國之志外史掌四方之志至封
建改而爲郡縣郡國各有圖經
風土各有集記其用維何又推
而上之負版記于鄉黨去籍譏

于子輿凡以載記山川地圖風俗禮教民宜物差官于此土者得以攷而知之如潁川渤海之爲而奏最于天子不出殿陛而有以周知天下之奢儉豐耗安危强弱以預爲之所蓋志之關

係如此矧我
國家定鼎冀都撫綏南服而江南之
會城實維江寧之府治其地襟
江帶淮上接九江江西之灌輸
下引吳會浙閩兩粵之朝宗貢
賦甲於天下有秔稻絲枲之美

人才盛於賢書有東箭南金之
貢自
世
祖章皇帝耆定十餘年東南晏然暨
我
今上皇帝捐租屢詔赦罪維新渙仁
厚澤與天無極自歷代至今千

百年未有江南太平若斯之盛者也昔者有明之代此地嘗號爲陪京矣治官非不多也足以紛擾而不足以鎮定治法非不詳也足以啓弊而不足以防奸迨其季也人法兩病自我

朝改京爲省屬省爲府制臺幕府燕寢凝香藩臬郡邑琴清鶴瘦民作晝一之歌士有孔邇之誦此無異故

聖人首出萬國咸寧三事大夫莫不夙夜所以鯨鯢順序於安流蝗

蜮銷萌于瑞雪關門無狗吠之警旗亭弛醉人之禁氣運既轉而日亨山川若增而日勝風俗乃還而日淳土產田賦益應期而日盛是宜大書特書有典有册仰以塵

乙夜之覽觀退而備甸宣之諮度者也維時郡志之不修者百年矣凡修志有三難而物力之維艱工費之浩繁不與焉一則官府之傳舍也非無志於風雅卽奪氣于錢穀以諸葛之才木牛流

馬出入神鬼而蜀史不修陳承
祚以爲譏一難也一則文獻之
無徵也巴潼之士女常璩私爲
論譔蔚宗之缺畧劉昭代爲補
作咸陽之籍不收于酇侯益州
之圖不出自張松即孔子之聖

亦致嗛于妄作二難也一則體裁之沿革也冗繁細碎則鄙爲甲乙之帳簿而不便于流觀槩括芟削則等于金石之標題而難免于掛漏以江淹之才猶嘆其短鄭樵之博微傷于冗而他

可知也三難也有此三難非時勿舉茲當聖天子人文化成之日督撫以下諸公祖召南聽訟之餘郡伯大翁陳公祖相與謀爲修廢舉墜而慨然捐俸進此邦之耆

老秀士揚搉而纂定之綱舉目
張薈蕞成書矣
督臺一翁郎公祖
撫臺心翁韓公祖俯徇一時部民
之請用襄千載不刊之書旭舊
嘗待罪史館出佐外吏蒙

恩病假杜門石城叨預諮諏聊充臂
誦竊以古之爲治也其道貴簡
獨於記載之書之官之法其道
獨詳凡以爲前者有作後者有
考也郡志之成也凡山川古蹟
必書關城要害津梁險阻必書

聲名文物臣忠子孝夫義婦節
有關于風俗必書戶口賦稅兵
防吏治有繫于國計必書其他
及于五行災異彗孛崩陷之屬
以志警祝史射御以志業書刀
筶布鹽麪橘柚以志俗琳宮梵宇

園林池籞之屬以志備不遺不支有倫有要昔者孔子行求七十二國寳書而老聃守藏下柱史是書也撮曩代之梗畧揚
本朝之休烈其足寳而守之副在有司者與異時我

皇上循念地求惠顧東南陳詩納賈之暇

命有司進御

宸覽則江南千百萬生靈焚香手額以待于澤之下流實自此志之成始詩云維桑與梓必恭敬止

旭鄉人也非其職事而樂觀其

盛故敢序於其後云

旨

康熙六年歲次丁未里人鄧旭撰

江寧府志序

江寧爲江南首郡東南一大都會也龍蟠虎踞襟江帶淮凡言財賦輿區者首屈指焉自明爲陪京以迄今日其間因革異制質文異數人才忠孝節義政事

文章之日新歲變固有雲蒸困積而不可致詰者

天子命郡守來任厥職雖以司牧兆姓爲最鉅而於山川土俗人物制度已定者不能釐正昔典未定者不能備載今編其何以爲

後人稽考而使大者有所鑒觀小者有所採覽耶余滋憂之公餘之暇輒繙舊志猶然明之故籍也夫記載之書近則徵徵則實實則可憑以裁斷世數遼遠則聞焉耳又遠則傳聞焉耳粤

稽金陵舊志修於萬曆初載至今且八十餘年自

皇清綏定南服改南京爲江南省改應天府爲江寧府迄今二十三年矣前後共百有餘年雖其世數稍爲希濶而故老猶未盡彫

謝掌故猶未盡散失文籍猶未盡荒蕪使不及今而爲之討綱羅舊聞採摭近事以成一方之實錄一代之傳書則此百數十年間不幾於挂漏多踈而遺憾後人耶因請之

兩臺暨

藩臬諸公均許屬筆予遂自忘固陋廣諮博訪不憚多方蒐索一時賢人君子又多匡其不逮謬爲詮次訂譌補闕八閱月告成事焉嗟乎是豈易言哉古者列

國諸侯各有史官記其得失之故昭爲法戒令取郡邑所有而志之雖非蘭臺石渠之藏而陳風備採固守土者所有事也令夫百室之邑數里之城莫不各有方土之產輿夫物務之典但

其區宇有廣狹則其包蘊有宏纖而紀載之編亦遂輿之為大小故人有遊覽八紘見其山川雄奇宮闕壯麗名公鉅卿之高偉進而聞其閎言碩論未有不驚駭震慴自慚其所見之小者

勢使然也予生長三秦長而遊
宦八閩幸不同於偏方僻士記
其所歷之境觀夫華嶽之雄傑
閩嶠之崇閎已足盡南北之勝
迨承乏金陵覽其江山秀麗人
物華美冠蓋之蟬聯舟車之絡

繹洋洋大國之風又使人怡然意盡而有觀止之嘆雖其文釆不足以表章勝美而藉其人地之奇以倖收採葺之功小而瑣事緒言大而紀綱建制固有與

國典相映發史乘相參稽者不啻

由培塿以進觀泰岱自蹄涔以極目滄溟又豈彈丸荒寂之區所可同年語哉若夫踵事增華廣所未備以相續於無窮是在後日服官蒞政之君子矣

旹

康熙六年歲次丁未孟冬月 朔吉江
寧府知府關中陳開虞謹序

應天府志原序

應天府高皇帝故都在焉文獻甲於天下而府未有專志非所以示官方翊皇極也仰惟高皇帝統一寰區實始事於兹域廸神鼎旣奠兵革四出率倚辦於邦人者爲多故登極之後蠲租詔令靡歲不下且曰子孫百世何忘江左之民豈獨日月之際宜首耀於光明抑以疆幹弱支隆上都而觀萬國也文皇帝繼統雖移都北平而二京並建比於豐鎬葢其重如此今推擇大京兆必天子之重臣而佐以下若屬咸簡銅墨以克之所欲閔念元元而建首善於天下者意甚厚也苐京師綰四方

之轂民俗厖雜而大京兆又天子重臣諸公卿觖或不滿歲輒遷補之夫欲爲深根固柢之圖而以程功於朞月自非覽觀得失之林以自考鏡焉豈易辨哉少皋汪公歲甲戌來尹是邦日討成法而紀綱之其爬梳儆垢剪截浮淫者班班舉矣顧念始之鈎攷於簿書而咨諏於長老者抑何煩也於是慨然歎曰與其鞅掌於臨事孰若先知豫待之爲逸而以舊政告新者不若托之紀載之爲遠也遂謀諸信菴雷公進教授王一化討論志事而特以其義例授諸生陳舜仁陸察沈朝陽陳桂林盛敏耕使執簡而書焉事未竣公晉少司徒以去今年

槐程公𨹧南陸公來代諸所施設視汪公不替有加焉
其推轂諸生而教之使有成者如汪公也故諸生得壹
志殫精揚摧今古凡幾閱月而志成焉昔左思賦三都
淫思十載而就凡以都邑叢委采拾爲難耳而今以數
月之間勒不刊之典艮已勤矣令長人者挾筴求之察
人性以制寬猛之常物土利以經出入之法審俗尚以
裁豐儉之中皆歷歷如指諸掌而諸吏於此者今昔醇
疵勸懲法誡亦往往而在則是書非惟一邦之信史而
扶植化源導揚謨訓者實有賴焉謂有裨於治理非歟
是役也大司徒畢公督學褚公皆嘉與而樂相之其供

億鋟梓之費則前撫臺宋公撫臺胡公臺察鄭公咸贊給焉若節推詹君世用上元令林君大黼則采輯見聞多所裨益而上元丞范燧董校刻之役亦與有勞焉因附著之

萬曆五年丁丑仲秋吉旦賜進士出身嘉議大夫南京禮部右侍郎管南京國子祭酒事江左殷邁書

江寧府志舊序

聖天子順治之二年純熙大介戡靖南服庚新化齊百度維貞

詔改南京爲江南省以應天府爲江寧府踰二載丁亥秋八月天擎始自雲間遷領郡事既抵白下流覽疆土則大江縈紆四山環迴鍾阜崒嵂以龍蟠石城隇陝而虎峙川原之華蔚未改民物之蕃廡若新嘖然而作曰晟哉其鴻區奧宅也哉地綦沃民綦秀俗綦奓矣夫地沃則淫民秀則弱俗奓則囂於是乎相尋於凋耗而莫之捄返其樸而訓正之

非保釐者之責乎偭自晉室偏安清言競勝六代以還隱囊麈尾之習漸于士夫而油檀絇繶之風染及氓庶有衒華而無佩實江左之所以日替也明初以金陵爲郟鄏既又並建爲鎬豐其人旗髮悖帶咸以都治爲容而嘽緩詭隨遂以流競相遁形外麗而神中瘠此南國所以不終也今

者定伊始綱紀聿新震人心于憒昧而薪其繁囂歸于簡質雀桁雉亭之間庶幾汔可小息乎昔之守是邦者如顏魯公以清嚴爲理馬忠肅以明敏蒞政張忠定之剛方自任包孝肅之峭直不阿張忠

獻鎮定以綏猷劉忠肅悉惠以起𤻲馬莊敏精詳以厚民其惠政德音焜煌史牒故家遺老猶膾炙而奉嘗之至若丁謂蔡卞欽若安石惠卿輩皆嘗領牧於此至今白都烏榜猶有赬顏法戒具在其不黽勉冰谷隕越茲土以開辠於元元而重負朝廷仕使其若婁敞蔣岫何受事以來戴星出入力㦤志殫庶務之紛總民情之扞格者始稍見頭訖乃得以隙晷取舊志讀之而漫次臆說於簡端郡故未有專志諸所記載䟽見于金陵志南畿志金陵世紀金陵圖考諸書自洪永迄嘉隆二百年間鮮

有從事郡乘者萬曆初載京兆尹少泉汪公午槐程公相繼裒輯始勒成一編歷七十餘年中更多故而未有紀述茲且

改玉維新沿革益異令不亟加蒐輯則名跡日湮後之執簡者益難於攟拾矣撫舊志而餇正之網羅遺軼參訂見聞修文獻于大邦而垂惇史於來許天

擎不敏竊有志而未遑焉敢浴筆以竣

順治五年歲次戊子鶉首皐月之穀

江寧府知府蓋牟林天擎題於郡署之覜鵶軒

江寧府志

凡例

一古者左圖右書並列不廢兄輿地錯置非圖莫稽今取陳太僕金陵圖考參以元張學正新志所載山川封域圖顧文莊宮闕都邑圖俞光祿重訂圖說入縣治境圖具載于首而朱侍郎四十景圖次焉使山川勝蹟披卷瞭然

一舊志郡紀三卷略彷編年洵稱美善但諸項雜出稽考爲難今擇其土地之分合州縣之升降爲沿革附沿革表後水旱蝗疫麐鳳星雲爲災祥創造

城郭宮室橋梁開鑿河渠爲建置其歷代用兵攻守至某山某水即附其山水下庶秩然不亂焉

一維正之供具遵成憲順治十四年賦役全書成欽奉

敕諭錢糧則例俱照萬曆年間其天啓崇禎時加增盡行蠲免大哉

王言昭若日星故具載萬曆年間則例于前而賦役欵項悉照全書實意奉行是在良牧

一江寧土產皆各郡所同並無珍異可以不書

一古今碑板詩頌序記等作或有關考証有裨政治

者隨在附見不另成帙
盛典時賢佳製如林未能悉載
一宦蹟人物舊例不載生者旣俟論定亦避獻諛而
本朝開國一二鉅公功在地方皆係宦成之後可無須
德之嫌特紀實蹟以識去思
一金陵人物始于漢魏盛于六朝以迄後代英賢接
踵然知人論世寧嚴毋寬寧核毋濫卽如陳宗之
人物志陳玉泉訢慕編皆人求可法詞無溢美若
刻畫唐突則吾豈敢
一江南風土敦厚人情醇樸如還金賑乏好義樂施

之事徵諸先民祇爲庸行然亦必昭然聞見乃得詳列簡編其有潛德陰隲不求人知人亦無從知之未免疎漏罪或可原

一士有百行婦惟一節郡城寥廓採訪或有未周而外縣志中有一邑至百餘人者旣不敢以意爲去留又無從考辨其當否欲俟再加查覈恐逾滋擾失眞具照原志存之以示樂與爲善之意

一宋周應合修景定建康志以馬制置光祖捜訪之勤帥憲運漕諸府愼訂正之廣乃克成書元張鉉修新志所引証考據諸書目約一百餘種皆歷時

日而後竣事今搜訪爲艱寂寥掛漏知不能無如其該備以俟君子

江寧府爲懇修府志以隆
大典以正輿圖事照得江左建業古稱名都我
清聖主龍興戡定南服順治二年始
詔改南京爲江南省以應天府爲江寧府又二年前任
林知府始改應天府志爲江寧府志刋序簡端以昭
新化然是時僭亂甫削餘孽逋誅偃兵革而修載籍固
所未遑今也薄海內外罔不臣服東西朔南萬方一
家而江寧府志尚未盡改前代舊刻非所以昭
一王之治抑藩服而尊京師也查府志修自故明萬曆
初年百餘年間興廢沿革以及嘉言懿行業日湮没

不亟修葺久且無徵恭遇
憲臺德化洋溢文治蔚興滌沿襲之陋著
鼎新之化重修府志似亦首務矧南省爲南方諸省之
首藩而江寧又爲南省諸郡之領袖江山文物不改
六朝忠孝節義尤盈
聖世是更不可不亟搜討故實以彰
朝廷之化行南國滂沛神速如此是亦臣子歌詠
盛德之一端也等因具詳蒙
總督江南江西等處地方文武事務兼理糧餉操江
兵部尚書兼都察院右副都御史郎諱廷佐號一柱滿州籍廣

寧人批仰詳　撫院候批遵行繳

總督淮揚等處地方提督漕運海防軍務兼理糧餉

兵部右侍郎兼都察院右副都御史屈諱盡美號璘善遼東人批仰照　督撫部院批示具報繳

總理糧儲巡撫江寧等處地方工部尚書兼都察院右

副都御史正一品加二級韓諱世琦號心康滿州人批如詳行繳

巡按江南督理兩淮鹽課兼監兌轄江西湖廣河南

汝寧等處地方監察御史前翰林院庶吉士甯諱爾講號元著直隸廣平府永年縣人批修輯郡志洵爲盛舉仰照另

單姓氏列序繳

江南江蘇等處承宣布政使司布政使加一級佟諱彭年號壽民遼東廣寧人批仰候督撫部院示行繳

江南安徽等處承宣布政使司金諱鋐號亦菴順天宛平籍山陰人

江南安徽等處承宣布政使司法諱若眞號黃石山東膠州籍房山人均批候督撫部院批示行繳

江南等處提刑按察使司劉諱景榮號仁侯滿州籍廣寧人批仰候兩部院批行繳

督理江南江安徽寧池太廬鳳淮揚廣和滁徐督糧道布政使司叅議加一級周諱亮工號櫟園河南祥符籍江西金谿人批江寧郡志自京兆尹汪少泉程午槐二公裒集

後八十年來未有增修者其間
本朝鼎建芳言懿行奇節偉勳待為表揚者不少本道
於秣陵山川風土頗聞其槩而考之舊志亦多缺
畧搜採遺軼以成宏脩新
一代之典文昭一方之徽美每有夙志愧無其權該府
保障功深龔黃著譽允為輿望所臨而宏風闡教
又該府之責也光茲盛典以傳之無窮舍大雅其
誰與歸乎閱詳深愜予懷惟急行之為望仍候
督撫部院批示行繳
江南分守江寧鎮江道布政使司左參政杜諱琰號子廉山

東濵州人批仰候督撫部院示行繳

整飭江南通省驛傳鹽法道兼督揚關按察使司僉事陳諱寶鑰號綠崖福建晉江人批重修府志

興朝文獻攸關具見該府留心當代堪垂不朽尤須博採名碩以資考鏡去紕漏而著實錄固本道所樂聞也仰候興舉日應薄助梨棗用勷盛事仍候

總督撫院幷各憲示行繳

提督江南通省學政按察使司僉事梁諱儒號宗洙滿州人批

仰候督撫部院批示另報繳

江寧府志目錄

江寧府志目錄終

金陵古今圖考

吳越楚地圖
鍾山
青龍山
固城
平陵縣
天目山

盧龍山
鷄籠山
覆舟山
楚金陵邑
石頭
吳冶城
大江
越長干城
聚寶山

吳越楚地圖考

金陵在春秋時本吳地未有城邑惟石頭東有冶城傳云夫差冶鑄於此即今朝天宮地去府東南一百二十里當溧水溧陽之間有固城云古瀨渚縣亦吳所築周景王四年楚靈王敗吳軍陷固城吳移瀨渚於溧陽南十里周廻七里爲陵平縣又敗於楚更名平陵縣後闔閭將伍員破楚燒固城遂廢元王四年越勾踐用范蠡謀將圖楚稱伯江淮乃築城於金陵長干里以强威勢城周二里八十步在今聚寶門外長干里俗呼越臺即其地金陵有城邑自此始也顯王三十六年楚威王滅

越盡有吳故地乃擅江海之利因山立號置金陵邑於石頭後之石頭城據此今石城門北岡壟削絶皆城故區

江寧府志
卷之一
三
秦秣陵縣圖
鍾山
青龍山
天印山
秣陵縣

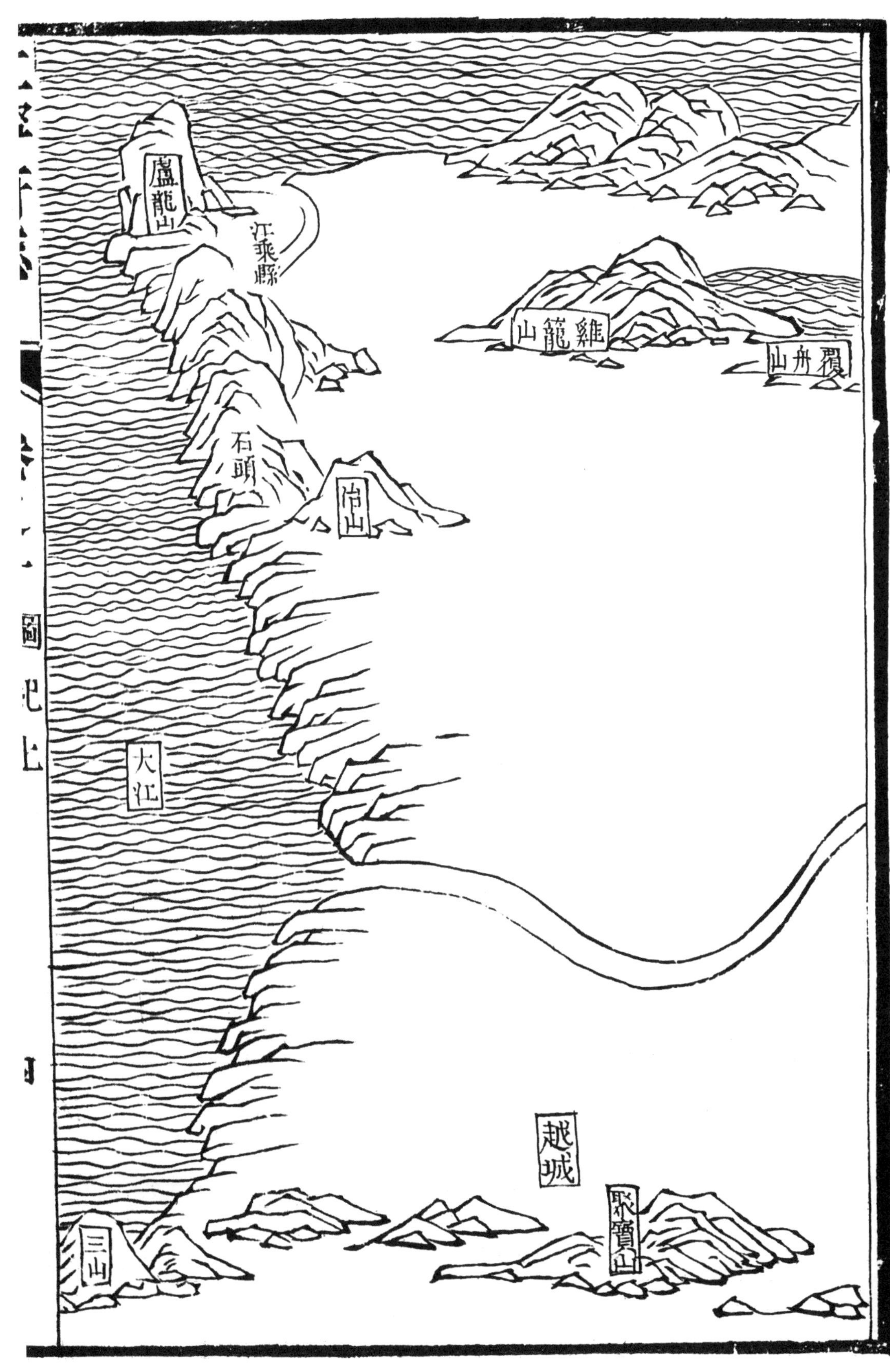
盧龍山
江乘縣
石頭
冶山
雞籠山
覆舟山
大江
越城
聚寶山
三山

秦秣陵縣圖考

秦始皇二十五年滅楚并天下分三十六郡置守尉監以金陵地屬鄣郡改金陵邑爲秣陵縣三十七年東遊會稽過吳從江乘浦渡置江乘縣皆統於鄣又以望氣者之言鑿鍾阜斷長壟以泄王氣水自方山西北巨流環繞至石頭達於江後人名曰秦淮考之鄣郡不詳治所志云在石頭城地史載吳興郡西金陵本吳興西境也秣陵云在城東南六十里秣陵浦處今秣陵鎮即其地江乘按建康志云在城西北十七里南徐州記云在縣西二里有浦發源於石頭東入大江因以爲名又按

吳徐盛作疑城自石頭至江乘當在石頭之東北幕府之西南也建康志圖載江乘於瑯琊東恐非

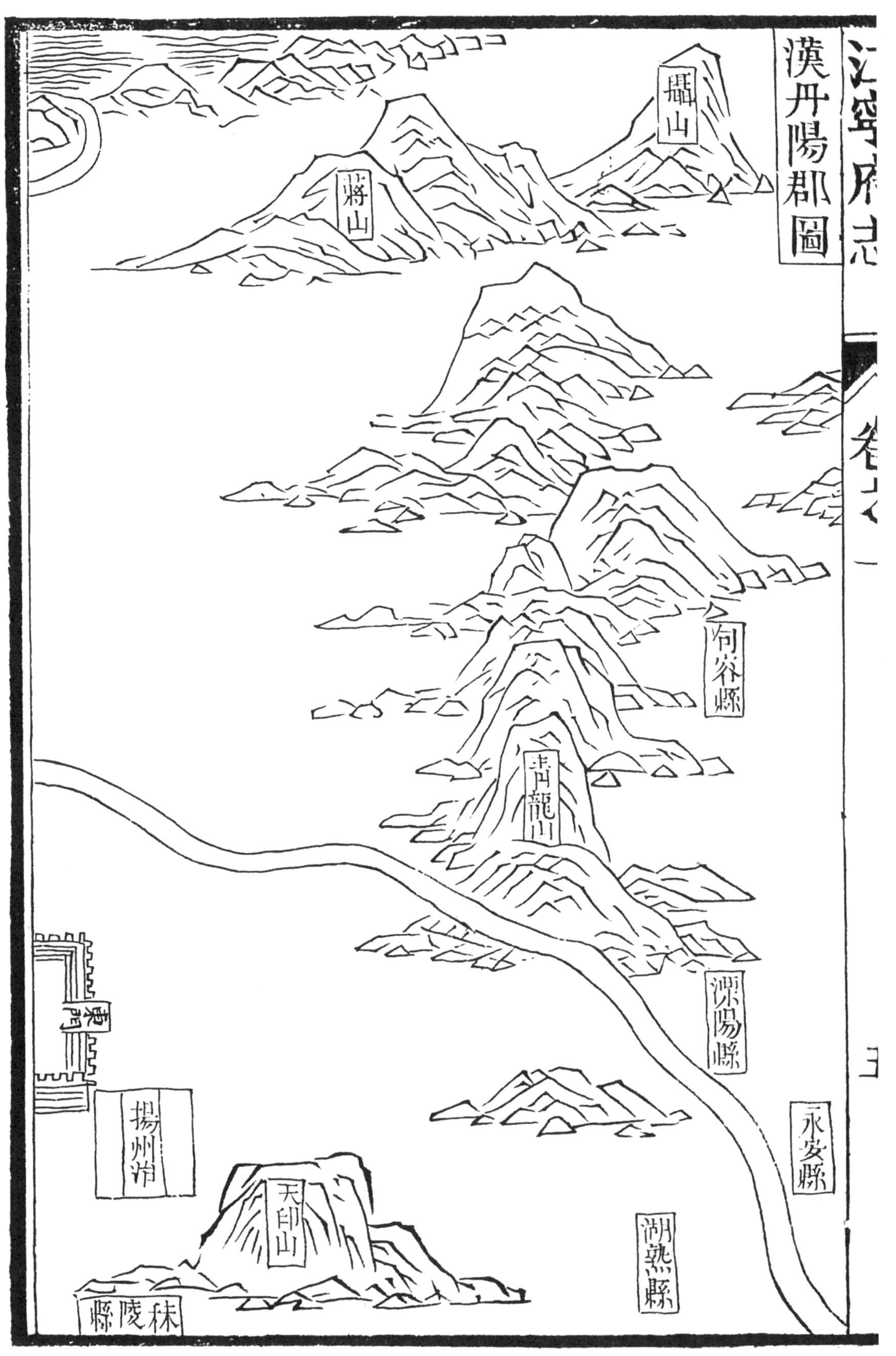
江寧府志
漢丹陽郡圖
攝山
蔣山
句容縣
青龍山
溧陽縣
永安縣
湖熟縣
天印山
揚州治
東門
秣陵縣

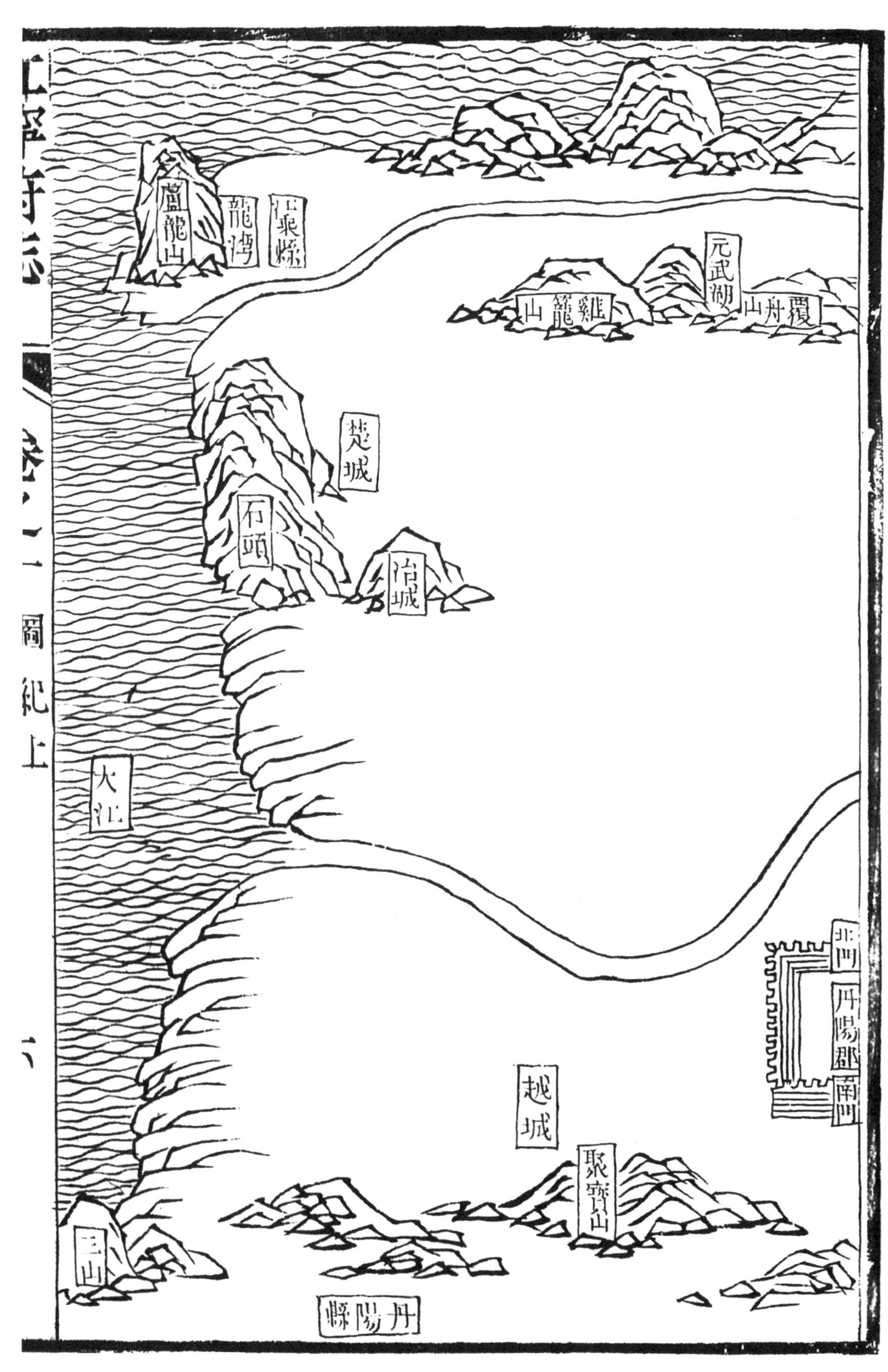

盧龍山
龍灣
江乘縣
元武湖
雞籠山
覆舟山
楚城
石頭
冶城
大江
北門
丹陽郡
南門
越城
聚寶山
三山
丹陽縣

漢丹陽郡圖考

漢滅秦以江南地封楚王韓信荆王劉賈吳王劉濞皆大國元符二年改鄣郡爲丹陽郡屬揚州統縣十七秣陵湖熟永平江乘句容溧陽隷焉皆鄣郡舊地東漢移郡治宛陵至建安十三年孫權領丹陽郡自宛陵還治秣陵改秣陵爲建鄴郡在淮水之南按吳苑記去長樂橋東一里南臨大路長樂橋今武定橋東南有長樂巷葢自東城角之內外皆是郡治城周一頃開東南北三門漢揚州無定治或治壽春或治曲阿或治歷陽治建鄴爲多亦在淮水之南去丹陽城東南二里建鄴郎秣

陵舊治湖熟在今東南六十里淮水之北有湖熟鎮永平在今溧陽南十五里溧陽在今溧水之固城江乘仍秦之治句容即今治也

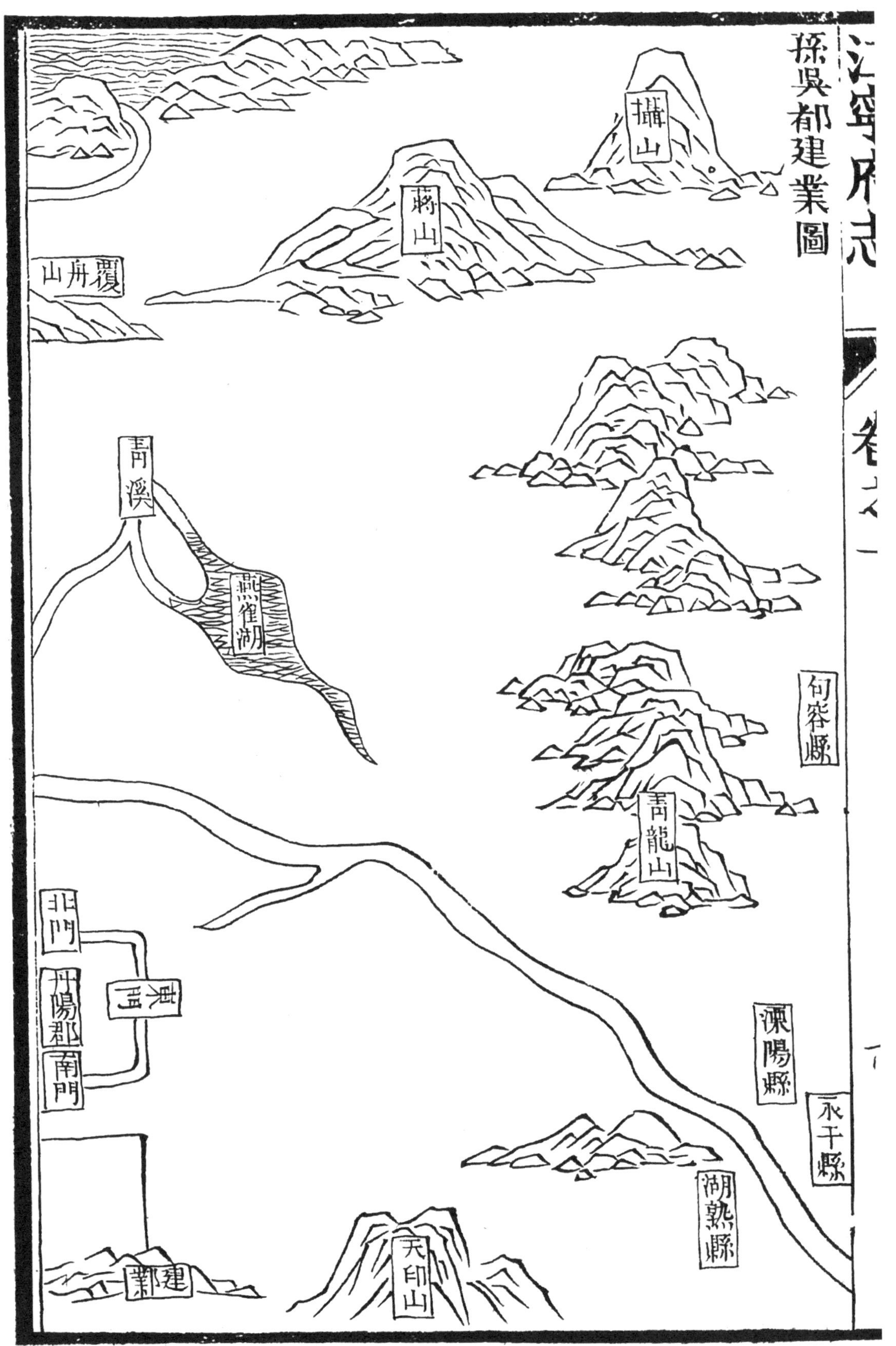
孫吳都建業圖
攝山
蔣山
覆舟山
青溪
燕雀湖
句容縣
青龍山
北門
東門
丹陽郡
南門
溧陽縣
永干縣
湖熟縣
天印山
建鄴
江寧府志
卷之一

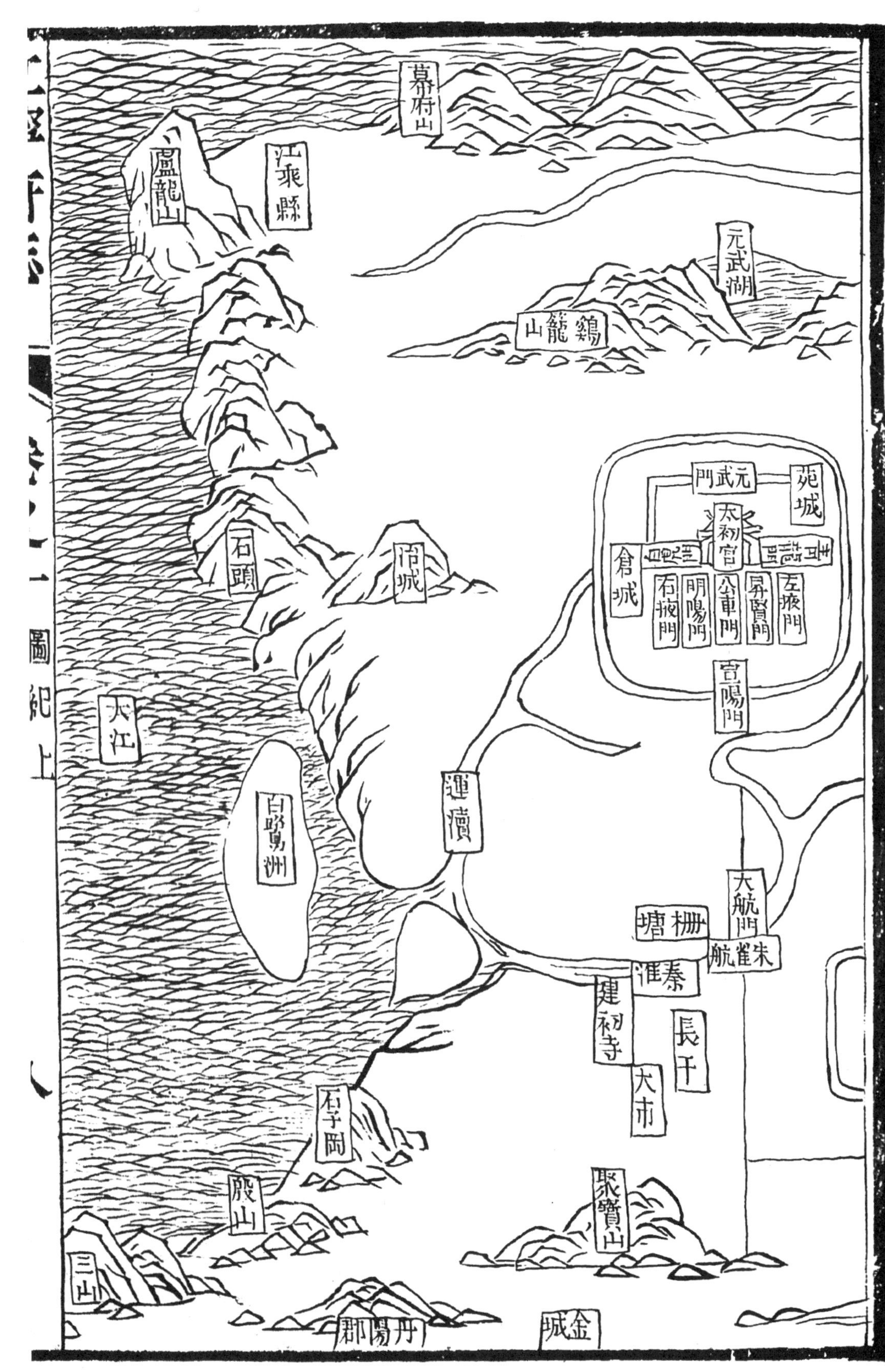
幕府山
江乘縣
盧龍山
元武湖
鷄籠山
元武門
苑城
太初宮
倉城
右掖門
明陽門
公車門
昇賢門
左掖門
宣陽門
石頭
冶城
大江
白鷺洲
運瀆
大航門
栅塘
朱雀航
秦淮
建初寺
長干
大市
石子岡
聚寶山
三山
丹陽郡
金城

孫吳都建鄴圖考

初東漢末以秣陵地封孫策爲吳侯至弟權據有江東築石頭改秣陵爲建鄴建安十三年移丹陽郡治建鄴黃龍元年遂徙爲都都城在淮水北五里據覆舟山下東環平岡以爲安西城石頭以爲重後帶元武湖以爲險前擁秦淮以爲阻周迴二十里十九步詳見後考赤烏十年作太初宮周迴五百丈作八門前五門曰公車曰昇賢曰明陽曰左掖曰右掖東一門曰蒼龍西一門曰白虎後一門曰元武都城之正門曰宣陽又南五里至淮水有大航門時都城皆設籬曰古籬門宮之後有

苑城晉所謂臺城卽今西十八衞以南在元津橋大街以北皆是赤烏四年東鑿渠名青溪自城北塹洩元武湖水九曲西南入秦淮西鑿運瀆水自倉城東入今內橋與青溪合南由今乾道橋至斗門橋達於秦淮又夾淮立柵謂之柵塘金陵建都自吳以始

江寧府志
東晉都建康圖
卷之一
琊琊縣
臨沂縣
攝山
陽曲縣
即丘縣
蔣山
青溪
雀湖
永安宮
湖苑港
青溪橋
東府城
東冶亭
檀城
青龍山
句容縣
東城航
淮秦
五城渡
溧陽縣
永世縣
北門
丹陽郡
東門
王含五城
南門
湖熟縣
天印山

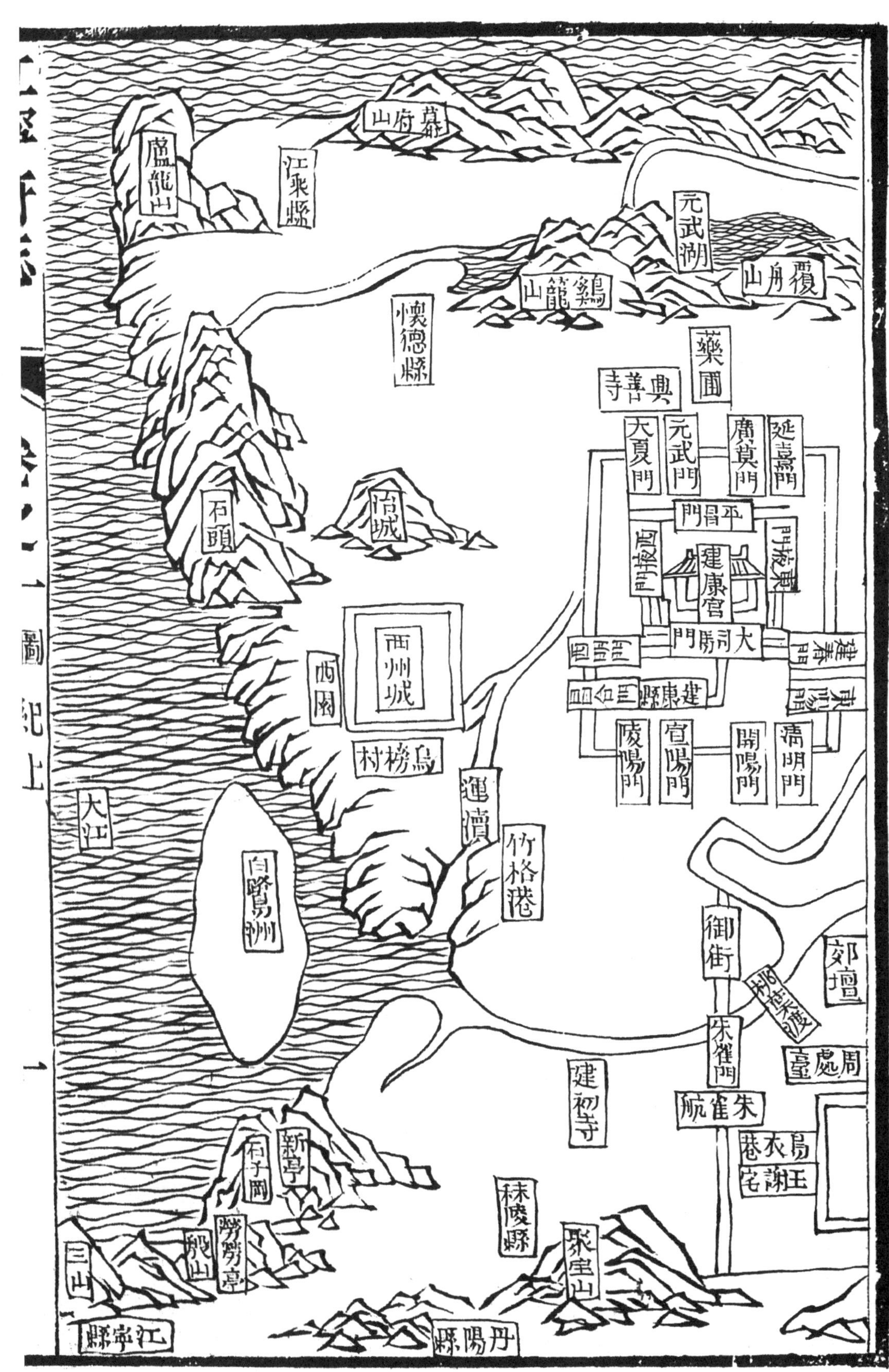
幕府山
盧龍山
江乘縣
元武湖
覆舟山
鷄籠山
懷德縣
藥圃
興善寺
大夏門
元武門
廣莫門
延熹門
平昌門
建康宮
大司馬門
建春門
冶城
石頭
西州城
西園
烏榜村
建康縣
陵陽門
宣陽門
開陽門
清明門
運瀆
竹格港
大江
白鷺洲
御街
郊壇
朱雀門
周處臺
朱雀航
建初寺
烏衣巷
王謝宅
新亭
石子岡
勞勞亭
秣陵縣
聚寶山
三山
江寧縣
丹陽縣

東晉都建康圖考

晉武帝平吳徙揚州治建業在治城之東丹陽郡仍舊治統縣永平江乘湖熟丹陽句容溧陽改建鄴仍爲秣陵後又徙秣陵於宮城南八里一百步小長干巷內分淮水北之地復置建鄴治在宣陽門內以丹陽西置江寧元帝渡江避愍帝諱改建鄴爲建康遂爲都號東晉以宰相領揚州牧築城於靑溪東南臨淮水上名東府城別舊治爲西州城以丹陽守爲尹於江乘南置琅琊郡領臨沂即丘陽都懷德四縣以處從帝之渡江者琅琊在今句容之琅琊鄉臨沂在今上元之長寧鄉即丘

陽都在臨沂之境懷德在今上元之鍾山鄉又僑置淮南魏廣川高陽堂邑南東海南東平南蘭陵八郡并寄京邑宮城仍吳之舊成帝作新宮繕苑城修六門宮城正南曰大司馬門北昌平門東西二門曰東掖西掖大司馬門與都城宣陽門對又南出至淮水上置朱雀門即吳之大航門也都城十二門南北各四東西各二詳見於圖淮水上設浮航二十有四朱雀航即朱雀門處在今鎮淮橋東後移至橋處蓋據淮爲阻有事撤航爲備即吳柵塘之意也成帝時徙建康縣於御街西

江寧府志

南朝都建康圖

建興郡
臨沂縣
蔣山
同夏縣
開善寺
沈約郊園
青林苑
籬門
金華宮
青溪
博望苑
雀湖
東府城
未央宮
東冶亭
檀城
青龍山
句容縣
東城航
五城渡
北門
丹陽郡
南門
東門
五城
溧陽縣
湖熟縣
天印山

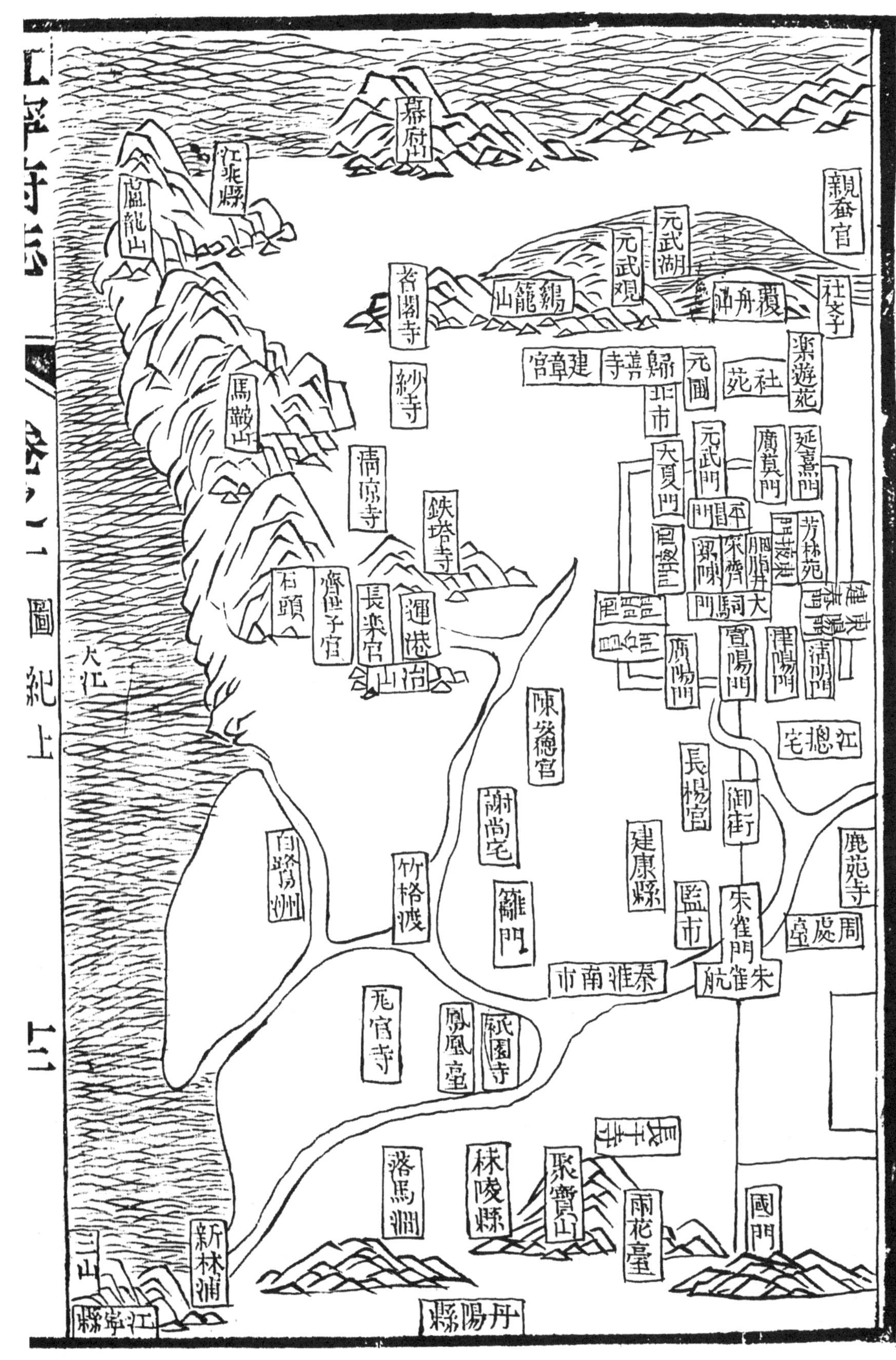

江寧府志 卷之二 圖紀上 十三
幕府山
盧龍山
親蠶宮
元武湖
元武觀
覆舟山
雞籠山
樂遊苑
建章宮
歸善寺
元圃
馬鞍山
清涼寺
鐵塔寺
石頭
齊世子宮
長樂宮
運瀆
冶山
大江
元武門
大夏門
廣莫門
延熹門
芳林苑
大司馬門
宣陽門
廣陽門
津陽門
清明門
江總宅
長楊宮
御街
謝尚宅
白鷺洲
竹格渡
籬門
建康縣
監市
朱雀門
鹿苑寺
周處臺
秦淮南市
朱雀航
瓦官寺
鳳凰臺
祇園寺
長干寺
落馬澗
秣陵縣
聚寶山
雨花臺
國門
新林浦
三山
江寧縣
丹陽縣

南朝都建康圖考

東晉既亡宋齊梁陳相繼爲據宮城都城皆仍於晉號京輦神皐初劉裕逼晉主宮於秣陵縣後乃自即晉宮元嘉二年於臺城東西開萬春千秋二門都城十二門南面次西曰宣陽次東改開陽曰津陽最東曰清明最西改陵陽曰廣陽北面次西曰元武次東曰廣莫最西曰大夏最東曰延熹正東面曰建春次南曰東陽正西而曰西明次南曰閶闔宣陽爲正門與宮大司馬門直對津陽與宮南掖對建春西明二門達於宮前之直街者宋於朱雀門之南渡淮五里又立國門在長干東南

以示觀望齊皆因之梁置石闕於端門外改朱雀門稍西在今鎮淮橋北侯景攻臺城燒大司馬門陳復營治改宮萬春門爲雲龍改千秋門爲神武改都城廣莫門爲北捷揚州治丹陽郡治皆仍舊宋省懷德郎丘陽都三縣盡入臨沂省永平縣入溧陽梁武生於秣陵同夏里因以其地置同夏縣在今上元之長樂鄉陳以瑯琊三郡地置建興郡領建安同夏烏山江乘臨沂湖熟六縣丹陽江寧建康秣陵句容溧陽仍隸丹陽郡

隋蔣州圖
攝山
蔣山
開善道場
青溪
燕雀湖
青溪橋
秦淮
孔子巷
青龍山
溧水縣
天印山

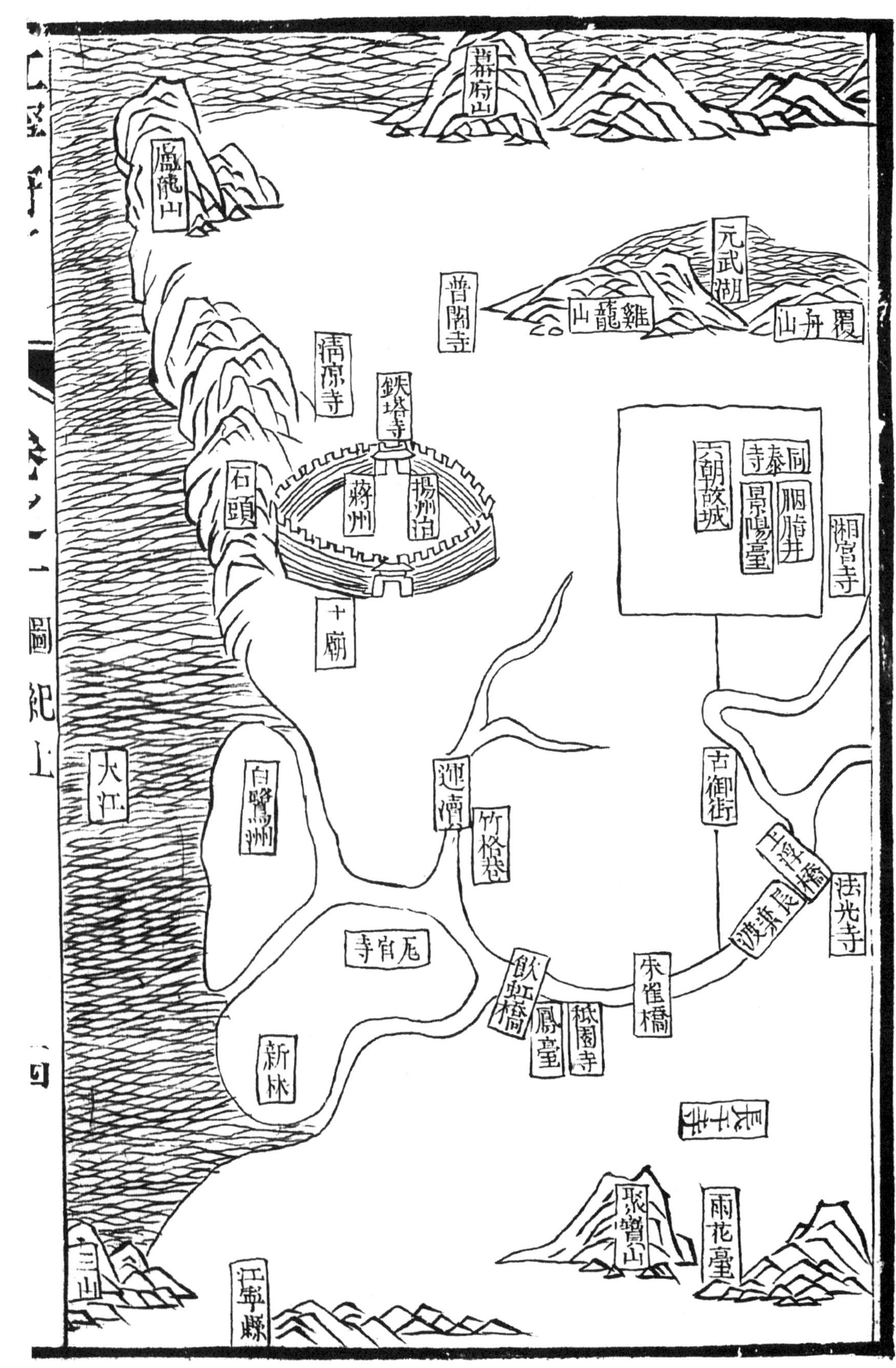
幕府山
盧龍山
元武湖
雞籠山
覆舟山
清凉寺
鐵塔寺
石頭
蔣州
揚州治
十廟
六朝故城
同泰寺
胭脂井
景陽臺
湘宮寺
古御街
大江
白鷺洲
運瀆
竹格巷
上浮橋
長樂渡
法光寺
瓦官寺
飲虹橋
鳳臺
祇園寺
朱雀橋
新林
長干里
聚寶山
雨花臺
三山
江寧縣

隋蔣州圖考

隋文帝開皇九年平陳建康城邑宮闕并蕩耕墾六朝之跡不復有存者廢丹陽郡平其城以爲田乃於石頭置蔣州依漢置太守以司隸刺史相統析溧陽丹陽之地置溧水縣十八年廢溧陽并入溧水與江寧當塗三縣屬蔣州大業初改蔣州復名丹陽郡省建康秣陵同夏三縣入江寧又廢臨沂丹陽湖熟三縣亦入江寧與溧水二縣仍爲丹陽郡所統初揚州治徙蔣州城內廢東府城後末年以江都爲揚州置總管府句容屬焉自後揚州之名專於江都矣

唐昇州圖
攝山
蔣山
寶公院
青溪
燕雀湖
白下亭
西城
何容縣
青龍山
泰淮
五城坡
溧水縣
溧陽縣
天印山

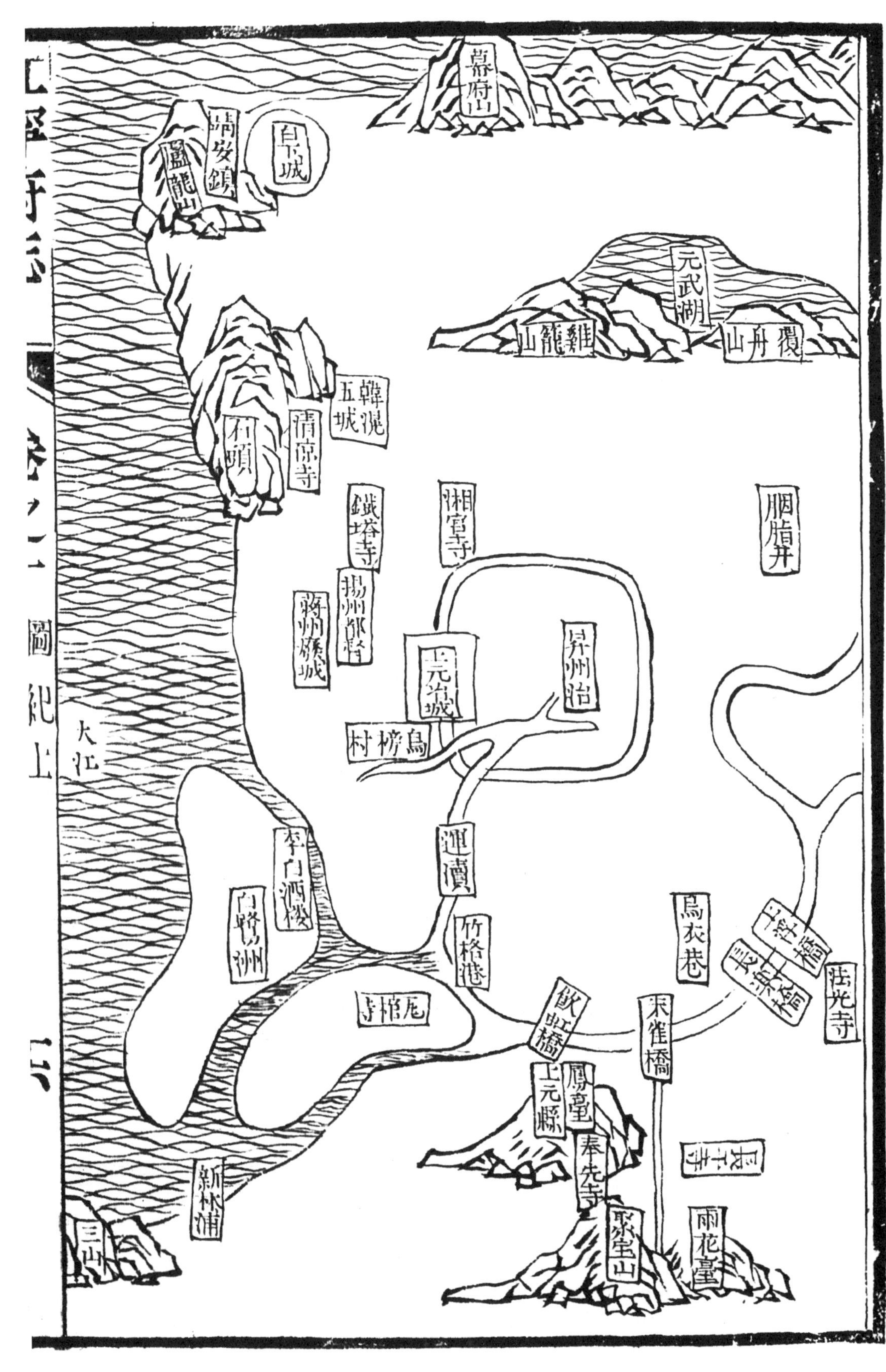
幕府山
皇城
靖安鎮
盧龍山
元武湖
雞籠山
覆舟山
韓偍五城
清涼寺
石頭
鐵塔寺
相國寺
胭脂井
揚州都督
蔣州舊城
上元故城
昇州治
烏榜村
大江
李白酒樓
白鷺洲
運瀆
竹格港
烏衣巷
上浮橋
長樂橋
瓦棺寺
飲虹橋
朱雀橋
法光寺
上元縣
鳳凰臺
奉先寺
聚寶山
雨花臺
新林浦
三山

唐昇州圖考

唐滅隋分天下十道丹陽郡屬江南東道武德二年置行臺尚書省三年改江寧縣爲歸化縣又改爲金陵縣又析其地爲安業縣尋廢以句容縣置茅州析江寧溧水之地復置溧陽縣七年罷行臺爲大都督府復蔣州仍改茅州爲句容縣與金陵溧水溧陽屬蔣州九年徙金陵縣於白下村曰白下縣貞觀七年復改爲歸化九年仍爲江寧至德二載析置江寧郡而縣廢乾元元年改郡爲昇州上元二年廢州爲上元縣治在西州城地光啓中遷鳳臺山之西大順元年復置昇州統上元句

容溧水溧陽四縣按宮苑記隋大業六年置金陵城在元風觀南園又按唐李孝恭破賊築唐府城近石頭天復二年僞吳楊行密克昇州將徐温攺築金陵城貫秦淮即以州治爲府以府治爲宮恐南唐宮即昇州治所也

南唐江寧府圖
攝山
徐鉉宅
蔣山
開善道場
青溪
竹橋
燕雀湖
句容縣
白下亭
九曲坊
青龍山
齊安寺
溧水縣
溧陽縣
天印山
郊壇

江寧府志　卷一　一圖紀上

幕府山
盧龍山
元武洲
雞龍山
覆舟山
北苑
元武橋
北門
江寧縣
靖化市
證聖寺
臺城七福院
府倉舟
石頭
清凉寺
延祚院
紫極宮
武烈帝廟
百八樓
南唐宮
遜忠堂
小虹橋
鍾山坊
青溪坊
石城坊
飛虹橋
開蜀橋
笪橋
江寧府
大江
白鷺洲
下水門
上水門
十三樓
魚市
銀行
諸司衙門
御街
能仁寺
鐵塔市
國子監
泰淮
法光寺
花行
鳳臺
奉苑寺
鎮淮橋
伏龜樓
炳靈公廟
上元縣
昇元寺
南門
長干橋
三山
聚寶山
康熙載宅

南唐江寧府圖考

初僞吳楊行密子溥在唐末取昇州後將徐温自領昇州改築城郭爲金陵府至石晉天福元年爲吳天祚二年温假子知誥篡吳以金陵爲西都改金陵府爲江寧府遂以府治爲宫以城爲都國號唐復姓李更名昇城周二十五里北六朝都城近南貫秦淮於城中西據石頭卽今石城三山二門南接長干卽今聚寶門東門以白下橋爲限卽今大中橋北門以元武橋爲限卽今北門橋橋所跨水皆昔所鑿城濠也今通濟三山水關卽當時淮水出入處青溪九曲至是爲築城絕其流今竹

橋下水西入舊城濠者乃自潮溝從西南流之故道自舊内傍南流經淮清橋合秦淮者則城内所存之一曲内橋之北東盡昇平橋西盡大市橋北至小虹橋此宫城之限内橋南直抵聚寶門大街即當時御街也按志宫前御街傍夾大溝雜植槐柳臺省相望今溝猶存江寧府治改於宫城之東割上元南十九鄉與當塗北二鄉復置江寧與上元二縣皆治郭下江寧治在北門内上元治仍唐舊句容溧水溧陽亦仍舊治焉

江寧府志　卷之一

宋建康府圖

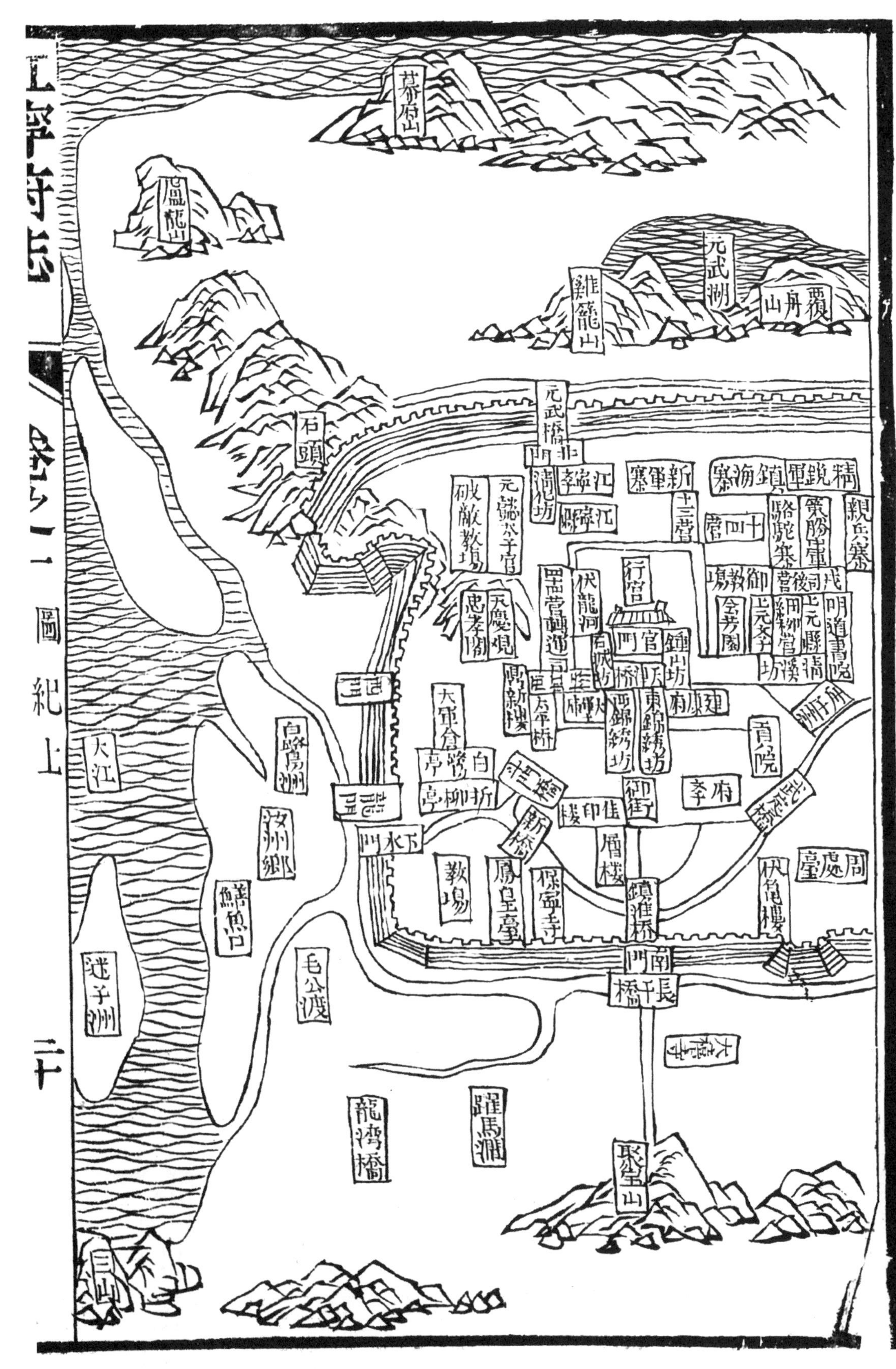

幕府山
盧龍山
元武湖
雞籠山
覆舟山
石頭
元武橋
精銳軍
鎮海寨
新軍寨
親兵寨
破敵教場
行宮
伏龍洞
天慶觀
大江
白鷺洲
毛公渡
龍灣橋
躍馬澗
聚寶山
三山
長干橋
南門
鎮淮橋
鳳皇臺
保寧寺
教場
下水門
新橋
白鷺亭
折柳亭
層樓
御街
東錦綉坊
西錦綉坊
鍾山坊
府学
貢院
周處臺
伏龜樓
明道書院

宋建康府圖考

宋開寶八年南唐滅復昇州仍以宮爲州治隷江南東路天禧二年陞江寧府建康軍節度使封壽春郡王爲昇王建國後卽位是爲仁宗以昇爲大國不以封諸皇子其守臣皆以宰執近臣爲之徙上元縣於城東北南唐司會府地建炎三年改江寧府爲建康府又徙上元於城東隅紹興三年高宗駐蹕明年徙府治於東錦繡坊今舊內處以府治地爲行宮設留守命守臣兼之安撫制置總領轉運提領御前馬步軍諸司皆治於此行宮卽南唐宮地前內橋今改天津橋其下水引青溪由

東虹橋今昇平橋周繞大內東西三隅經西虹橋今大市橋復合青溪曰護龍河城皆僞吳順義中所築由尊賢坊今里仁街口出東門由鎮淮橋出南門今聚寶門由武衛橋出西門今石城門由清化坊出北門今北門橋南大街由斗門橋出龍光門今三山門以上元江寧爲赤縣溧水溧陽爲畿縣比西京故事

元集慶路圖
攝山
蔣山
興國寺
竹橋
燕雀湖
長春橋
東門
上水門
句容縣
青龍山
溧水州
溧陽州
天印山

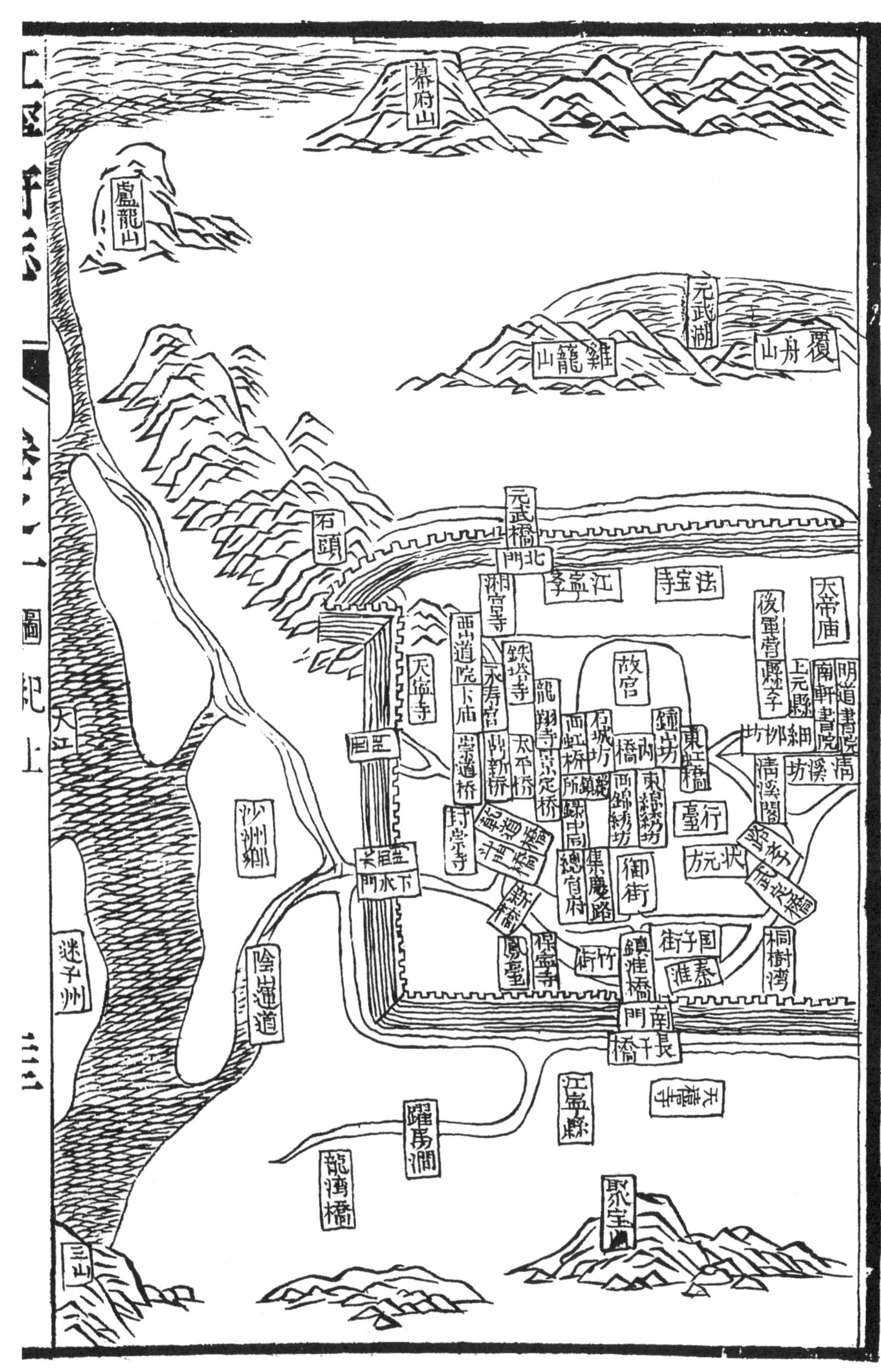
幕府山
盧龍山
元武湖
雞籠山
覆舟山
石頭
元武橋
北門
江寧亭
法宝寺
大帝庙
後軍营
故官
大江
沙州鄉
迷子州
陰陽道
躍馬澗
龍灣橋
江寧縣
天禧寺
長干橋
南門
聚宝山
三山
桐樹湾
清溪閣
清溪坊
狀元方
行臺
御街
鎮淮橋
太平橋
天界寺
上元縣
南軒書院
明道書院
鐵塔寺
永寿宫
封崇寺
鳳臺
保寧寺
竹街
下水門
大中橋

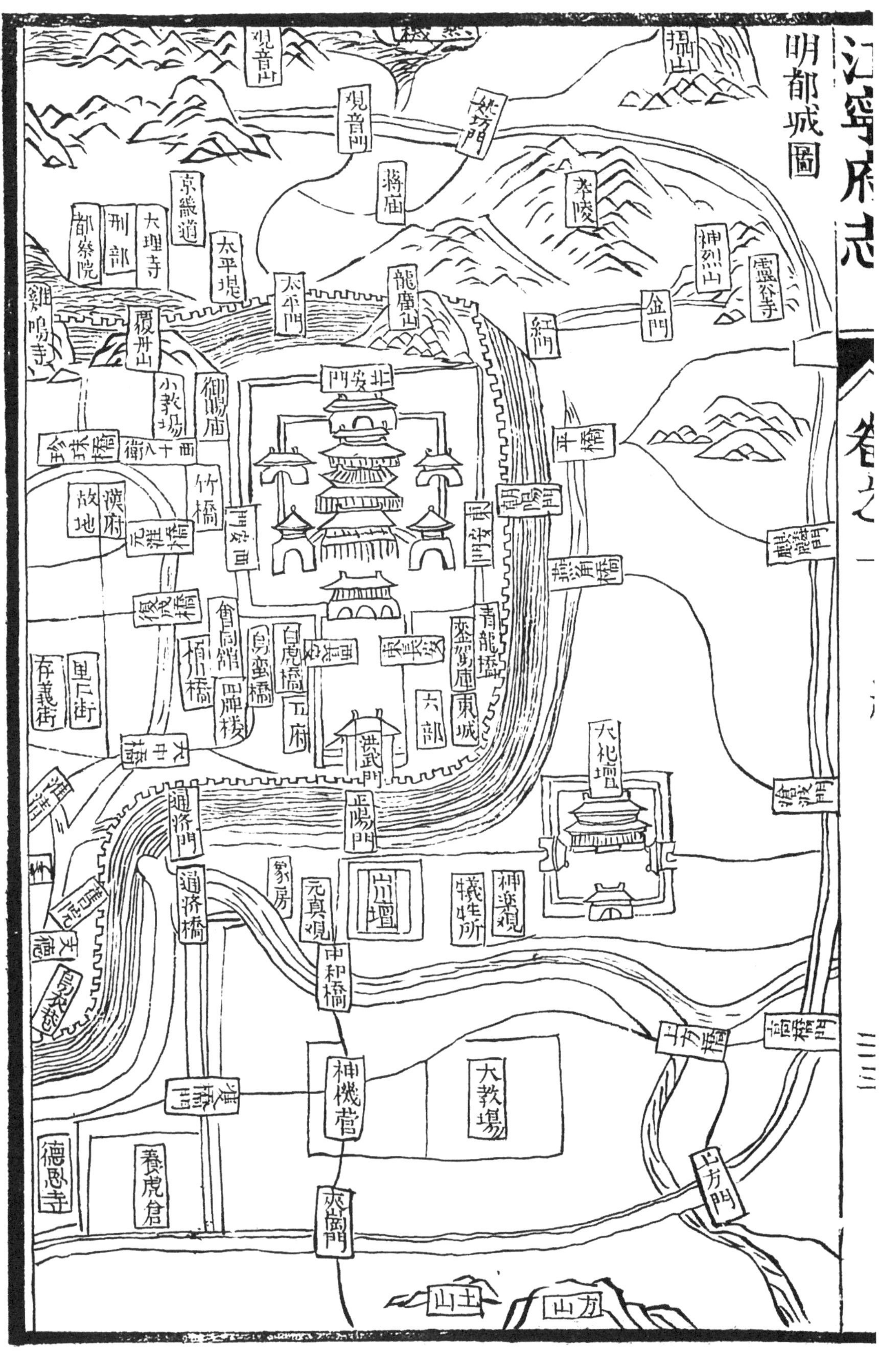
江寧府志
卷之一
三三
明都城圖
觀音山
觀音門
攝山
將廟
孝陵
神烈山
靈谷寺
京畿道
大理寺
刑部
都察院
太平堤
太平門
龍廣山
雞鳴寺
覆舟山
小教場
御馬廟
北安門
十八衛
竹橋
漢府
故地
西安門
東安門
朝陽門
麒麟門
青龍橋
東城
六部
白虎橋
會同館
存義街
里仁街
大中橋
洪武門
正陽門
大祀壇
通濟門
通濟橋
元真觀
山川壇
犧牲所
神樂觀
滄波門
中和橋
上方橋
高橋門
神機營
大教場
養虎倉
德恩寺
聚寶門
上方門
土山
方山

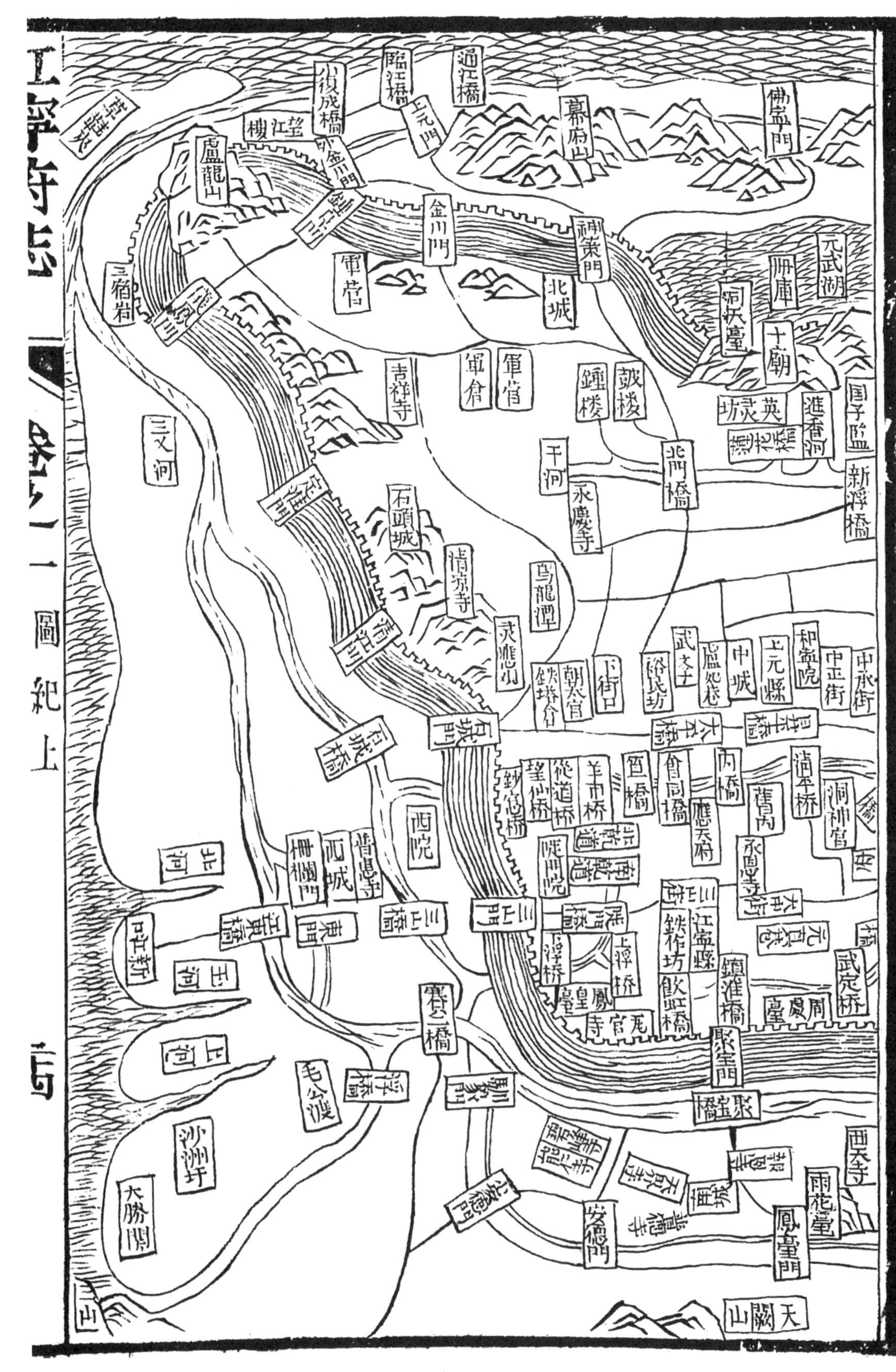
江寧府志
卷之一
圖紀上
小復成橋
臨江橋
通江橋
上元門
幕府山
佛寧門
望江樓
盧龍山
金川門
神策門
元武湖
冊庫
軍營
北城
十廟
三宿岩
吉祥寺
軍倉
軍營
鼓樓
鐘樓
國子監
三叉河
干河
北門橋
永慶寺
新浮橋
石頭城
清涼寺
烏龍潭
朝天宮
下街口
中城
上元縣
中正街
石城門
石城橋
內橋
望仙橋
羊市橋
笪橋
應天府
舊內
西院
西城
普惠寺
北河
江東橋
江東門
三山橋
三山門
玉河
上河
賽虹橋
毛公渡
浮橋
沙洲圩
大勝關
安德門
聚寶門
聚寶橋
西天寺
雨花臺
鳳臺門
天闕山
鳳凰臺
周處臺
武定橋
鎮淮橋
飲虹橋
鐵作坊
江寧縣
瓦官寺
上浮橋

明都城圖考

明太祖於元至正丙申三月取集慶路戊申混一海內改路爲應天府大建城闕考諸都城之域惟南門大西水西三門因舊更名聚寶石城三山自舊東門處截濠爲城沿淮水北崇禮鄉地開拓八里增建南出者二門曰通濟正陽自正陽以東而北建東出者一門曰朝陽自鍾山之麓由龍廣山圍繞而西抵覆舟山建北門曰太平又西據覆舟山雞鳴山（即雞籠山）緣湖水以北至直瀆山而西八里又建北出者二門曰神策金川自金川北繞獅子山（即盧龍山）於內雉堞東西相向亦建二門曰鍾阜

儀鳳自儀鳳迤邐而南建定淮清涼二門以接舊西門而周門西出者五由聚寶北至金川神策北通濟正陽至太平之南北倍之由朝陽至石城三山比定淮至神策之東城三山水門至通濟水門之東西亦倍之東盡鍾山之南岡北據山控湖西阻石頭南臨聚寶貫秦淮於內外橫縮屈曲計周九十六里外郭西北據山帶江東南阻山控野闢十有六門東五曰姚坊仙鶴麒麟滄波高橋南七曰上方夾岡雙橋鳳臺馴象大安德小安德西一曰江東北三曰佛寧上元觀音周一百八十里

國朝省城圖

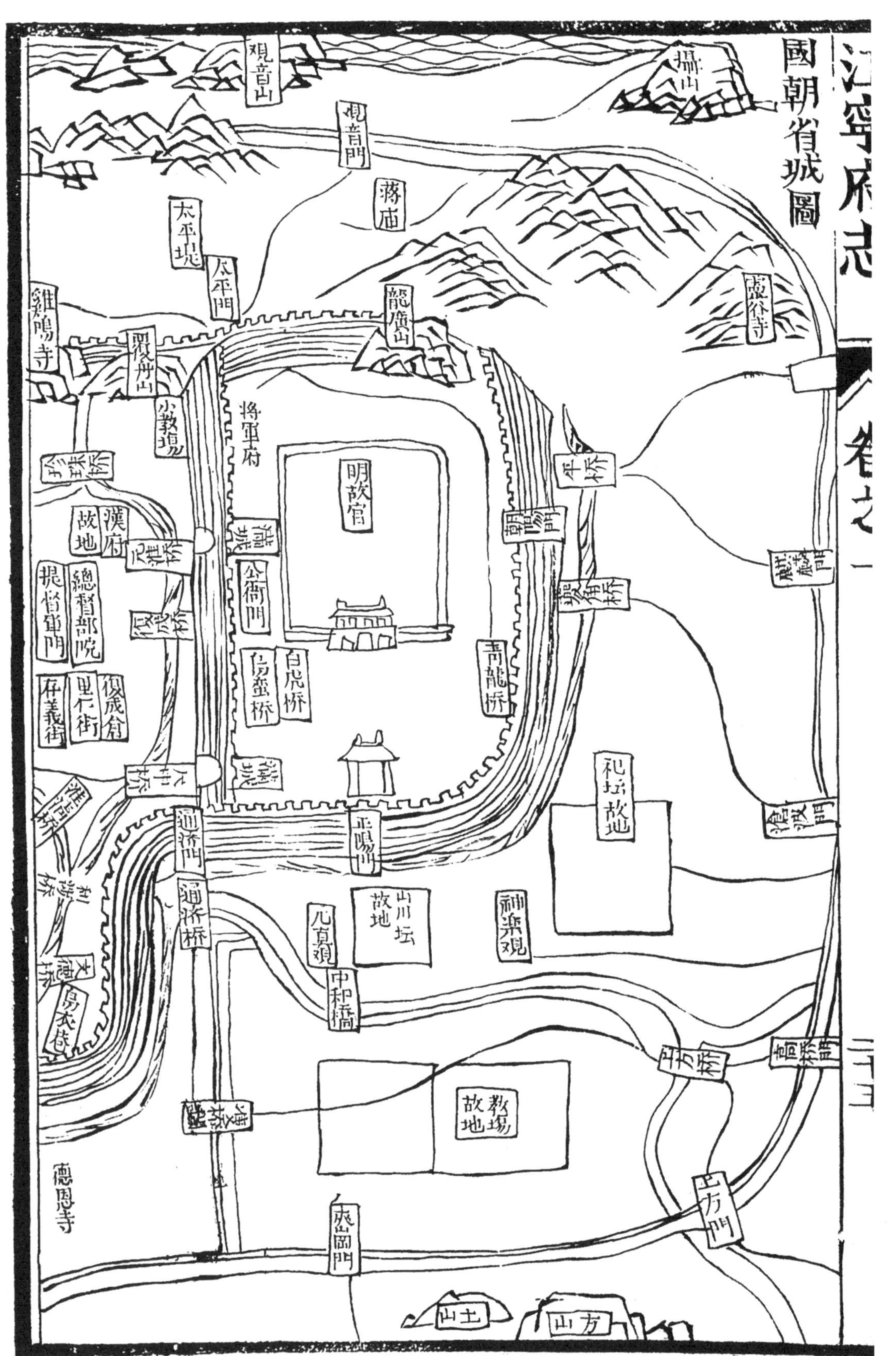
觀音山
觀音門
蔣廟
太平堤
太平門
雞鳴寺
龍廣山
靈谷寺
覆舟山
小教場
將軍府
明故宮
朝陽門
麒麟門
漢府故地
總督部院
提督軍門
復成倉
里仁街
存義街
滿城
公衙門
白虎橋
烏蠻橋
青龍橋
滿城
大中橋
通濟門
正陽門
祀壇故地
滄波門
通濟橋
山川壇故地
神樂觀
中和橋
上方橋
高橋門
教場故地
上方門
德恩寺
夾岡門
土山
方山

江寧府志　卷之二　圖紀上

少復成橋　臨江橋　通江橋　幕府山　儀鳳門
楼江望　盧龍山　得勝門
三宿石　軍校臺　元武湖　冊庫　司天臺　士廟　府文子
軍倉　鐘樓　鼓棧　英靈坊　進香河　新浮橋
吉祥寺　于河　永慶寺　北門橋
三汊河　石頭城　烏龍潭　清凉寺　灵應觀　鐵石岡
朝天宮　武學　盧妃巷　上元縣　中正街　中承街
下街口　裕民坊　旧内
西院　普惠寺　内橋　江寧府　永恩寺　舊内　清平橋
羊市橋　從道橋　驛傳道　江寧縣
望仙橋　鐵窓橋　陸門院　陸門橋　布政使道　銅柱
一枝園　陸門院　下浮橋　鳳寺　上浮橋九　飲虹橋
西天玉　按察使司
鎮淮橋　武定橋
賽工橋　聚寶門
毛公渡　橋寶聚
沙洲圩　安德門
大勝關　雨花臺
天闕山

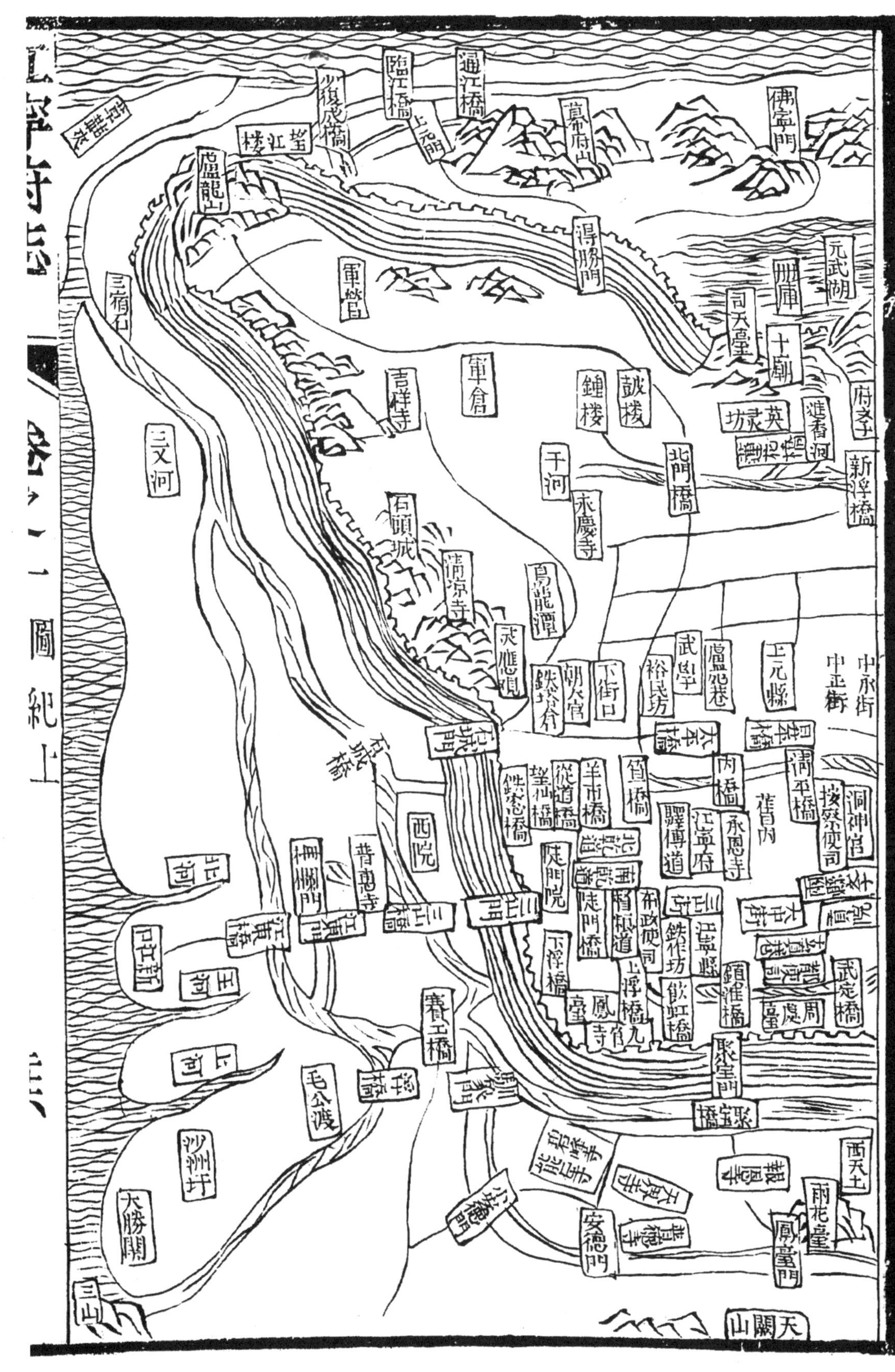

國朝省城圖考

世祖章皇帝順治二年五月豫王統大兵南下江南軍民投誠改南京爲江南省以應天府爲江寧府領縣如故設江南布政使司及提刑按察使司都使司督糧驛傳等衙門于江寧府治中總督江南江西部院衙門駐節在焉城郭因明之舊惟閉清涼鍾阜定淮金川四門而洪武三山等門無改順治十六年改神策門爲得勝門以旌武功又築滿城于青溪之東起太平門沿舊皇城墻基至通濟門止開二門以通出入爲滿州大兵屯駐之地駐防 將軍等開

府于此其總兵府以舊臨淮府第爲之在西華門大街之右外郭門城垣舊多頽毁所存者僅高橋滄波江東二三處其城内外橋梁水道惟利涉橋新建于桃葉渡餘皆無改于舊

江寧府志

府境方括圖

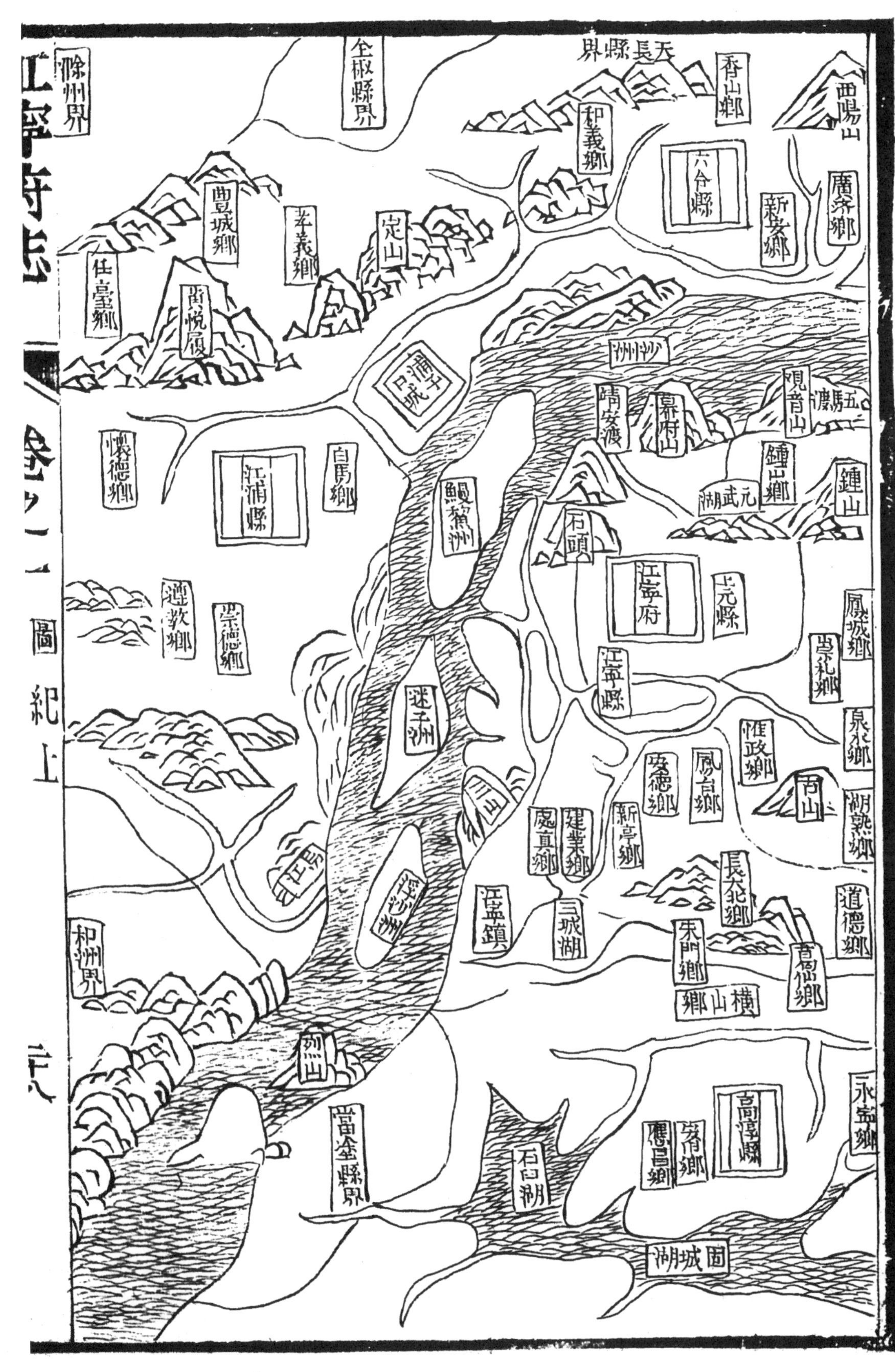
江寧府志
卷之二 圖紀上
天長縣界
全椒縣界
滁州界
香山鄉
西陽山
和義鄉
六合縣
廣濟鄉
新安鄉
豐城鄉
孝義鄉
定山
任臺鄉
黄悦嶺
沙洲
浦子口城
觀音山
五馬渡
靖安渡
幕府山
懷德鄉
江浦縣
白馬鄉
鰻鱺洲
鍾山鄉
元武湖
鍾山
石頭
江寧府
上元縣
遵教鄉
崇德鄉
鳳城鄉
崇禮鄉
江寧縣
迷子洲
惟政鄉
泉水鄉
安德鄉
鳳臺鄉
湖熟鄉
建業鄉
新亭鄉
處真鄉
長寧鄉
和州界
江寧鎮
三城湖
朱門鄉
道德鄉
崇賢鄉
橫山鄉
烈山
當塗縣界
高淳縣
永寧鄉
安興鄉
唐昌鄉
石臼湖
固城湖

府境方括圖考

自有郡以來疆地統括盈縮不常莫廣於漢莫狹於隋至唐以後屬縣乃定皆在大江之南明始括江北二縣弘治四年析溧水十四區民增置高淳所領凡八縣一曰上元城東北境也古江乘臨沂湖熟故地二曰江寧城西南境也古秣陵建鄴丹陽故地三曰句容在上元之東八十里出周郎橋四曰溧水在江寧之南九十里出烏剎橋古瀨渚縣地五曰溧陽在溧水之東南五十里出分界山古固城之東境六曰高淳在溧水西南以高淳鎮置治七曰江浦在江寧之西距大江古烏江地

增割鄰境爲縣置治於曠口八日六合在江浦之東出浦子口東盡句容之境抵鎭江之丹陽丹徒南盡溧陽溧水之境抵廣德州連寧國之宣城東南盡之境連常州之宜興西南盡高淳江寧之境抵太平之當塗西盡江浦之境抵和州西北連滁州北盡六合之境連鳳陽之天長東北盡句容六合之境抵揚州之儀真東西相距三百六十里南北相距四百六十里

江寧府志
卷之一
三六
境内諸山圖
攝山
衡陽
臨沂
雉亭
鍾山
龍廣
白山
竹堂
雲山
武岡
青龍
雁門
天城
彭城
張山
符堅
石硊
土山
赤山
三茅山

江寧府志　卷之二　圖紀上
觀音
幕府
直瀆
大壯觀
雞鳴
覆舟
獅子
四望
馬鞍
石頭
冶城
聚寶
戚家
梓桐
紫岩
天闕
三山

境内諸山圖考

唐志稱東南名山衡廬茅蔣金陵有二焉蔣山故名鍾山實都邑之鎮武侯所謂鍾山龍蟠是也宋周應合山川序云鍾山之左自攝山臨沂雉亭衡陽以達于東又東爲白山大城雲穴武岡以達於東南又南爲土山張山青龍石硊天印彭城鴈門竹堂以達於西南綿亘至三山而止於大江所謂龍蟠之勢也鍾山之右近之爲覆舟雞籠在宮城之後又北爲直瀆大壯觀四望以達於西北又西北爲幕府盧龍馬鞍以達於西是爲石頭城亦止於江所謂虎踞之形也考其山之遠近亦少有不

合者蓋東南之山關城重抱山勢連屬不可一一次序言之且古之江水自三山東入沿陰山石子岡北流以至於石頭又自石頭沿馬鞍四望盧龍幕府東折至於觀音又由臨沂攝山直抵京口二百餘里山勢不絕浮江而觀之三山據於西南石頭據於西北秦淮中出乃天限之門戶也今江水西流沙洲曠邈馬鞍鳳臺爲民居日削而陰山則陶冶爲墿漸不可尋矣此則圖其形勢之大者焉

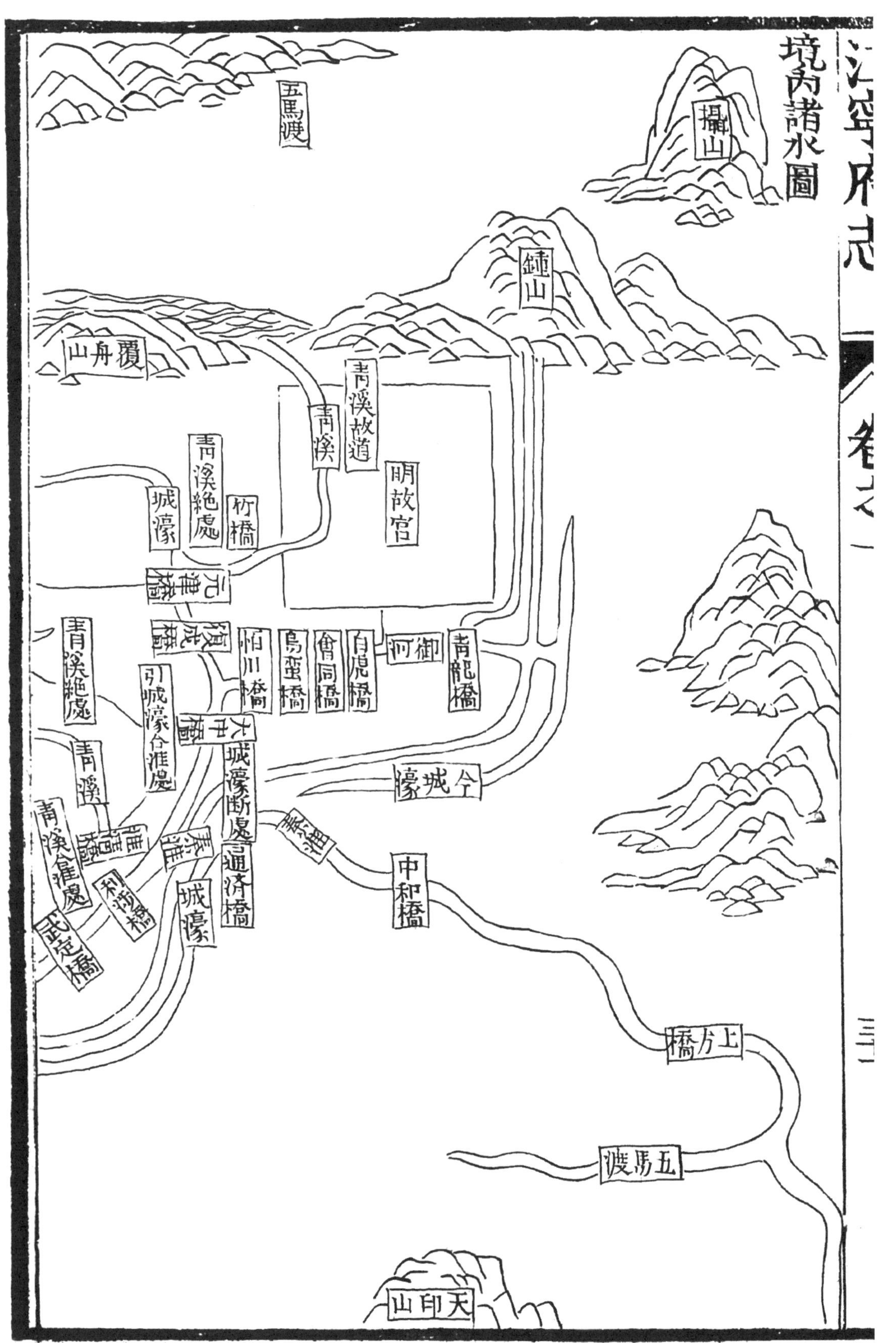
江寧府志 卷之一
境内諸水圖
五馬渡
攝山
鍾山
覆舟山
青溪故道
青溪
明故宫
青溪絶處
竹橋
城濠
元津橋
復成橋
柏川橋
烏蠻橋
會同橋
白虎橋
御河
青龍橋
青溪絶處
引城濠合淮處
大中橋
今城濠
城濠斷處
淮清橋
青溪
青溪合淮處
淮清橋
秦淮
通濟橋
中和橋
利涉橋
城濠
武定橋
上方橋
五馬渡
天印山

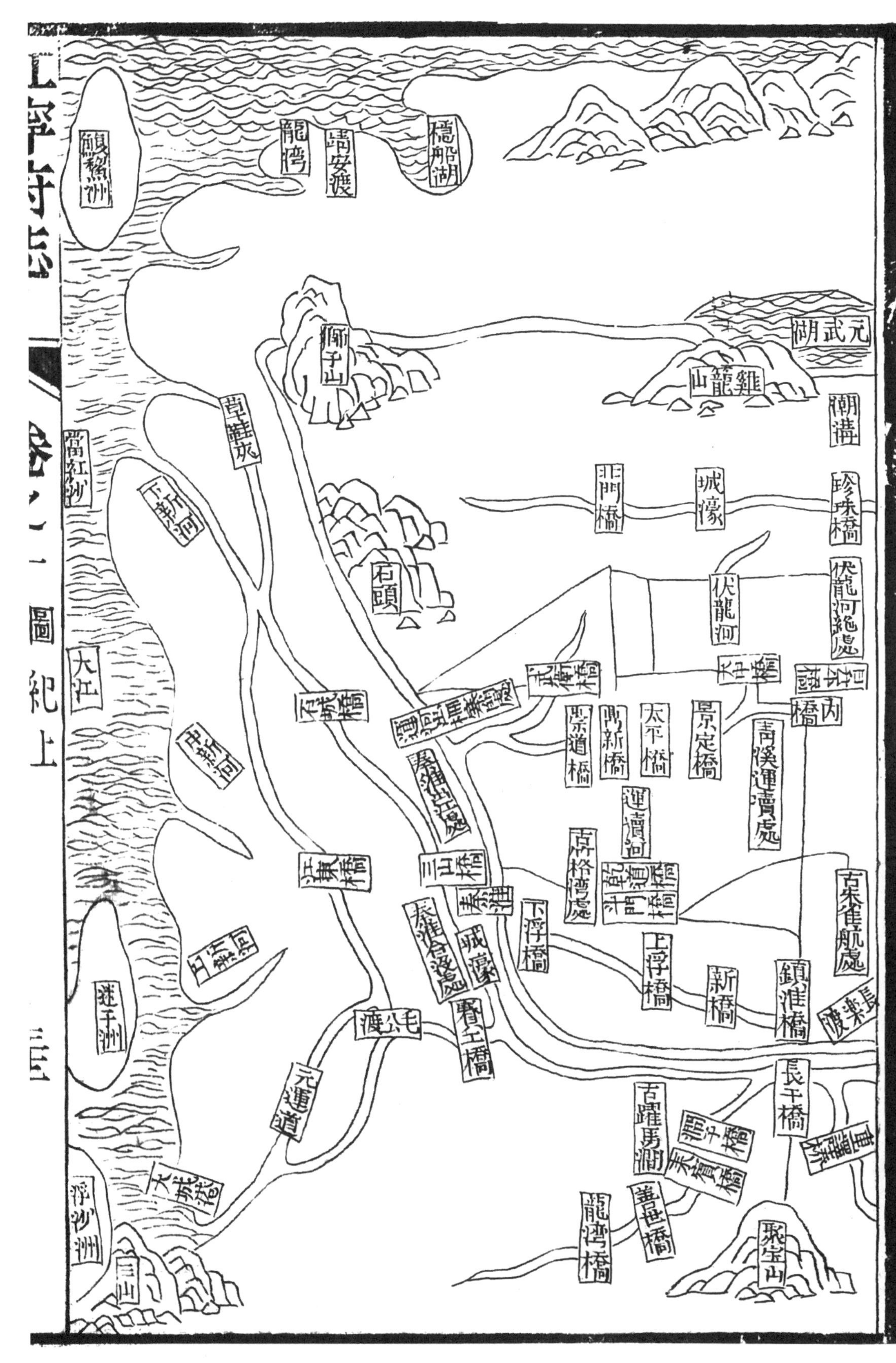
圖紀上
穩船湖
靖安渡
龍灣
獅子山
草鞋夾
下新河
石頭
大江
石城橋
中新河
江東橋
三山橋
秦淮
城濠
毛公渡
元運道
大城港
浮沙洲
三山
元武湖
雞籠山
潮溝
北門橋
城濠
珍珠橋
伏龍河
伏龍河絕處
內橋
太平橋
景定橋
青溪運瀆處
運瀆河
下浮橋
上浮橋
新橋
鎮淮橋
長樂渡
長干橋
古躍馬澗
善世橋
龍灣橋
聚宝山

境内諸水圖考

金陵在大江東南自慈姥山至下蜀渡古稱天塹巨浸此江之境也秦鑿淮吳鑿青溪運瀆楊吳鑿城濠宋鑿護龍河宋元鑿新河明開御河城壕今諸水交錯互流支脉靡辨據經考之自方山之岡壟兩淮北流西入通濟水門南經武定鎮淮飲虹三橋又西出三山水門沿石頭以達於江者秦淮之故道也自太平城下由潮溝南流入大内又西出竹橋入濠而絶又自舊内旁周繞出淮清橋與秦淮合者青溪所存之一曲也自斗門橋西北經乾道太平諸橋東連内橋西連武衛橋者運瀆

之故道也自北門橋東南至於大中橋截於通濟城內旁入秦淮又自通濟城外與秦淮分流繞南經長干橋至於三山水門外與秦淮復合者楊吳之城濠也自昇平橋達於上元縣後至缸橋南接大市橋者護龍河之遺蹟也自三山門外達於草鞋夾經江東橋出大城港與陰山運道合者皆新開河也東出青龍橋西出白虎橋至拍川橋入濠者今大內之御河也若城外落馬澗諸水不能悉載焉

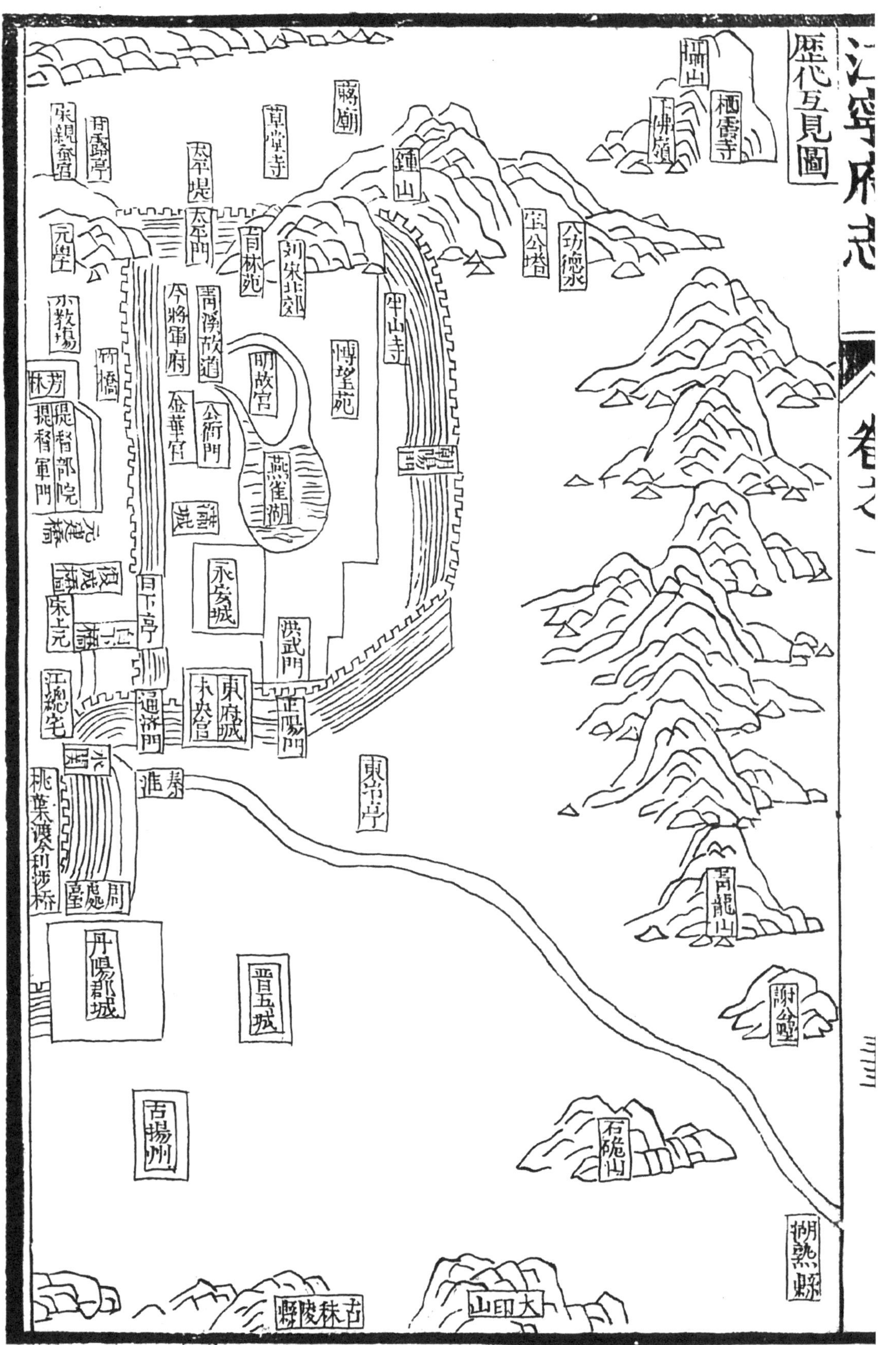
江寧府志
卷之一
歷代互見圖
攝山
棲霞寺
鍾山
蔣廟
草堂寺
寶公塔
八功德泉
宋親蠶宮
甘露亭
太平堤
太平門
上林苑
劉宋北郊
元學
小教場
竹橋
半山寺
將軍府
青溪故道
明故宮
博望苑
提督部院
提督軍門
金華宮
燕雀湖
永安城
白下亭
洪武門
江總宅
東府城
通濟門
正陽門
水關
秦淮
東冶亭
桃葉渡
周處臺
青龍山
丹陽郡城
晉五城
謝墩
古揚州
石碓山
湖熟縣
古秣陵縣
大印山

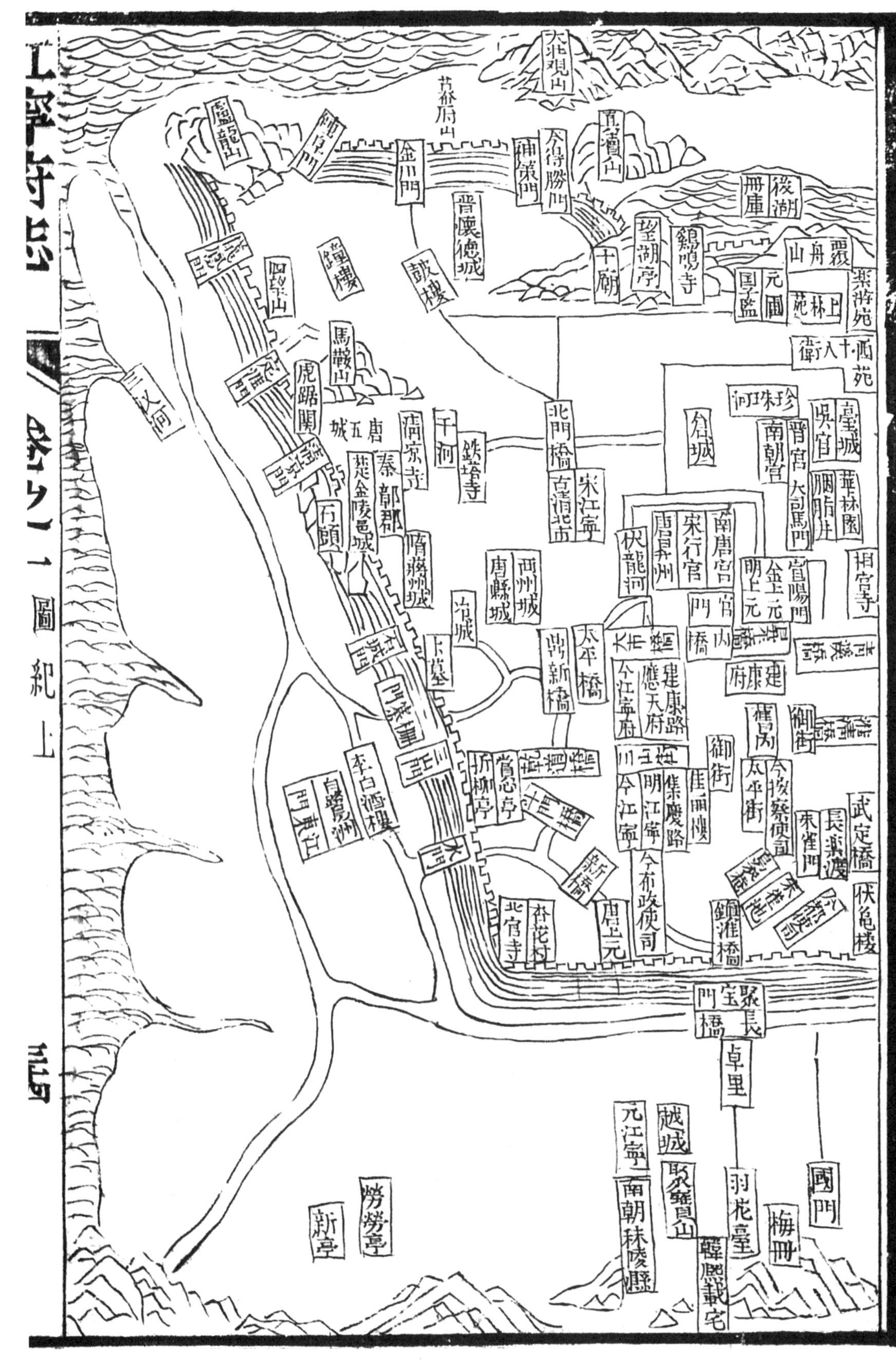

歷代互見圖考

歷代城邑變置若不可悉辨然鍾山自東北而迤邐於西南大江自西南而環抱於東北覆舟阻其後聚寶當其前青龍石硊挾其左右頭三山踞其右秦淮横其中考諸漢以後郡城皆在淮水之南六朝宫城皆在淮水之北而近於覆舟楚秦隋唐之城皆在淮水西北而據於石頭楊吳以後之城皆跨淮水之南北而近於聚寶

明因山距淮盡乎四極

國朝因之爲省城以是據方辨位庶幾可得矣按六朝宫城正門曰大司馬門南對都城之宣陽門二里宣陽

門南對朱雀門五里臺省相望爲御街朱雀門臨淮水上朱雀航北今考鎮淮橋東南桐樹灣處當是航所中正街府軍營內小橋當是宣陽門處直出北戸西華門西大街當是大司馬門處舊國學成賢街南戸當是宮後平昌門處珍珠河正在宮內也成賢街外號以東直抵西十八衛之後當爲都之北城宋上元縣西細柳營直北當爲東城舊武學以北當爲西城其規模大畧可見南唐之宮前臨內橋東盡昇平橋西盡大市橋北盡小虹橋爲子城之限宋行宮卽此內橋南直抵鎮淮橋此則南唐之御街也志云鎮淮橋卽朱雀橋者葢蕭梁

時移航於此遂名舊航之處唐所謂長樂渡也南渡長樂一里抵東城角内外皆丹陽郡城之基又東南近倪塘乃晋王含五城又南當是古揚州治清凉寺地以至石頭山脊爲楚金陵邑城又北爲唐韓滉五城少東南則隋蔣州城又東則冶城今朝天宫處又西抵下街有西州橋即西州城地唐上元縣城亦是其處皆石頭之麓相去不遠南循三山水關内下浮橋北爲賞心亭少西爲折柳亭出水關中街水環繞處當爲白鷺洲洲之上今普惠寺當是李白酒樓繞南城角高處即昇元閣舊基少北高阜皆鳳凰臺山少西即建初寺寺西即杏

花村聚寶門外爲長干向西爲越城少南爲秣陵城東南爲國門轉東至通濟跨城處當爲東府城大中橋東畔爲白下亭長安街西口當爲宋永安宮北抵竹橋之側當爲金華宮六朝城後今府學處爲元圖小教塲西門内爲上林苑將臺處當爲樂遊苑蔣廟之西南當爲商飈館西北爲親蠶宮此皆可因據而互見者也

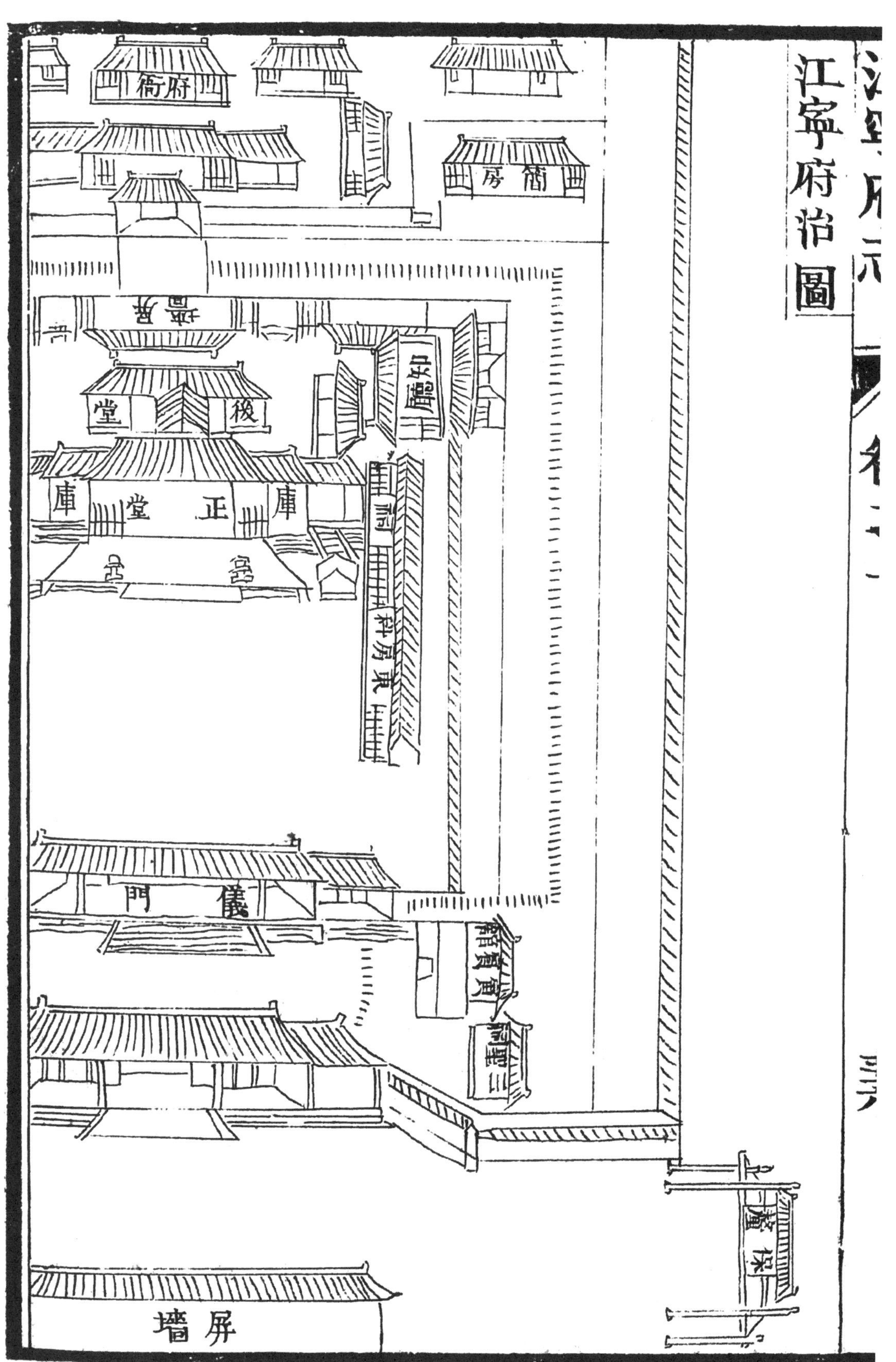
江寧府治圖
府衙
衙房
後堂
庫
正堂
庫
儀門
屏墻

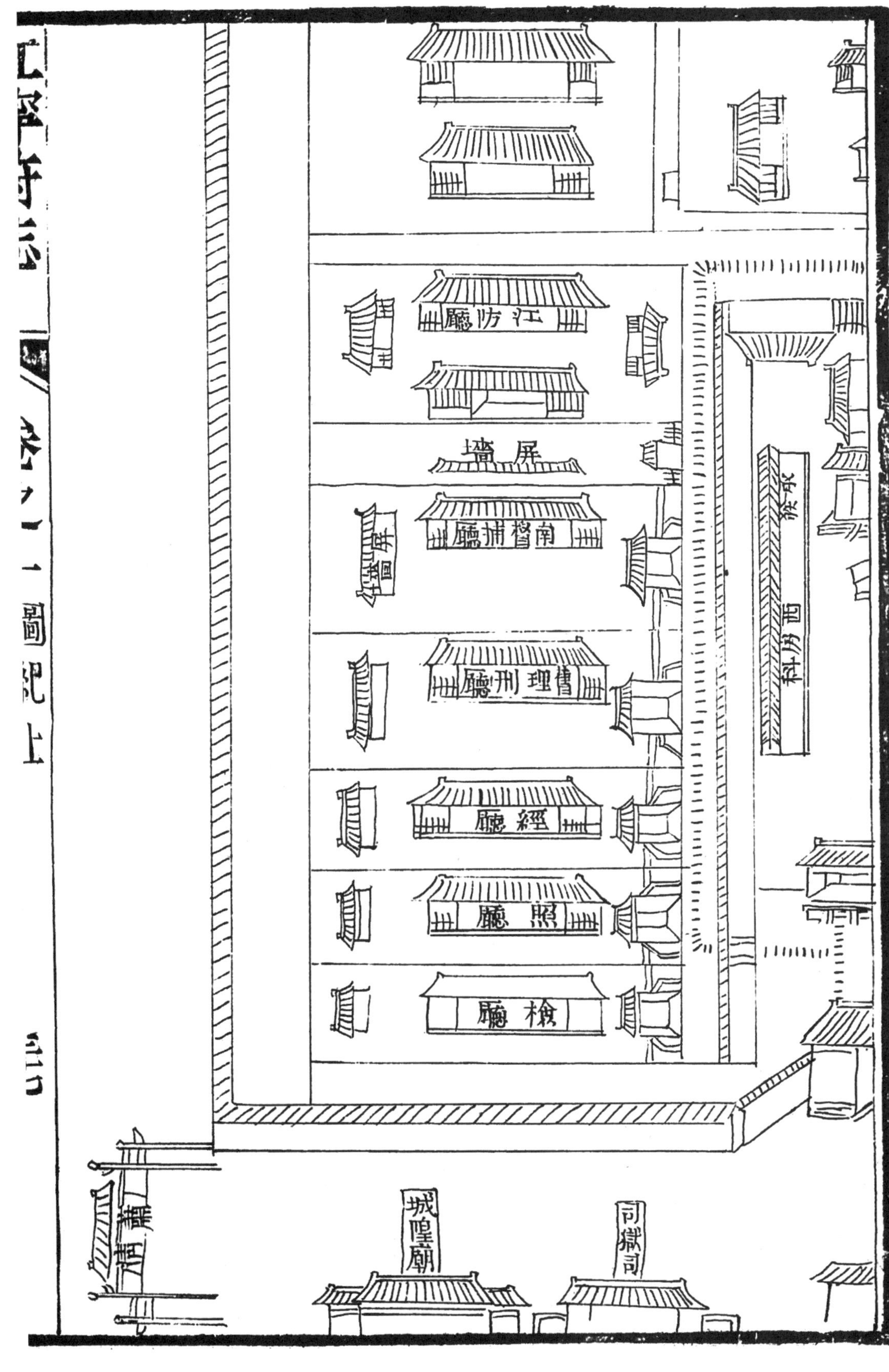
江寧府志 卷之十一 圖紀上
江防廳
屏牆
南督捕廳
刑理廳
經廳
照廳
檢廳
西房科
城隍廟
司獄司

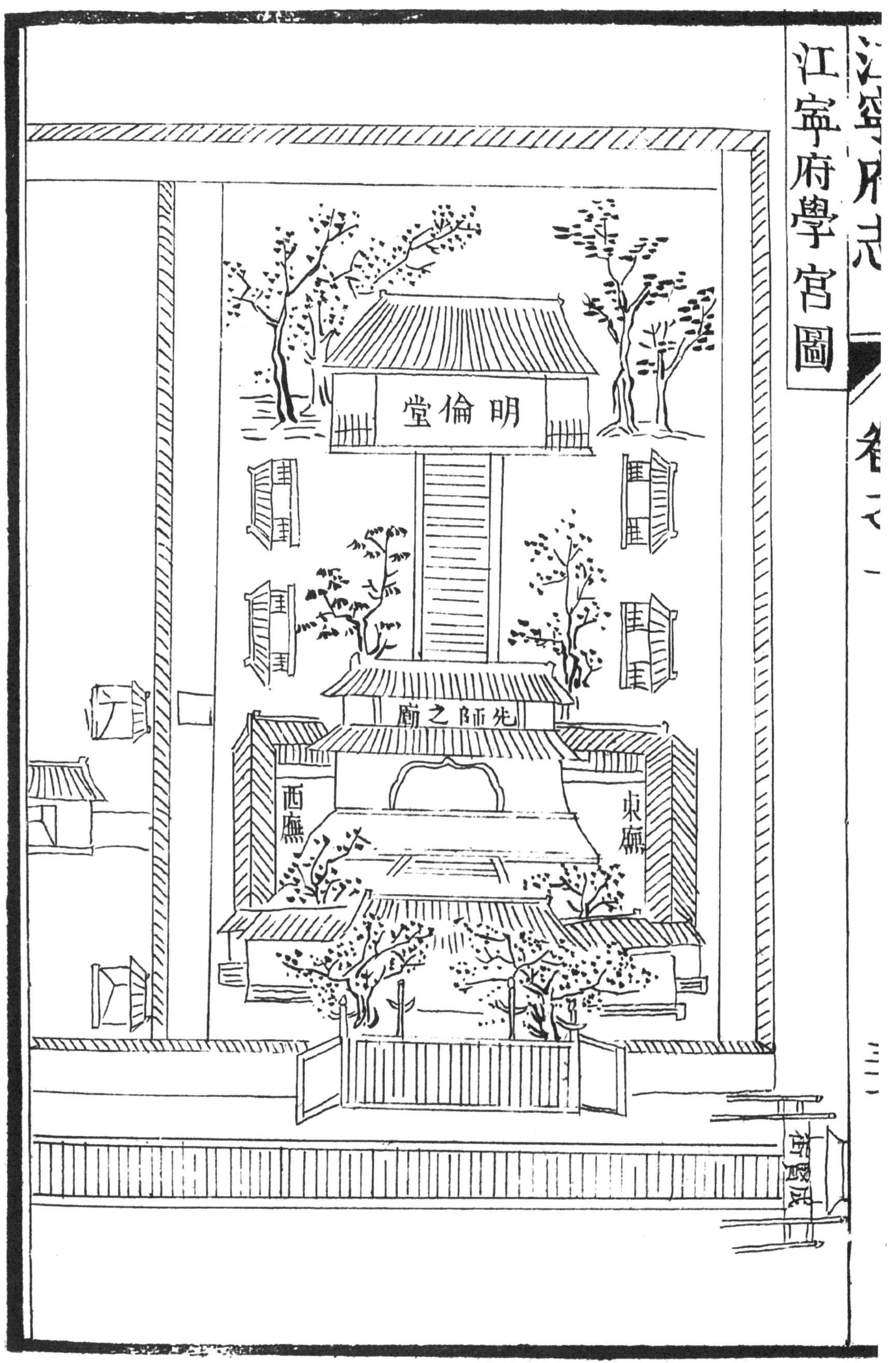
江寧府學宮圖
明倫堂
先師之廟
西廡
東廡

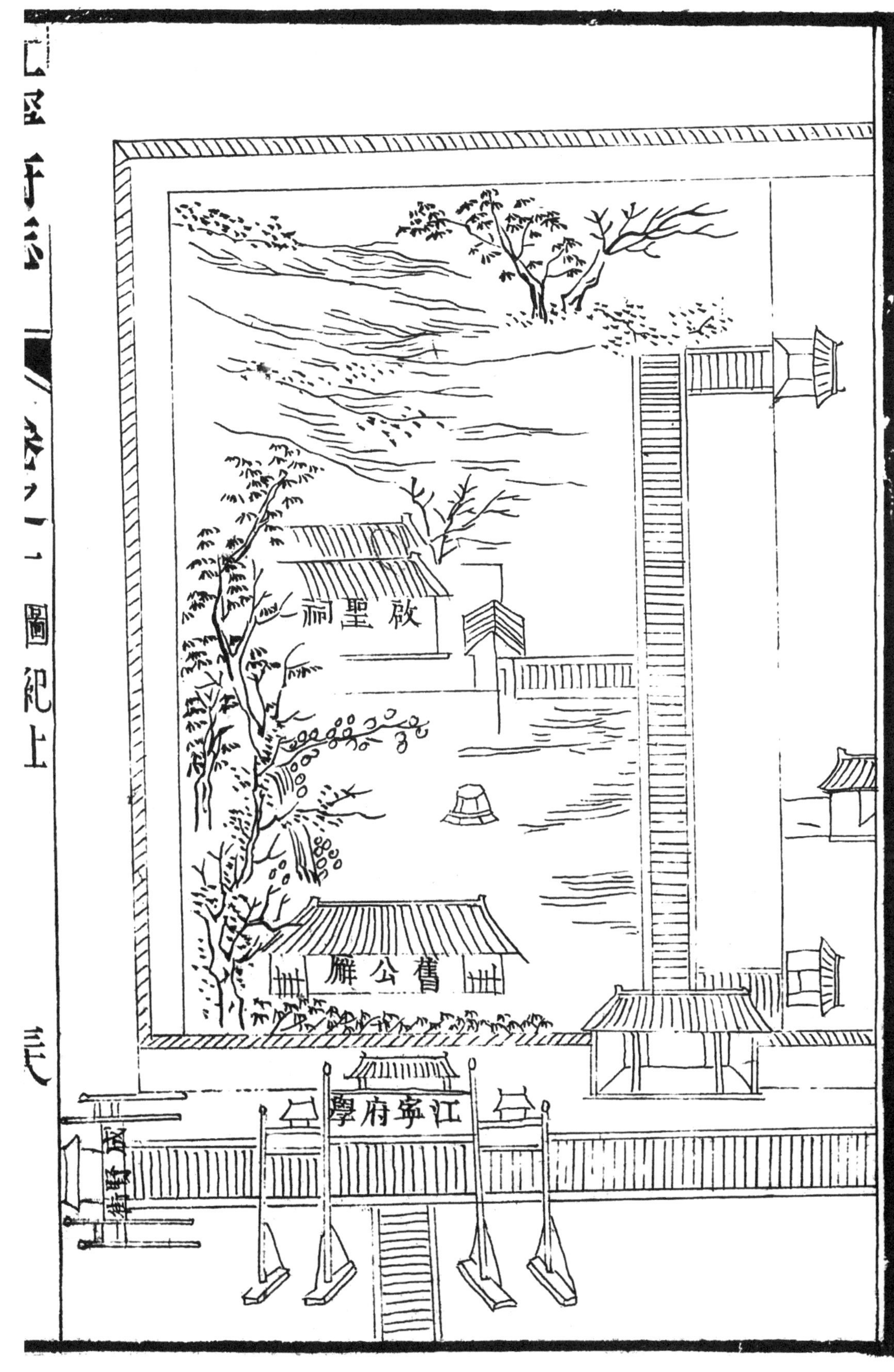
啟聖祠
舊公廨
江寧府學

上元縣治圖

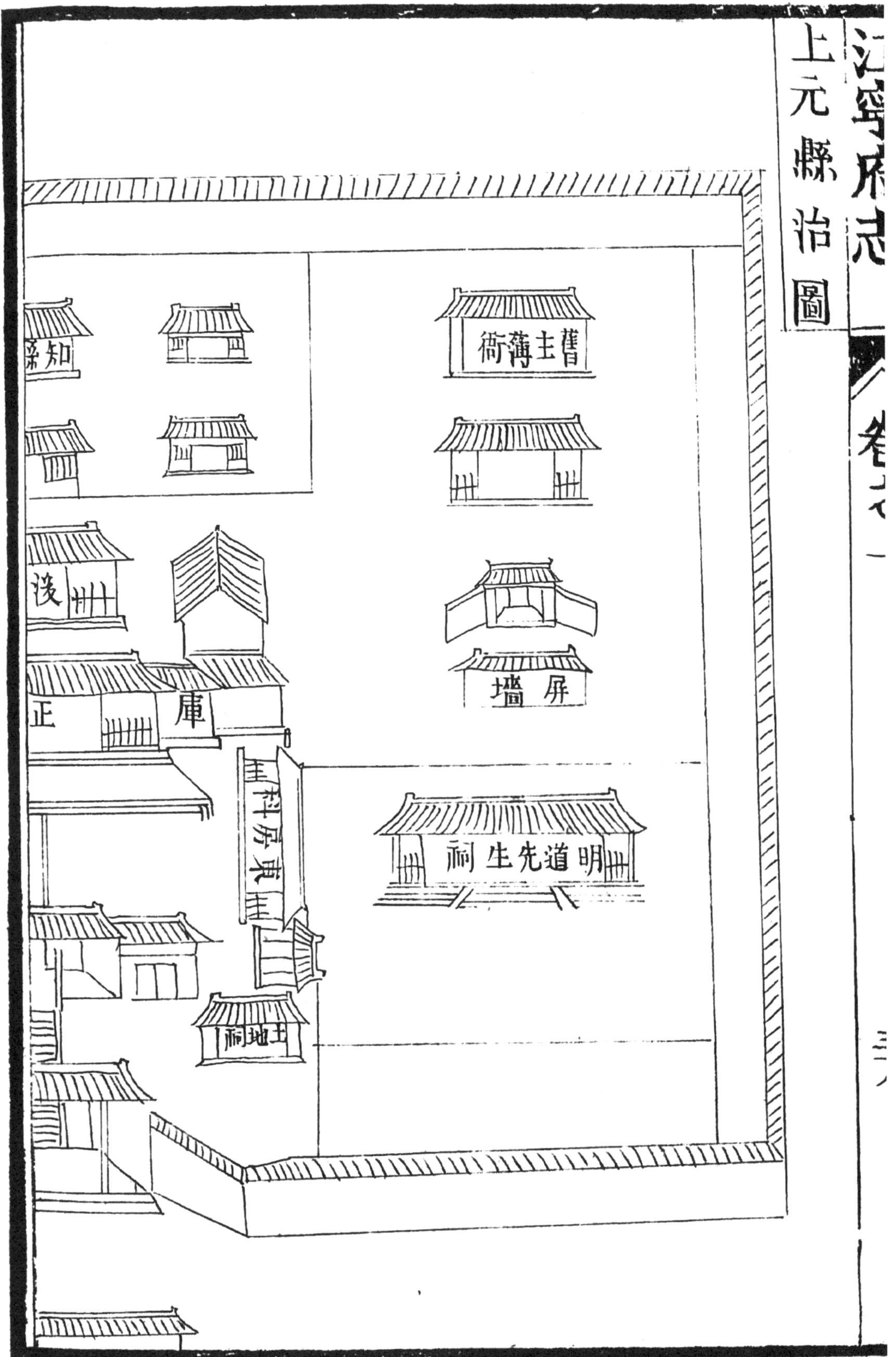

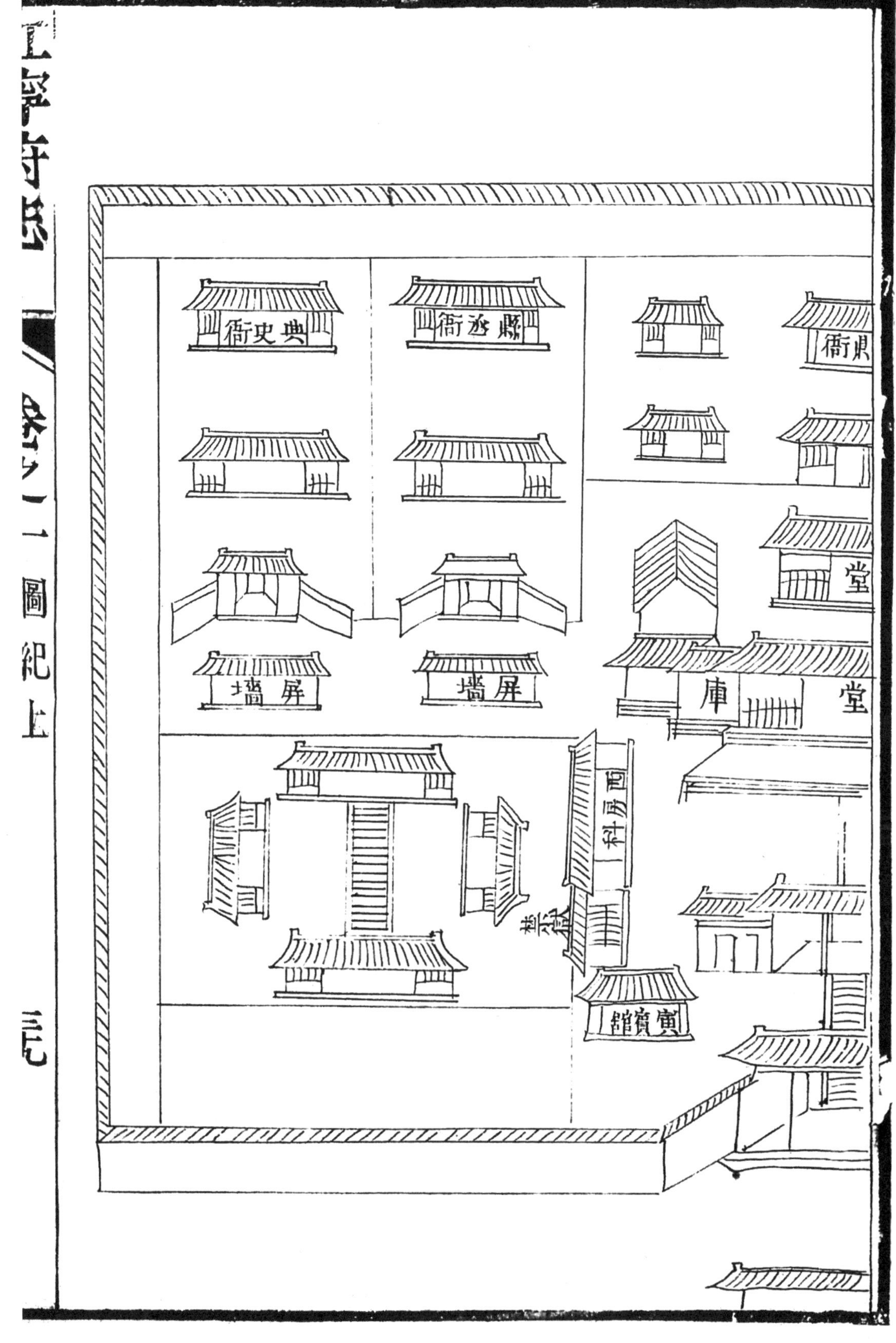
江寧府志　卷之二　圖紀上
典史衙
縣丞衙
屏墻
屏墻
庫
堂
堂
西科房
賓館

江寧縣治圖

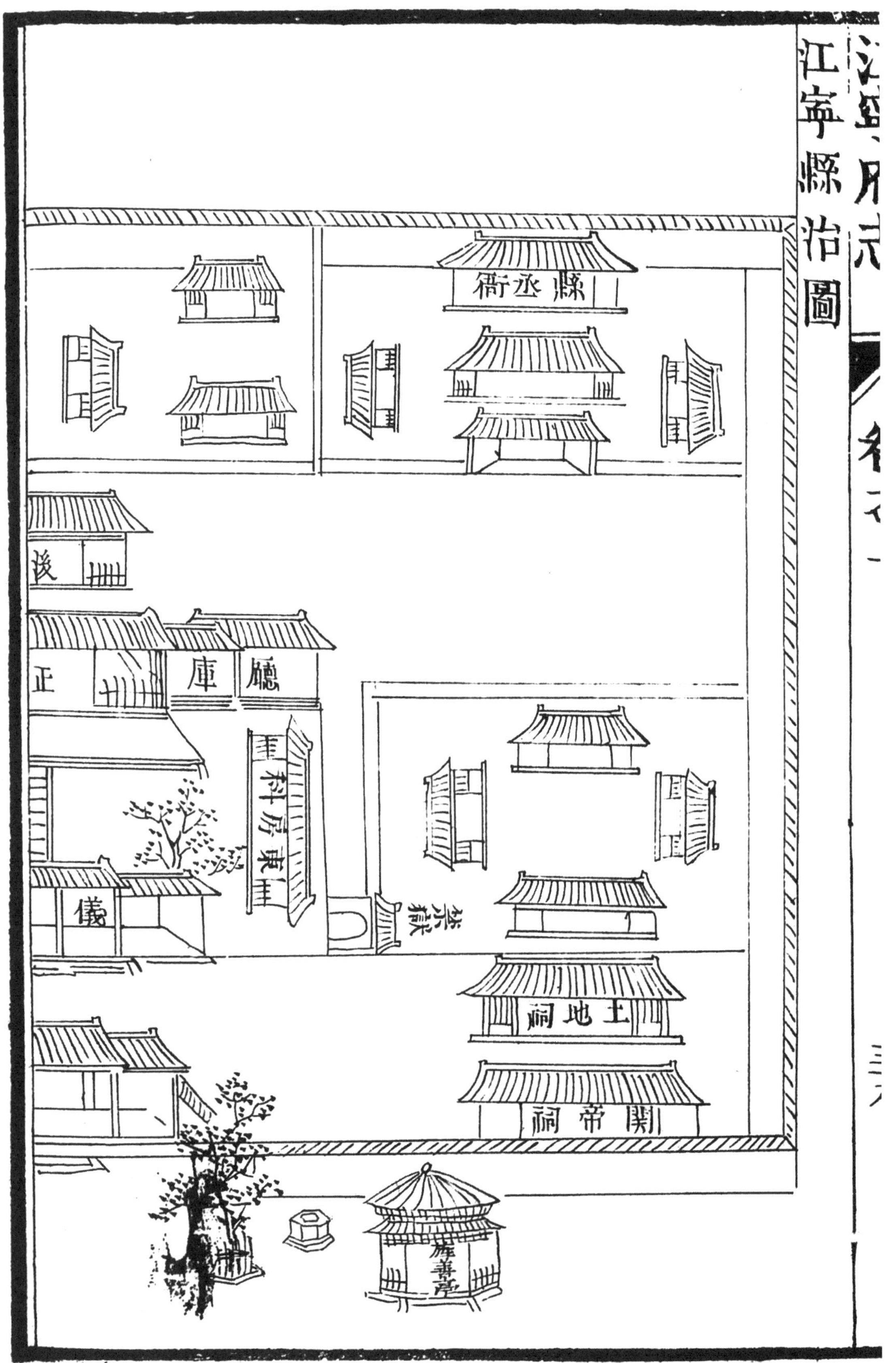

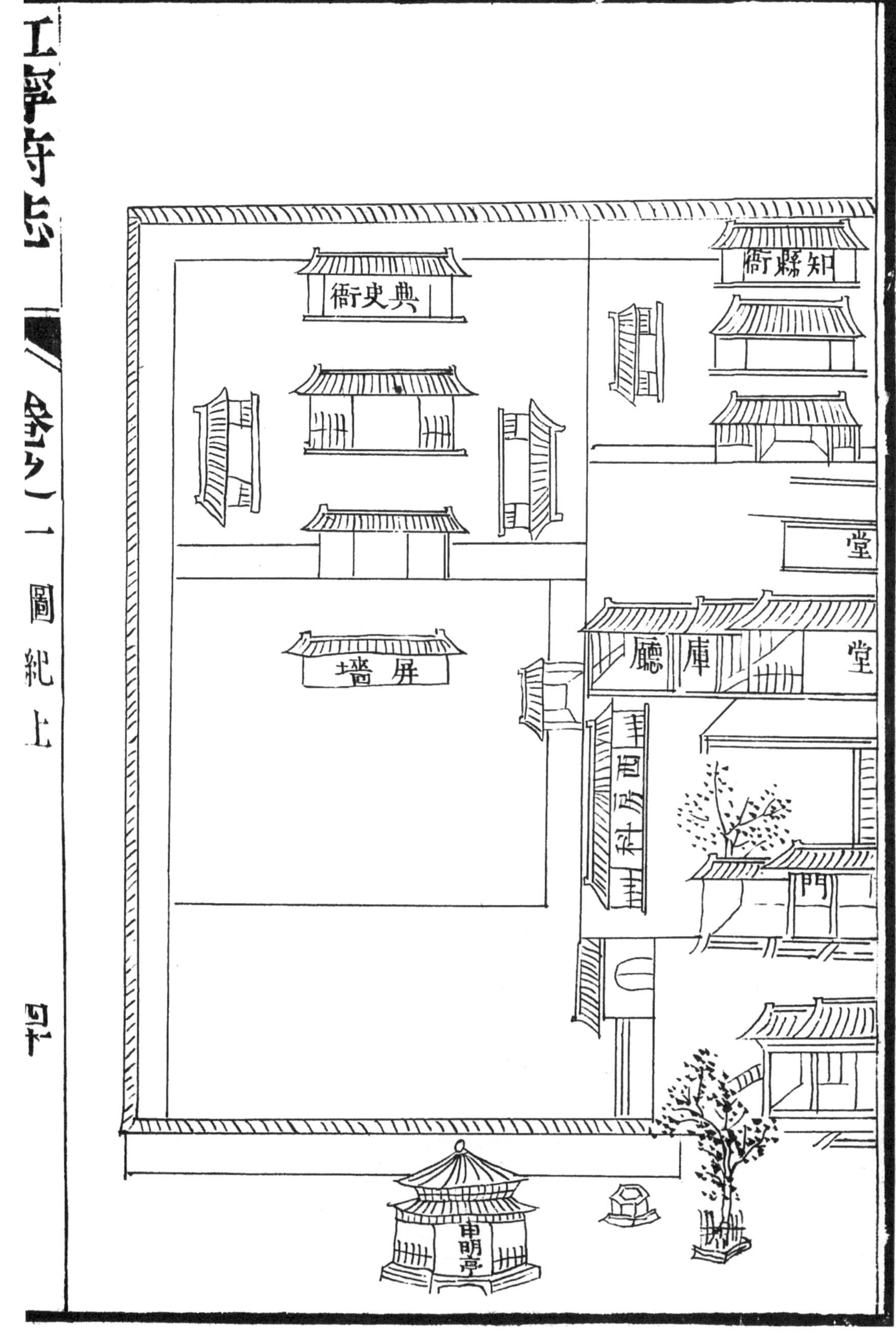
知縣衙
典史衙
堂
廳
庫
堂
屏墻
社稷司
門
申明亭

上元江寧兩縣學宮圖

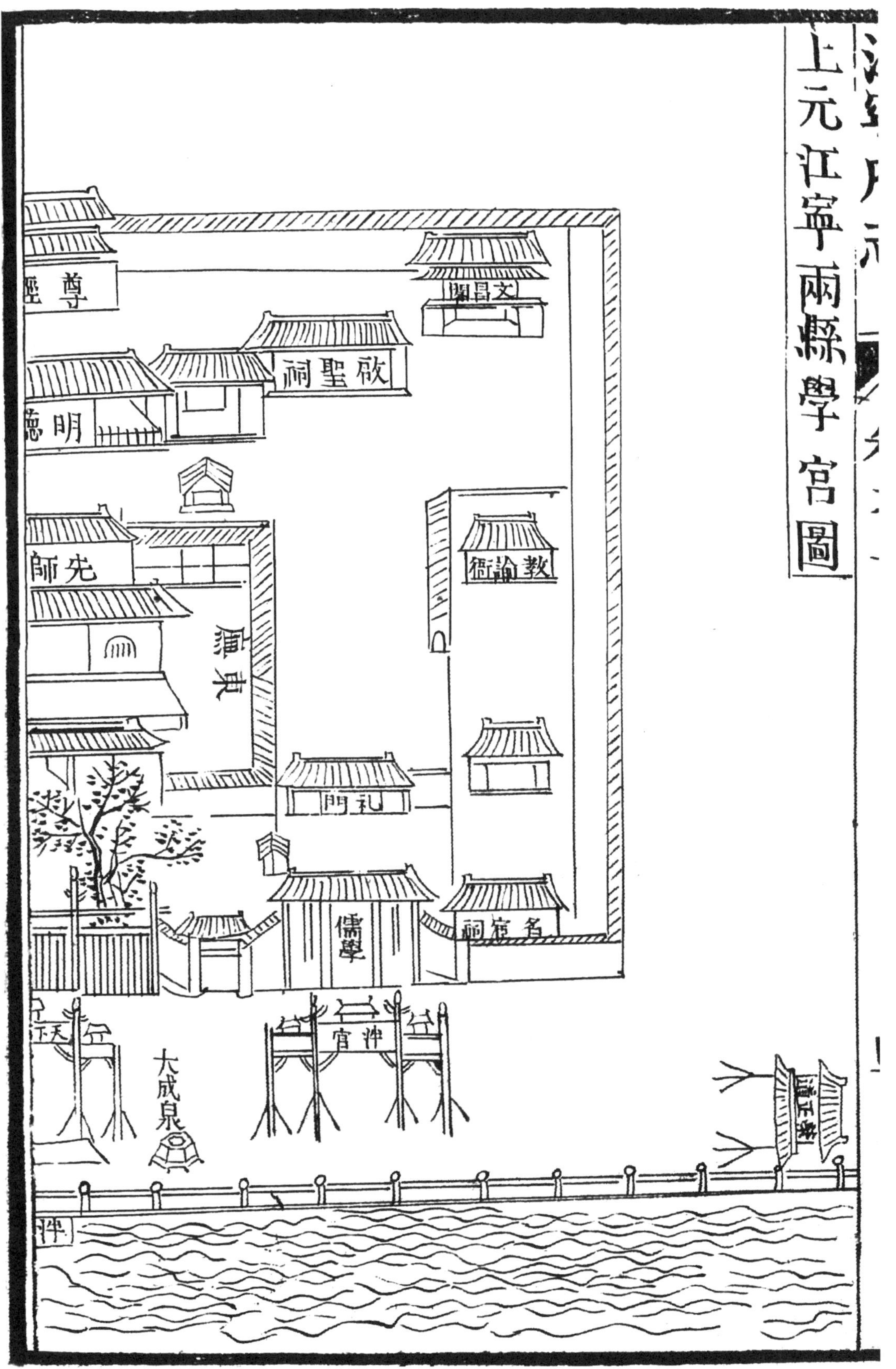
文昌閣
敬聖祠
教諭衙
東廡
禮門
儒學
名宦祠
泮宮
大成泉

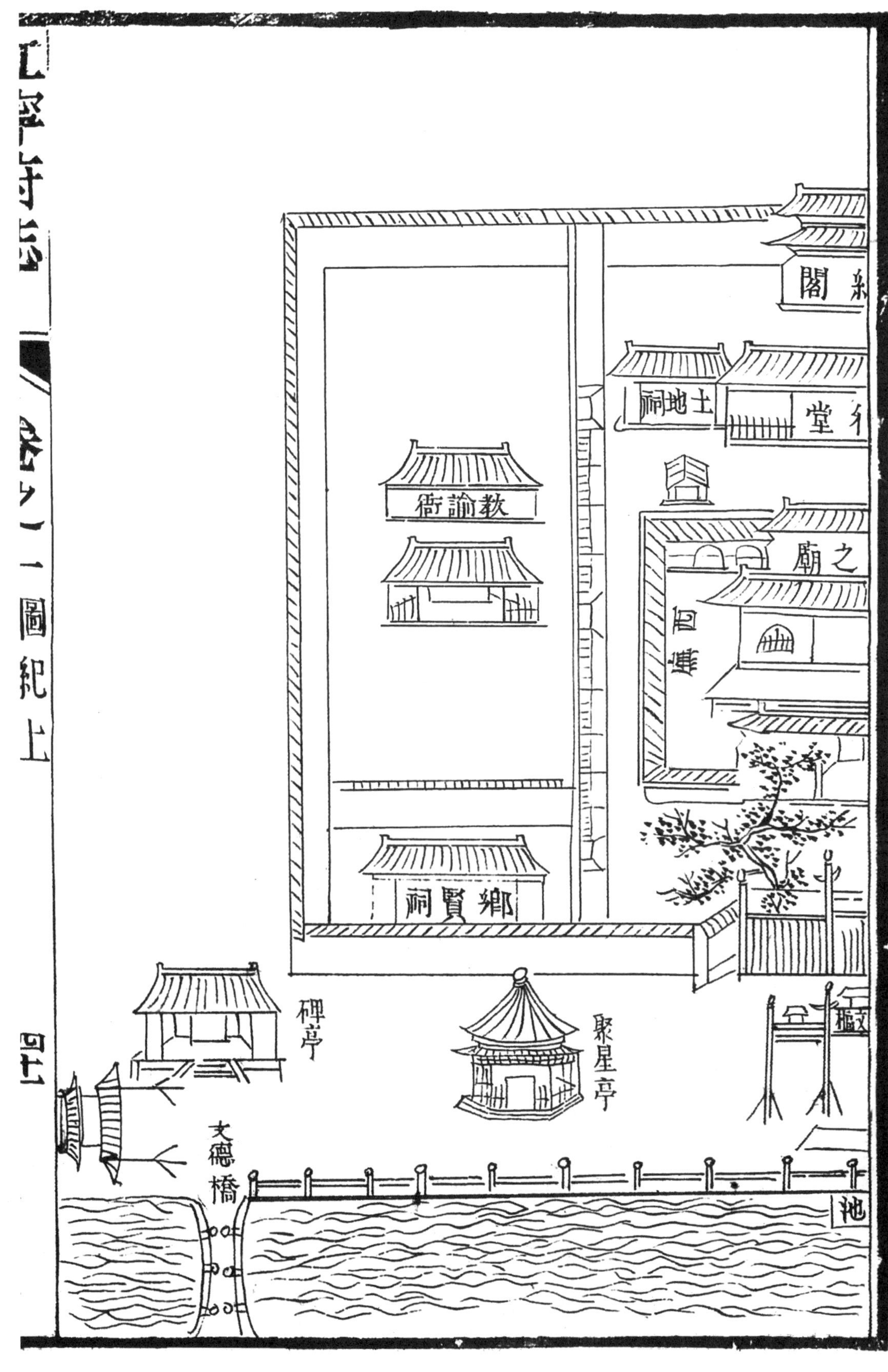
江寧府志
卷之二
圖紀上
教諭衙
鄉賢祠
土地祠
碑亭
聚星亭
文德橋
閣
堂
之廟
池

句容縣治圖

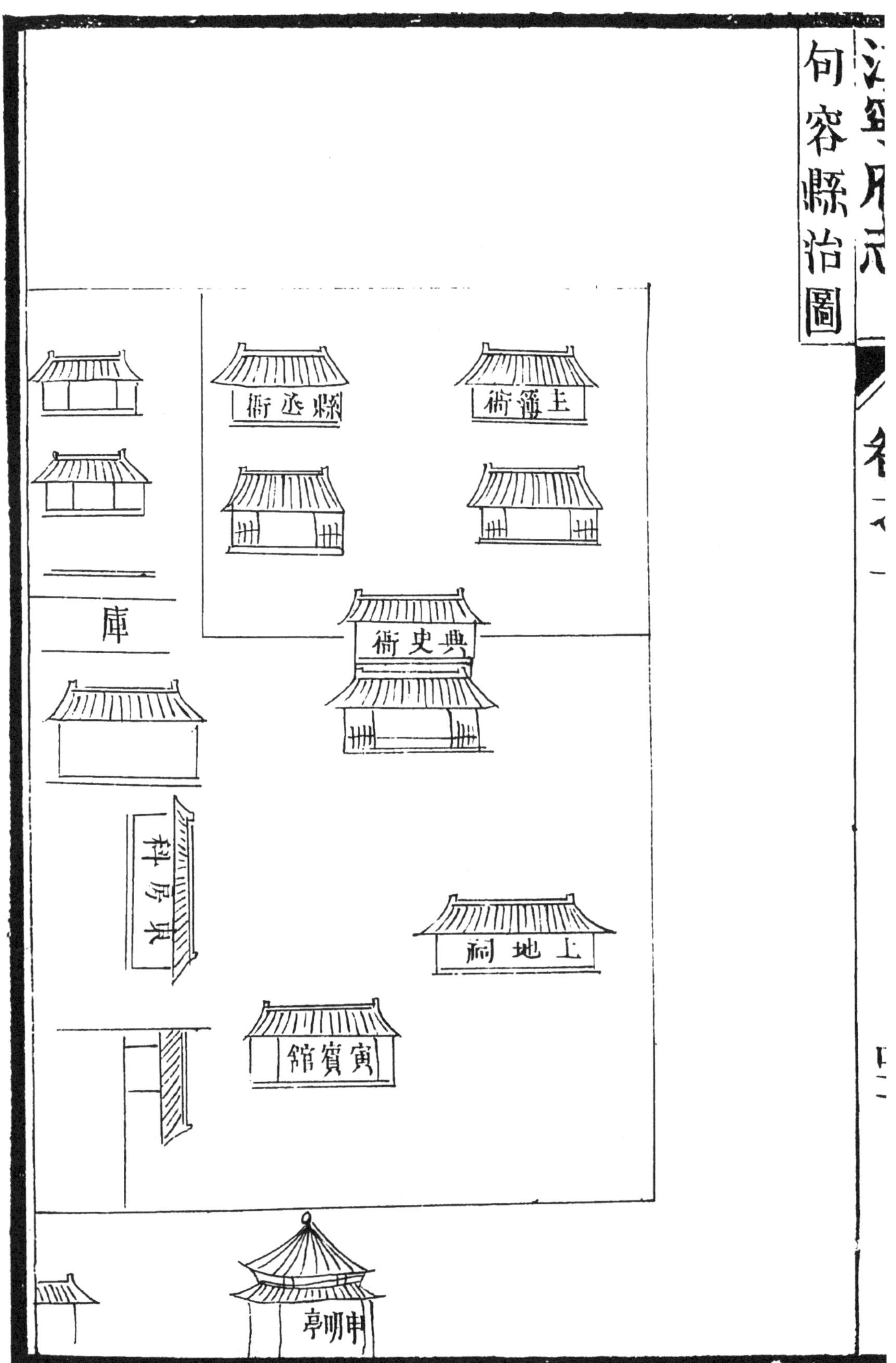
縣丞衙
主簿衙
庫
典史衙
東吏房
土地祠
寅賓館
申明亭

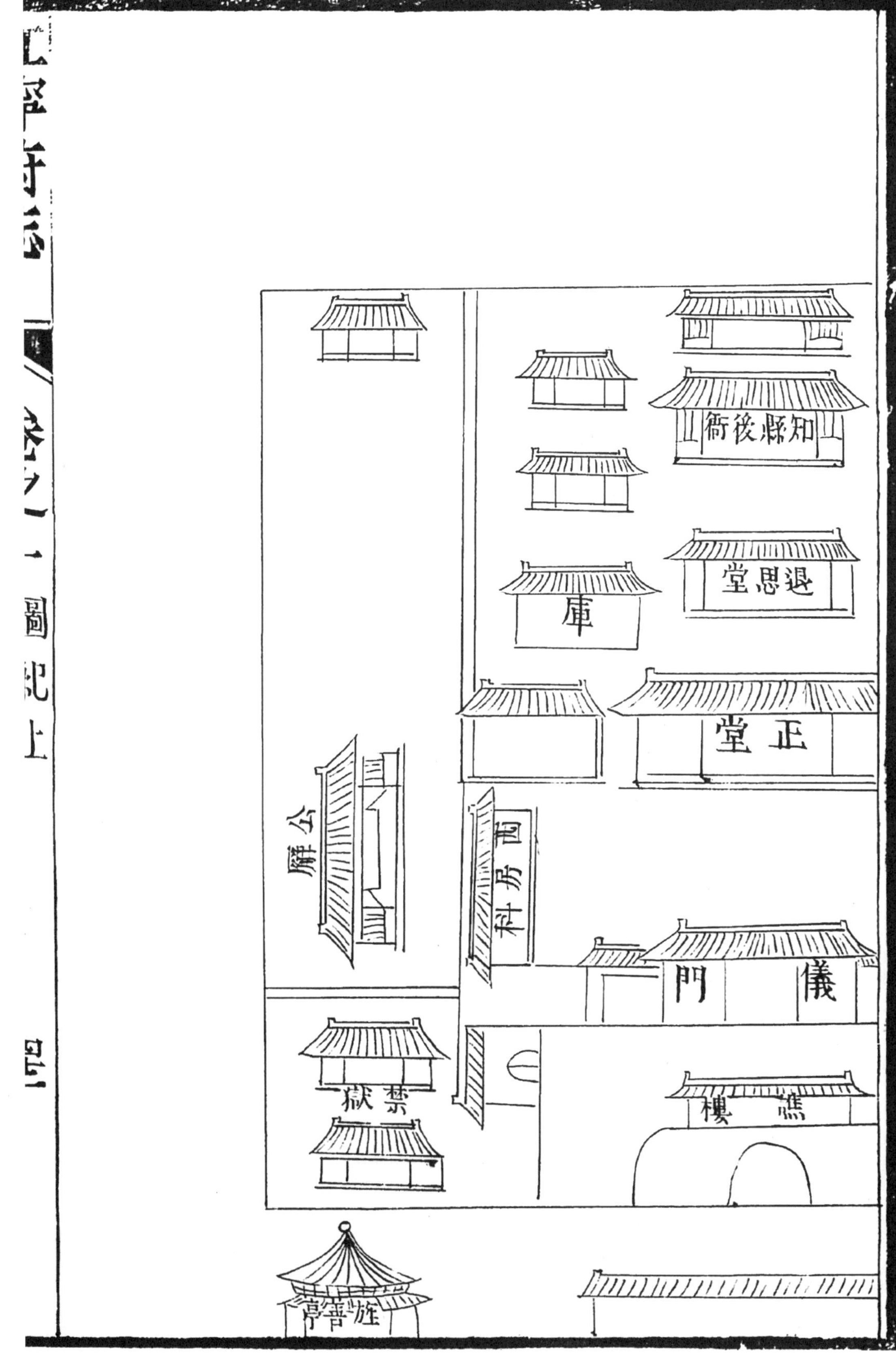
知縣後衙
退思堂
庫
正堂
公廨
西房科
儀門
譙樓
禁獄
旌善亭

句容縣學宮圖

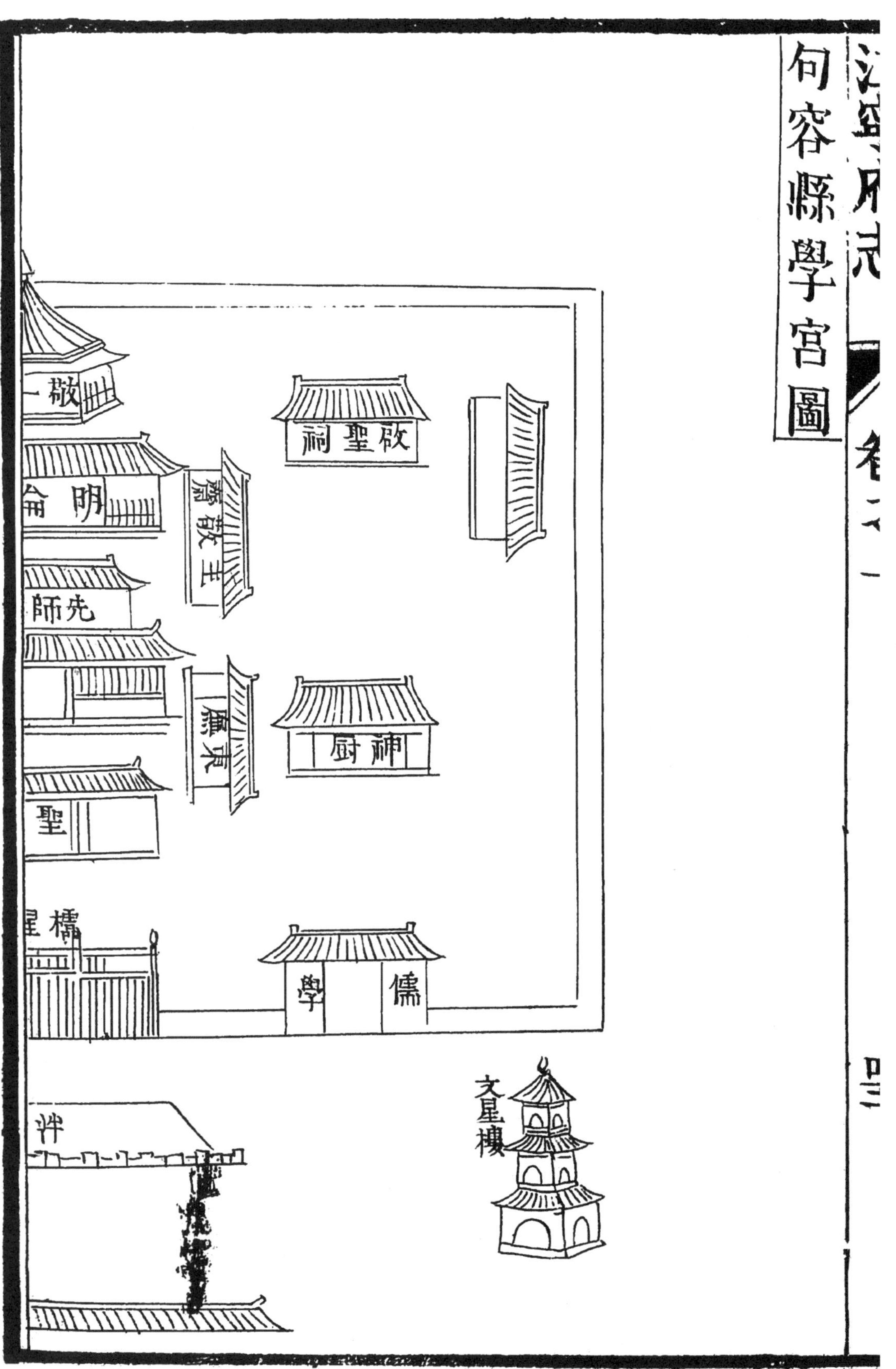

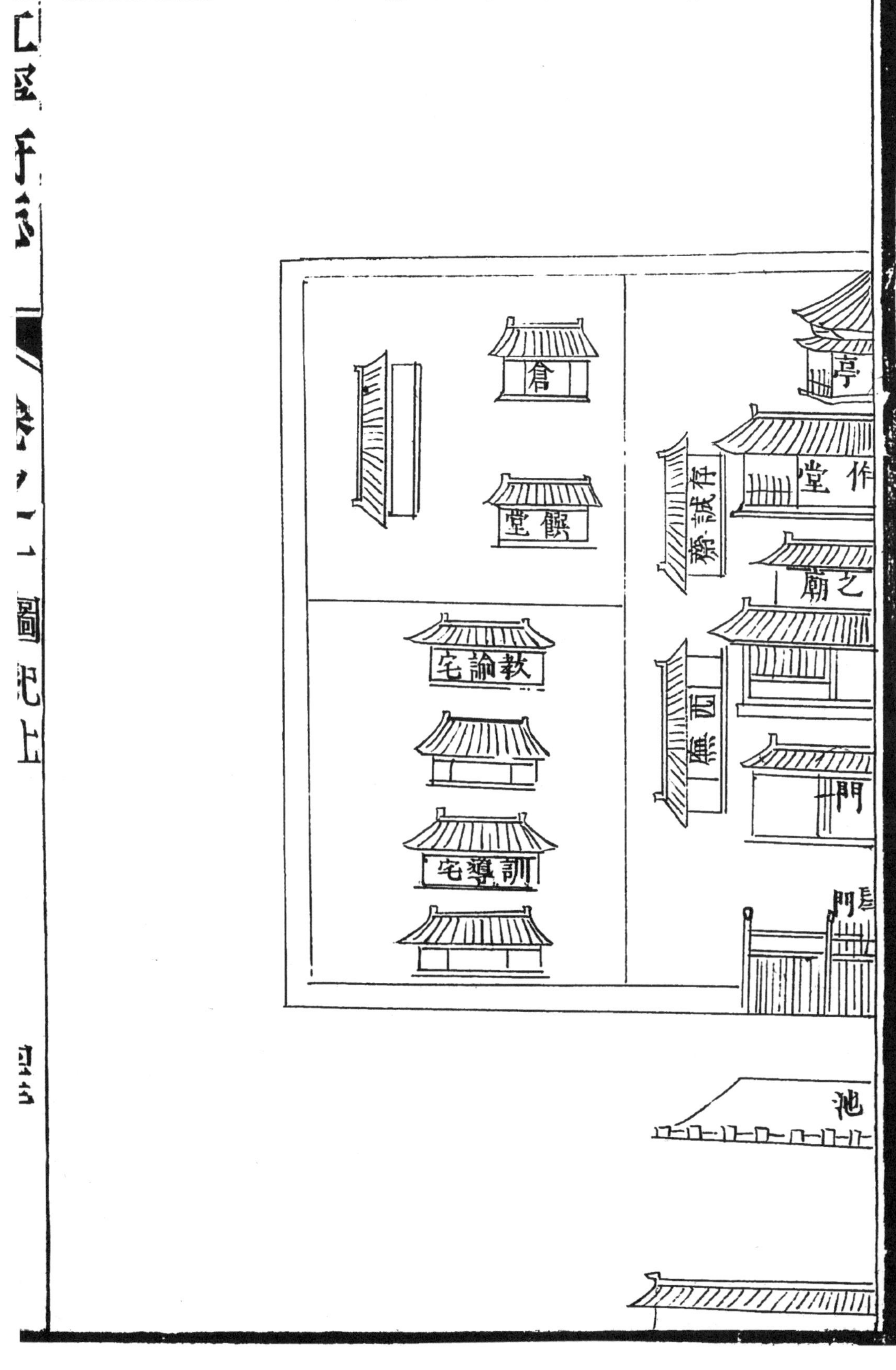

亭
作堂
存誠齋
之廟
西廡
門
門
池
倉
饌堂
教諭宅
訓導宅

溧陽縣治學宮城隍圖

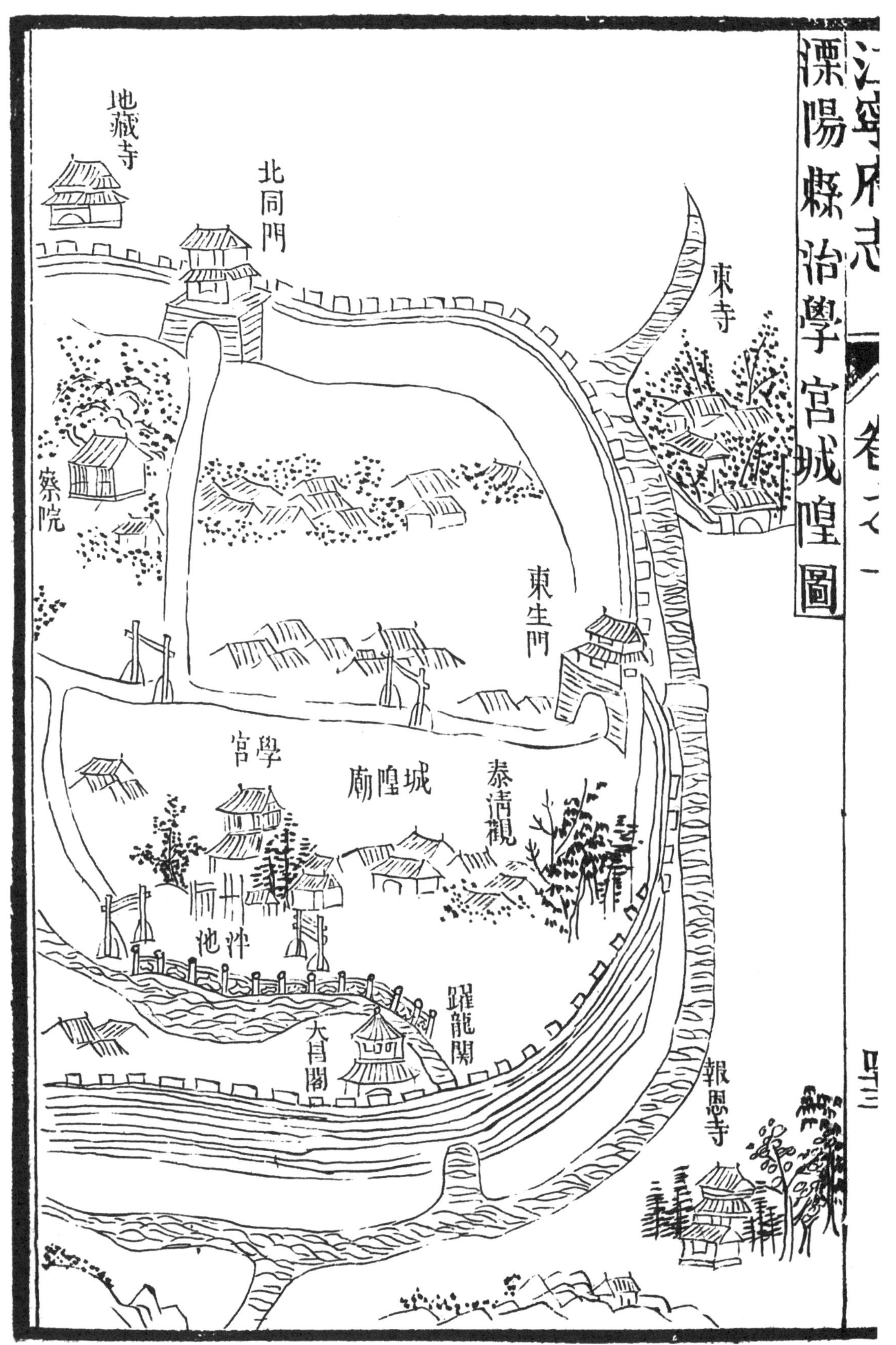

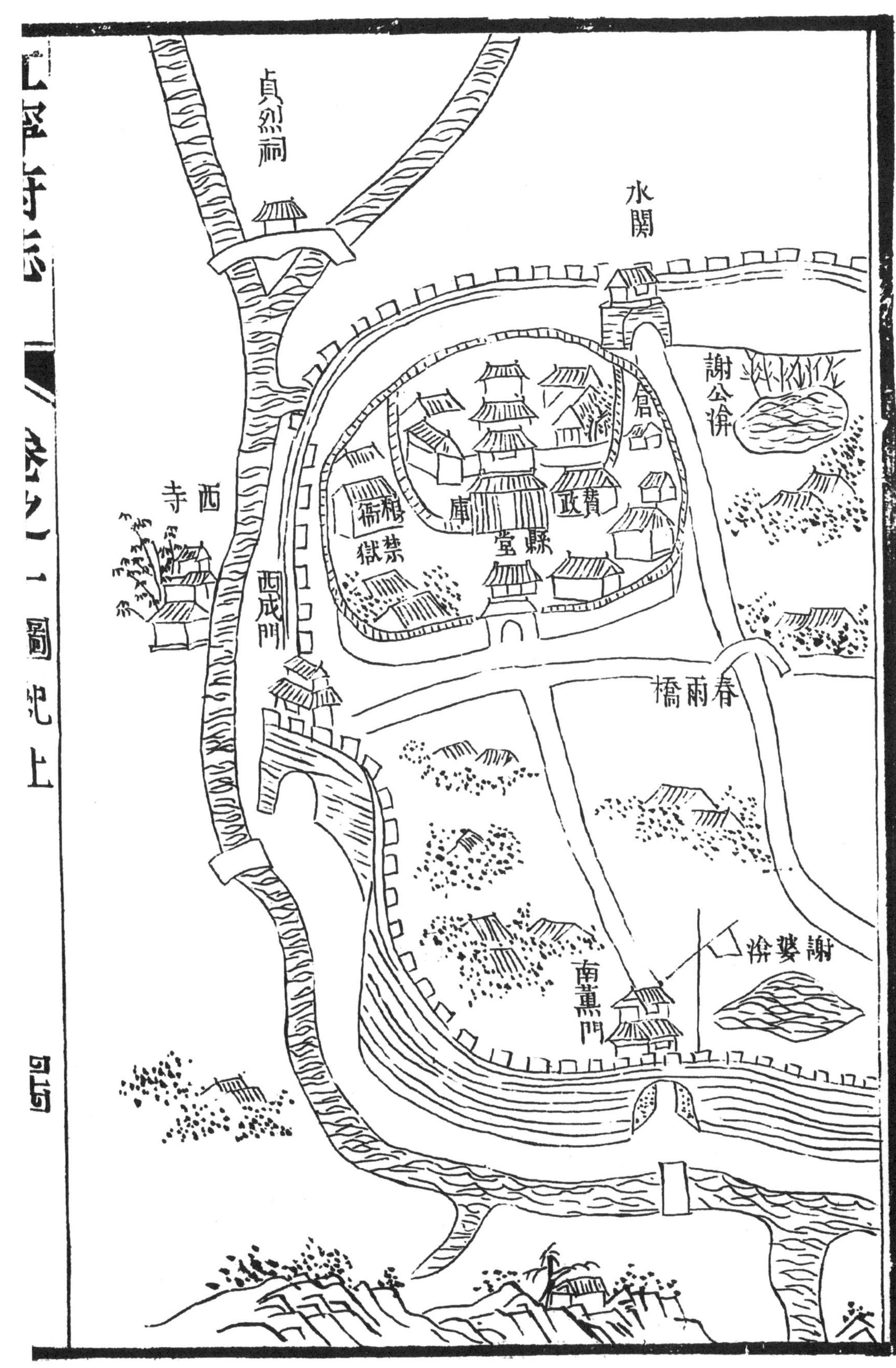
江寧府志　卷之一　圖說上
四
貞烈祠
水閘
謝公墩
倉
西寺
粮衙
禁獄
庫
贊政
縣堂
西成門
春雨橋
謝婆墩
南薰門

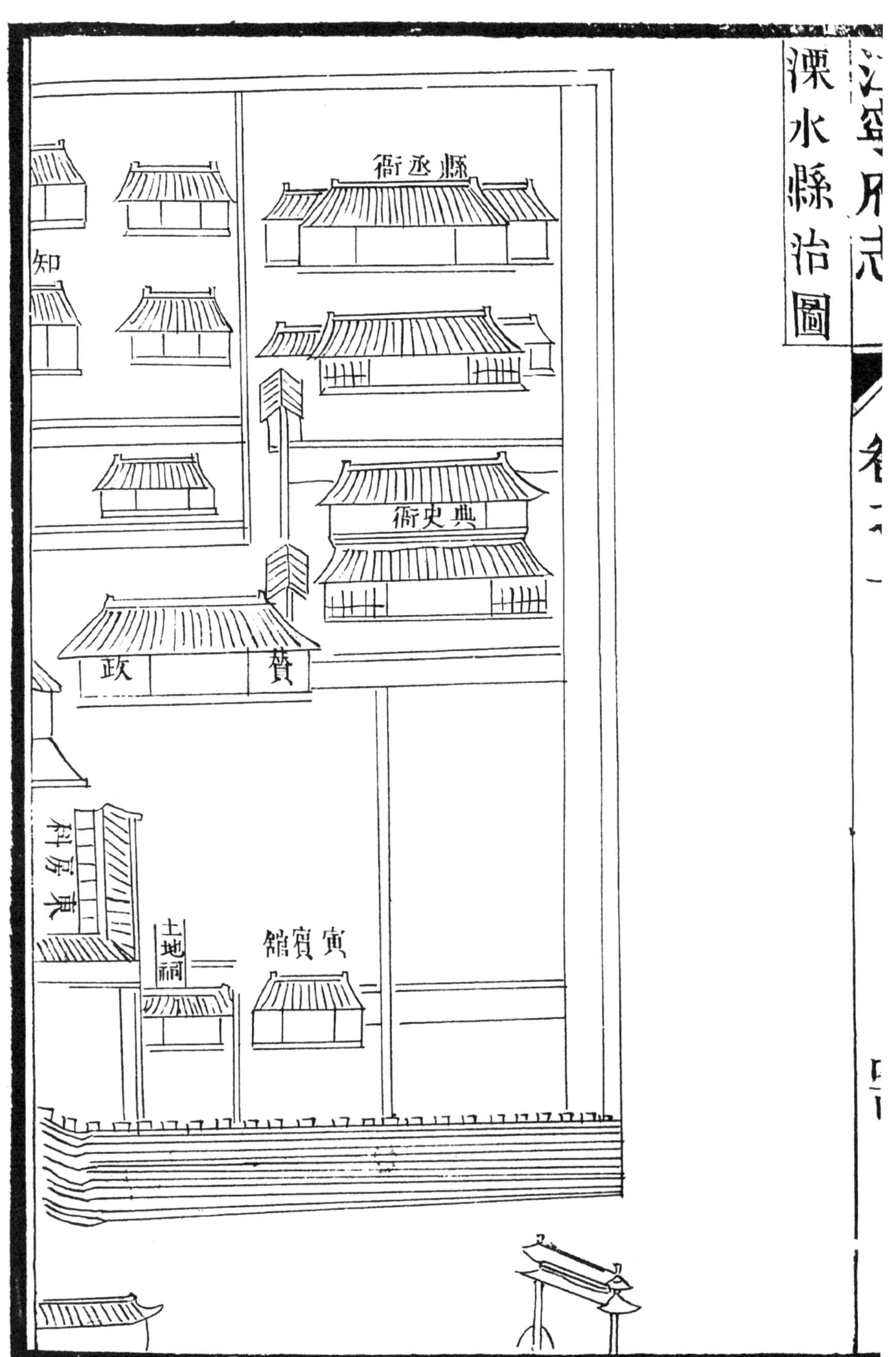
溧水縣治圖
江寧府志
縣丞衙
典史衙
知
贊政
東房科
土地祠
賓館

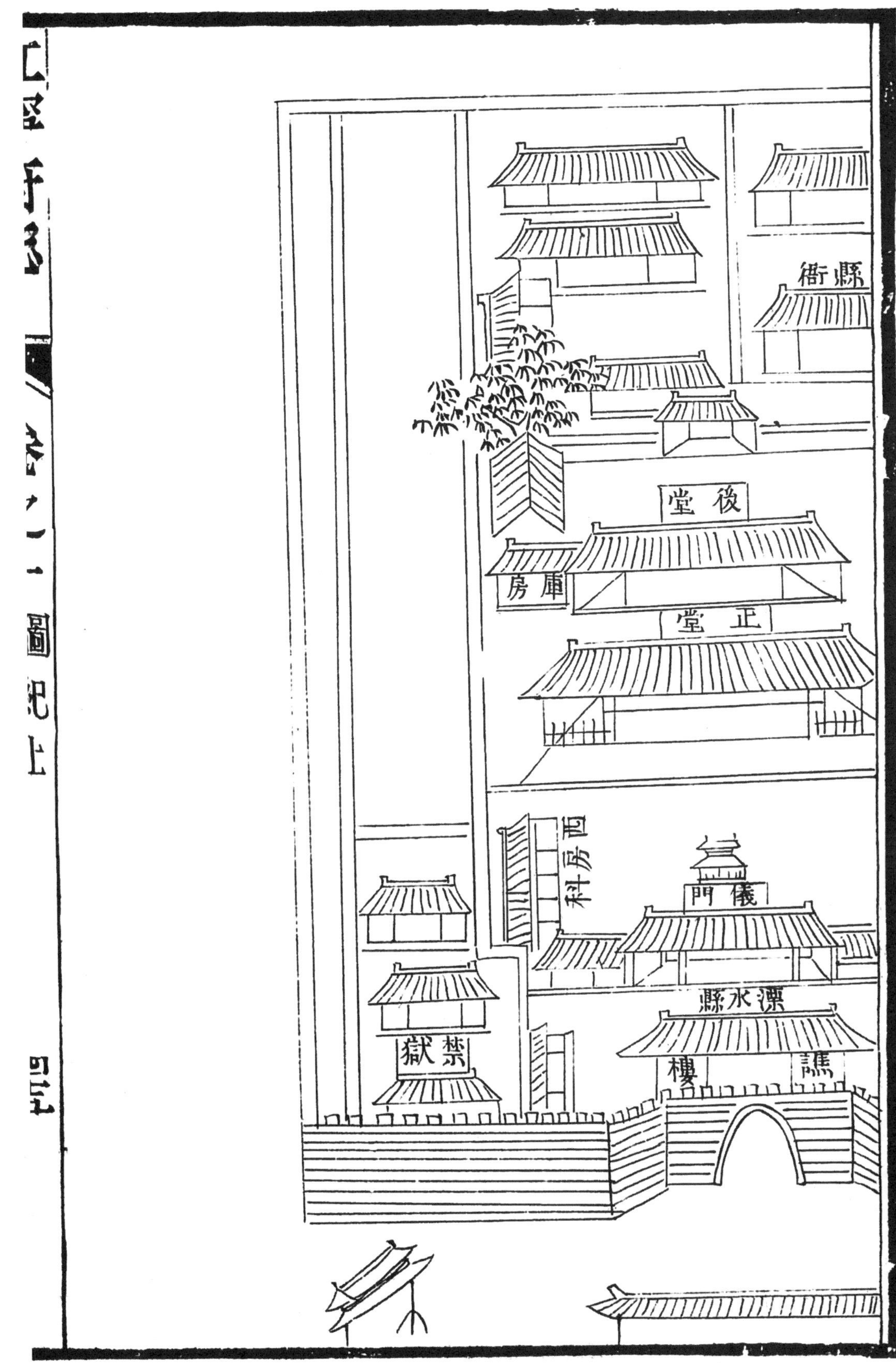
縣衙
後堂
庫房
正堂
西房科
儀門
溧水縣
譙樓
禁獄

溧水縣學宫圖
江寧府志
啟聖祠
敬一亭
名宦
櫺星門
鄉賢
泮宫

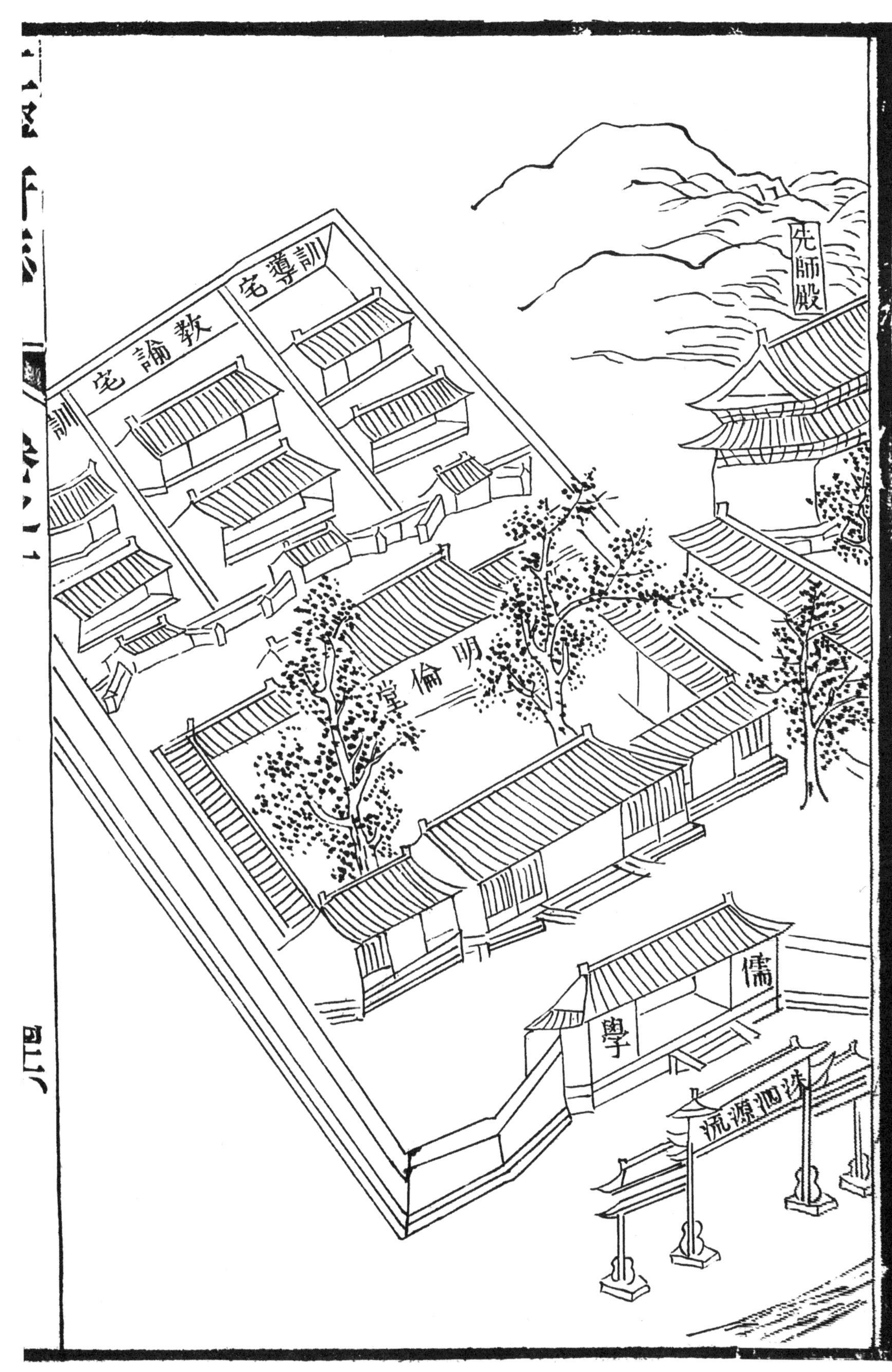
先師殿
訓導宅
教諭宅
明倫堂
儒學
洙泗源流

高淳縣治圖

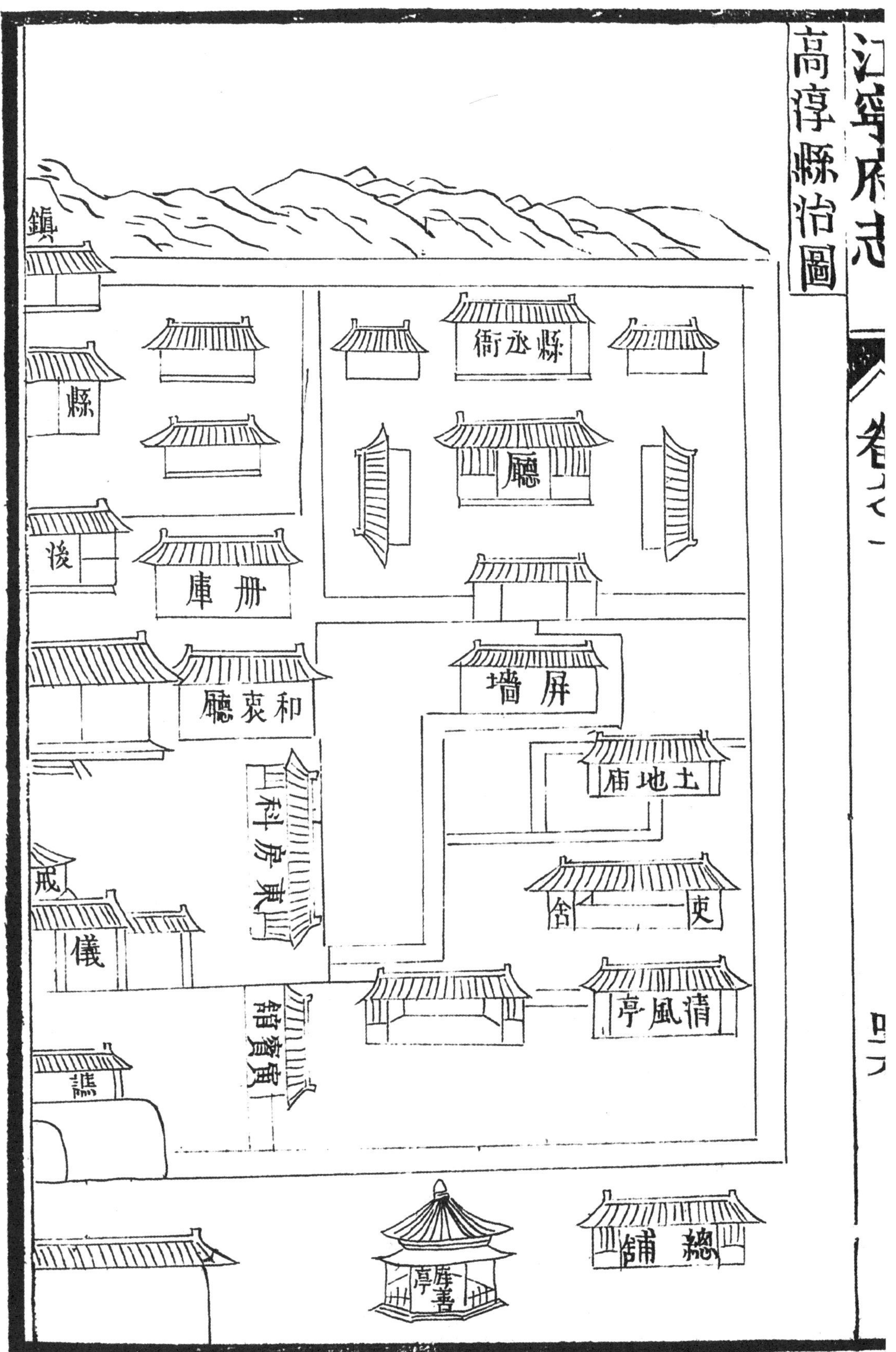

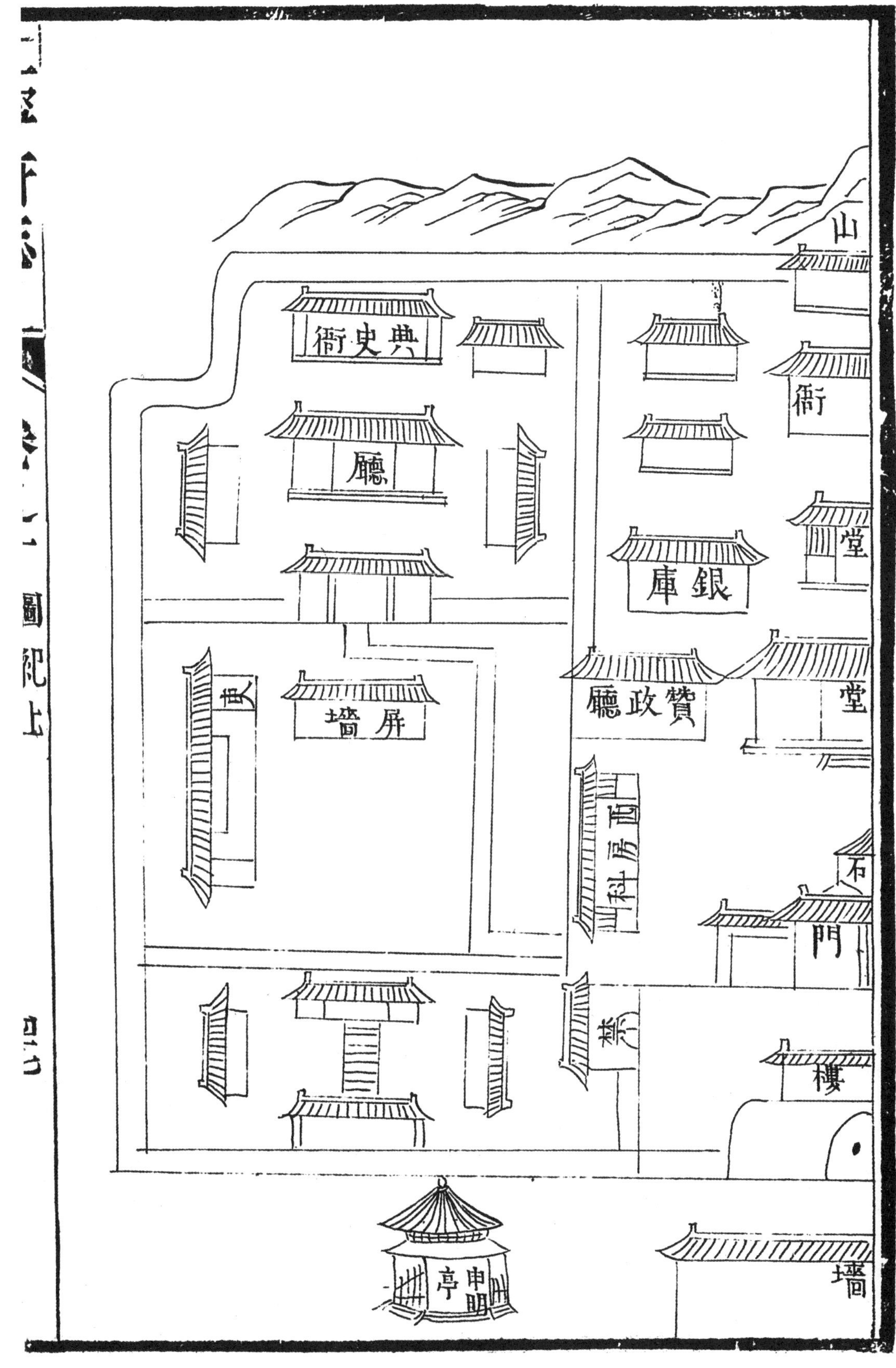
山
典史衙
廳
銀庫
衙
堂
贊政廳
堂
屏墻
西房科
石
門
禁
樓
申明亭
墻

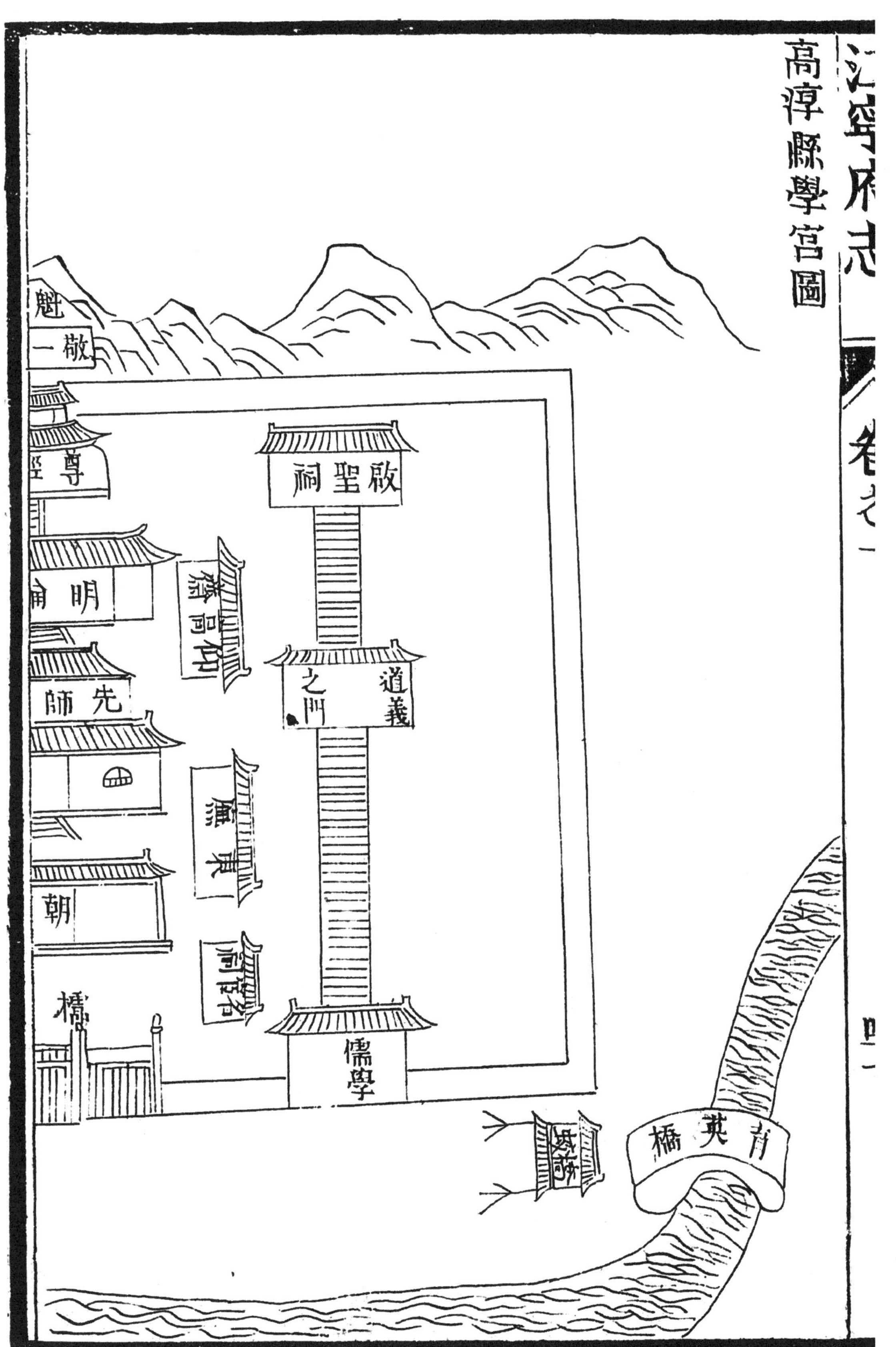
江寧府志
卷之一
高淳縣學宮圖
啟聖祠
道義之門
儒學
敬一
尊經
明
先師
朝
橋

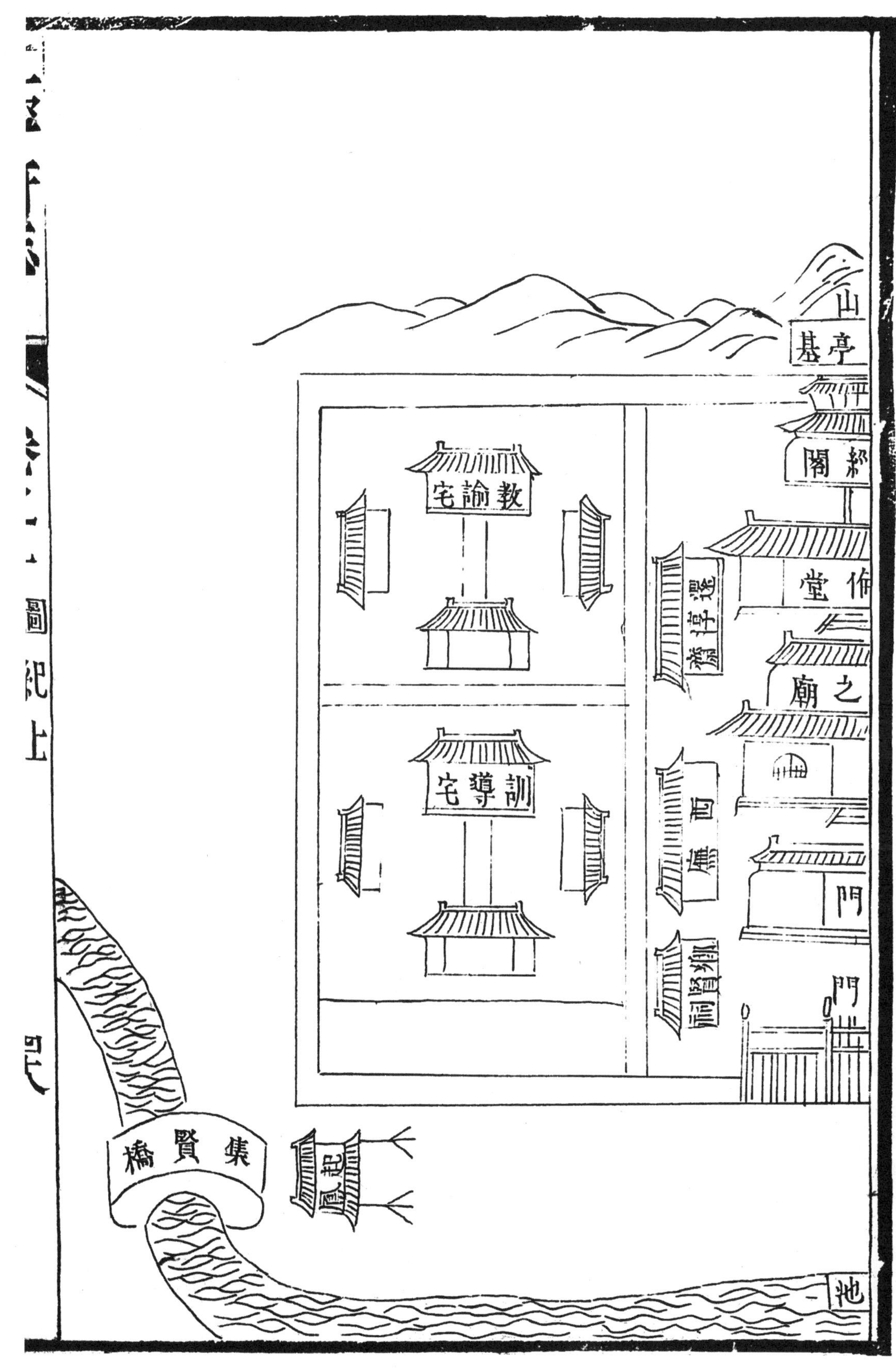
山
基亭
紀
閣
倫
堂
之
廟
門
門
教諭宅
訓導宅
還淳齋
西廡
鄉賢祠
集賢橋
起鳳
池

江浦縣治圖

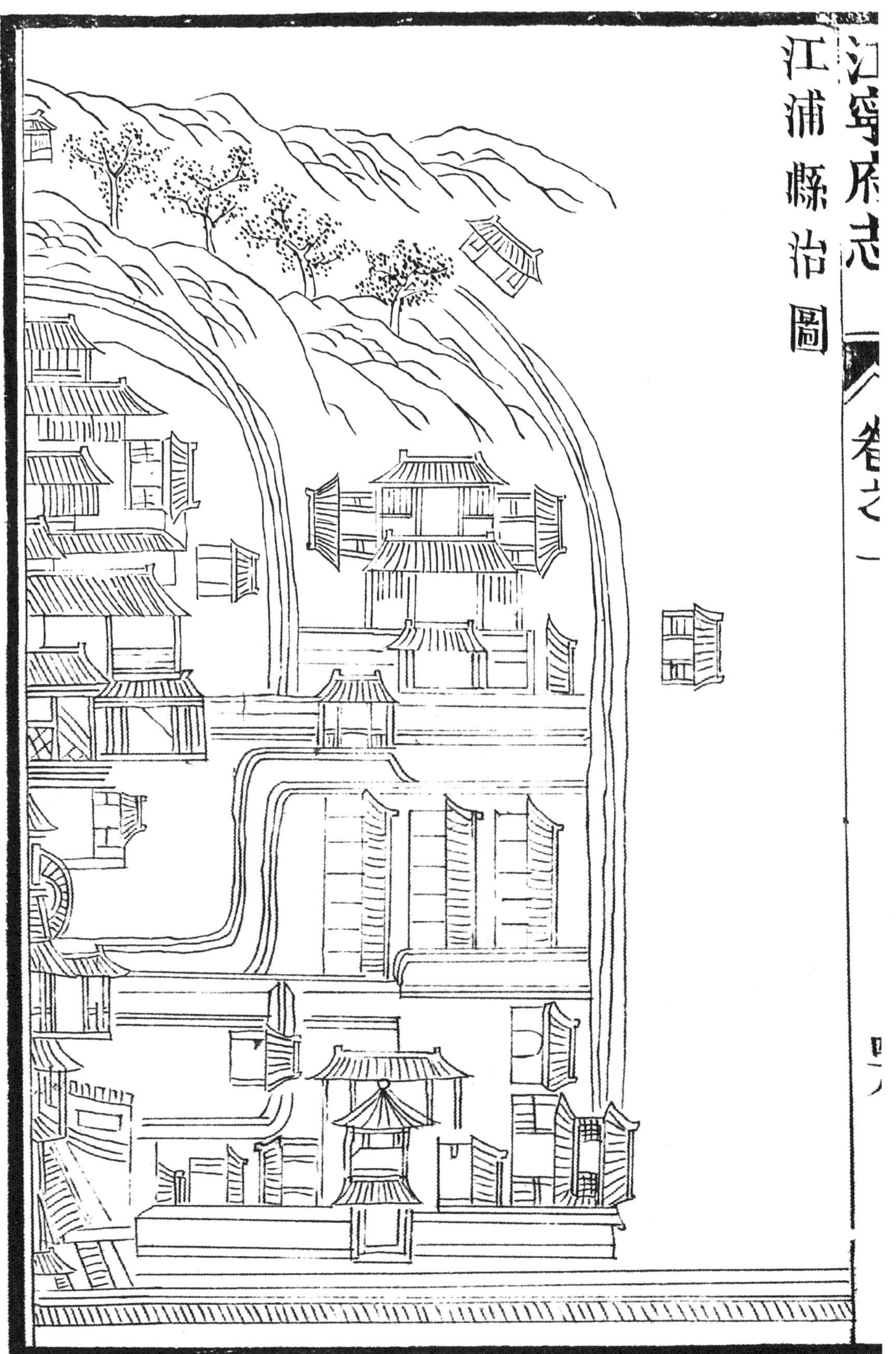

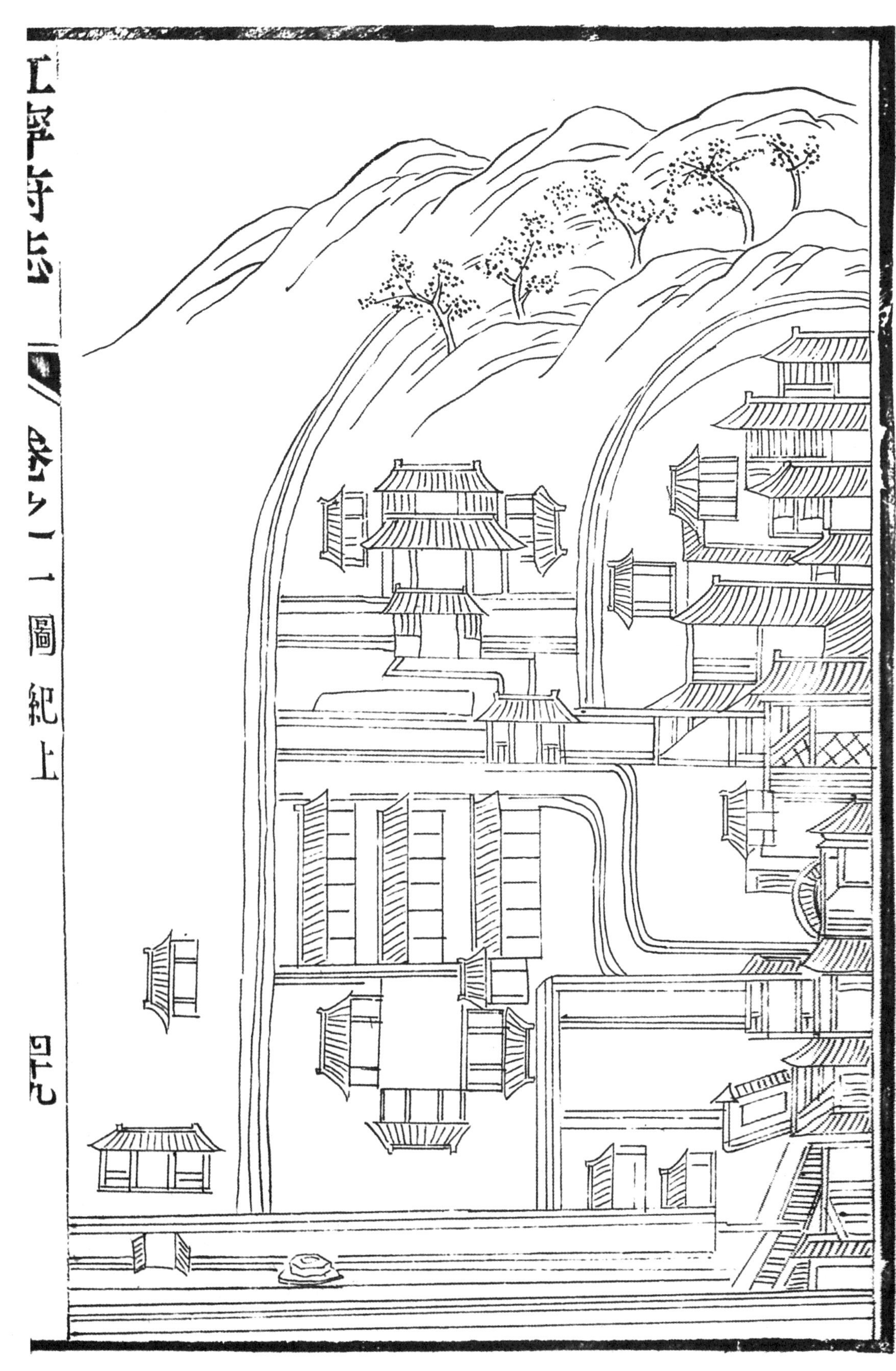
江寧府志　卷之二　圖紀上
四九

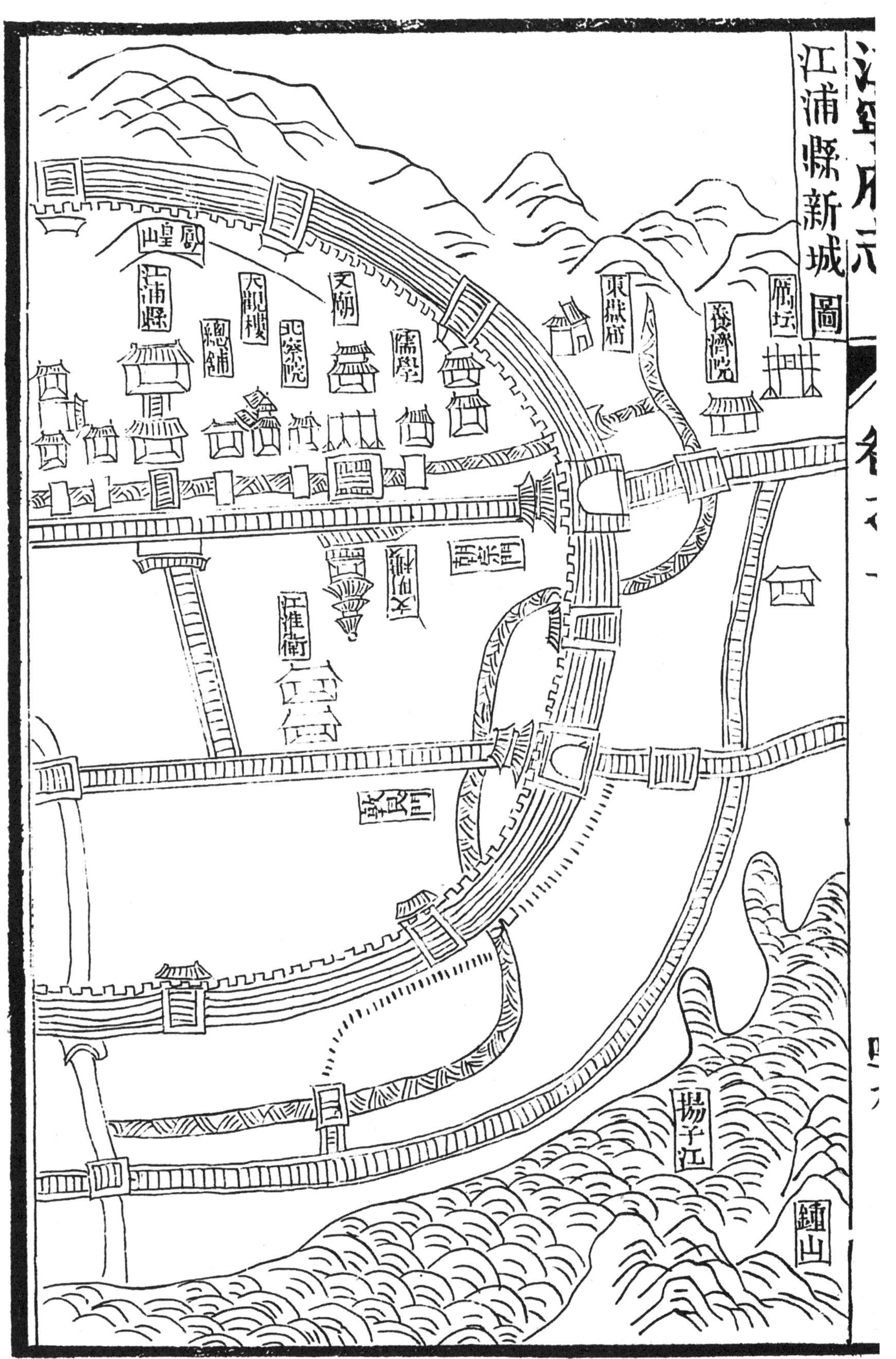
江浦縣新城圖
鳳皇山
江浦縣
大觀樓
文廟
總鋪
北察院
儒學
東嶽廟
養濟院
厲壇
朝宗門
文明塔
江淮衛
揚子江
鍾山

江寧府志 卷之二 圖紀上 五十

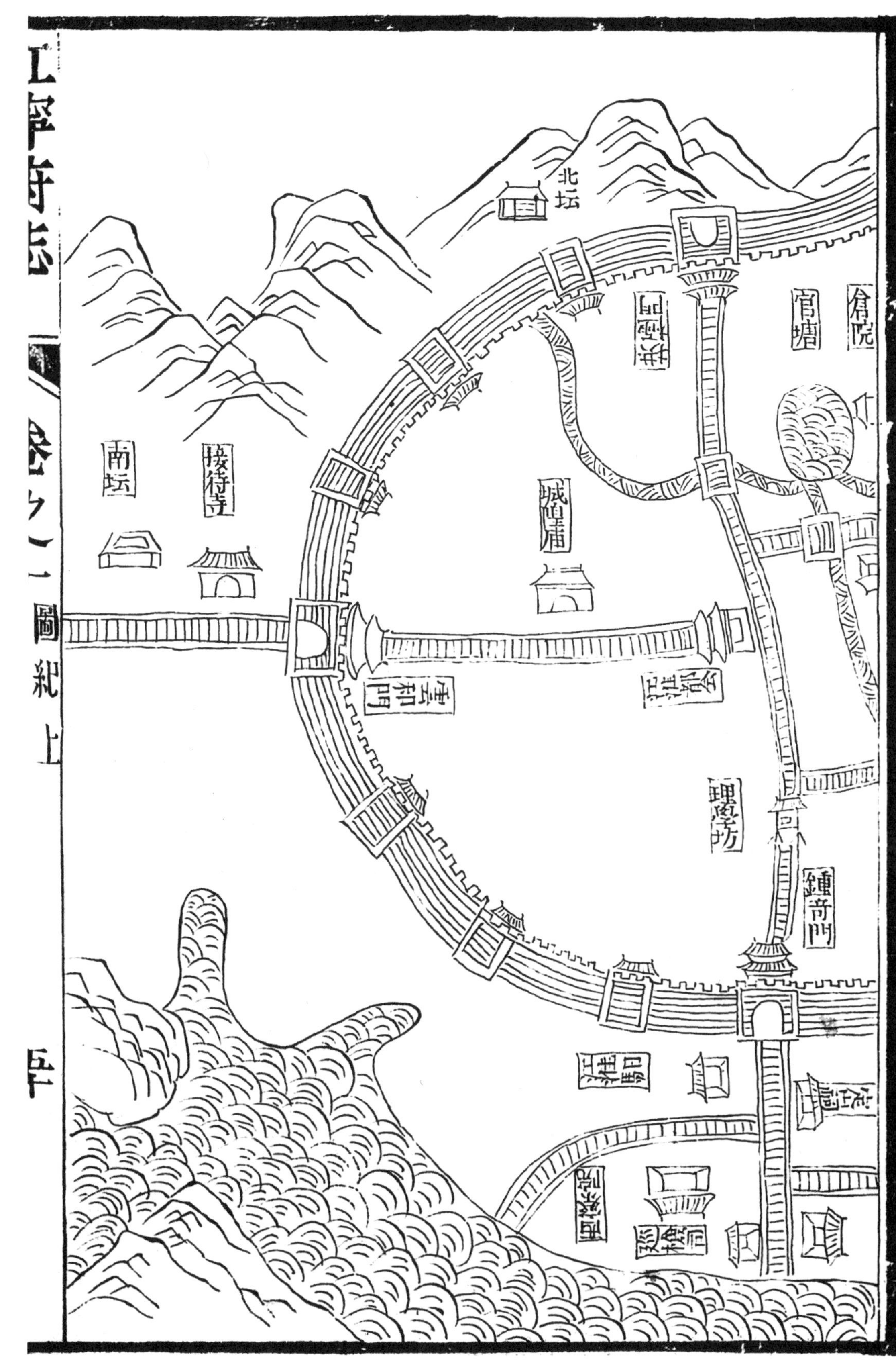

六合縣治圖

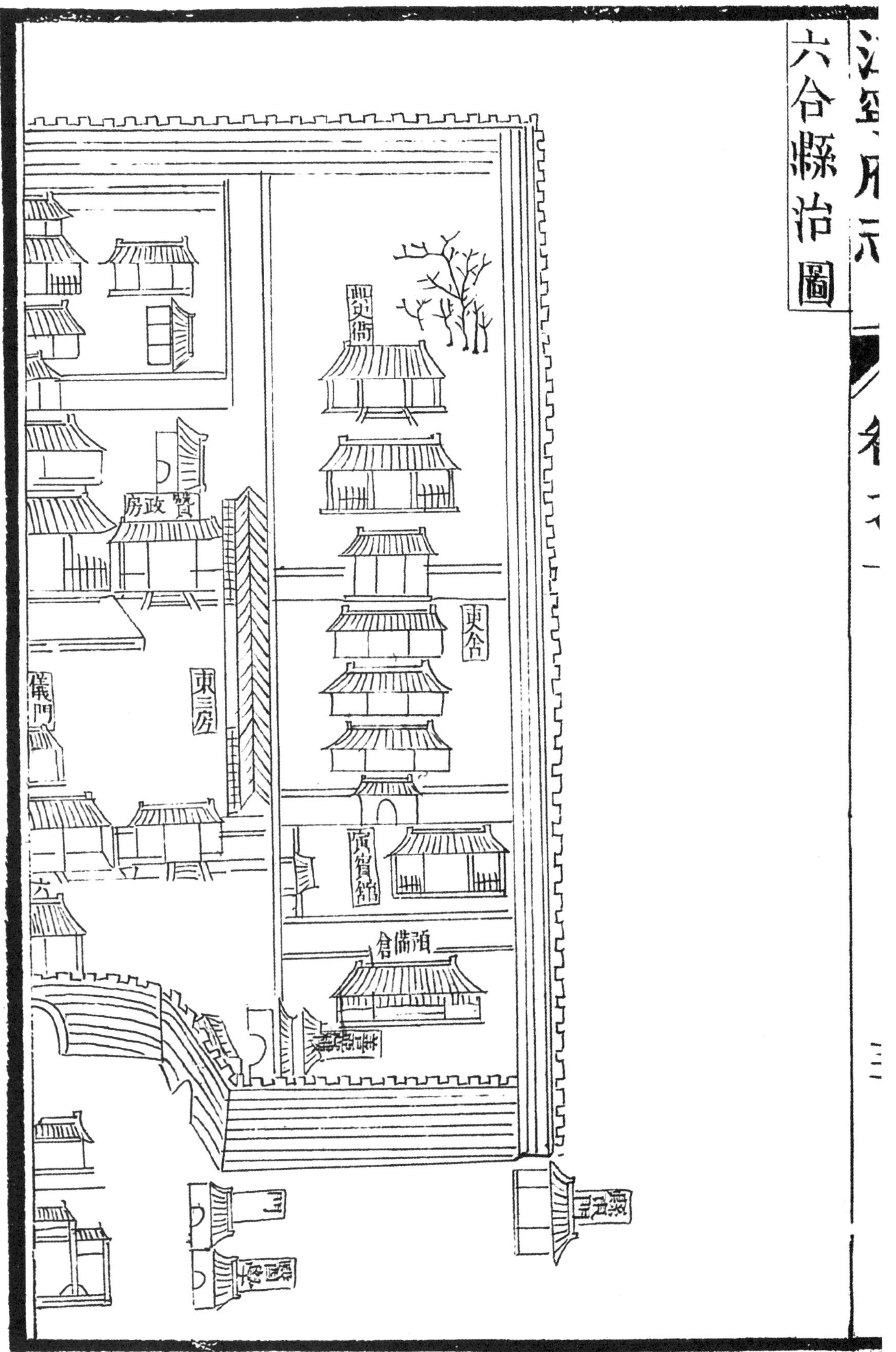

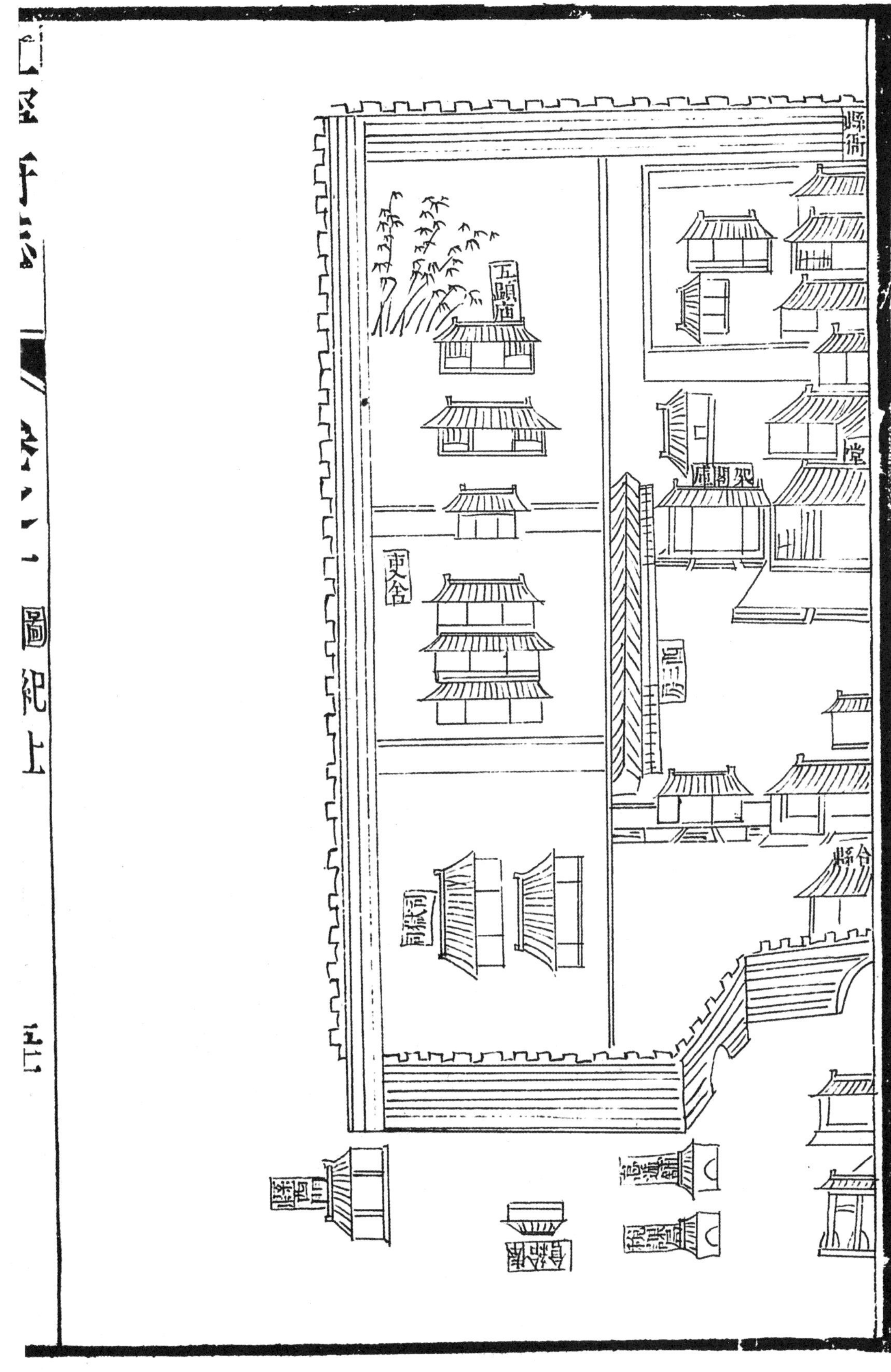
縣衙
五顯廟
架閣庫
堂
吏舍
司獄司

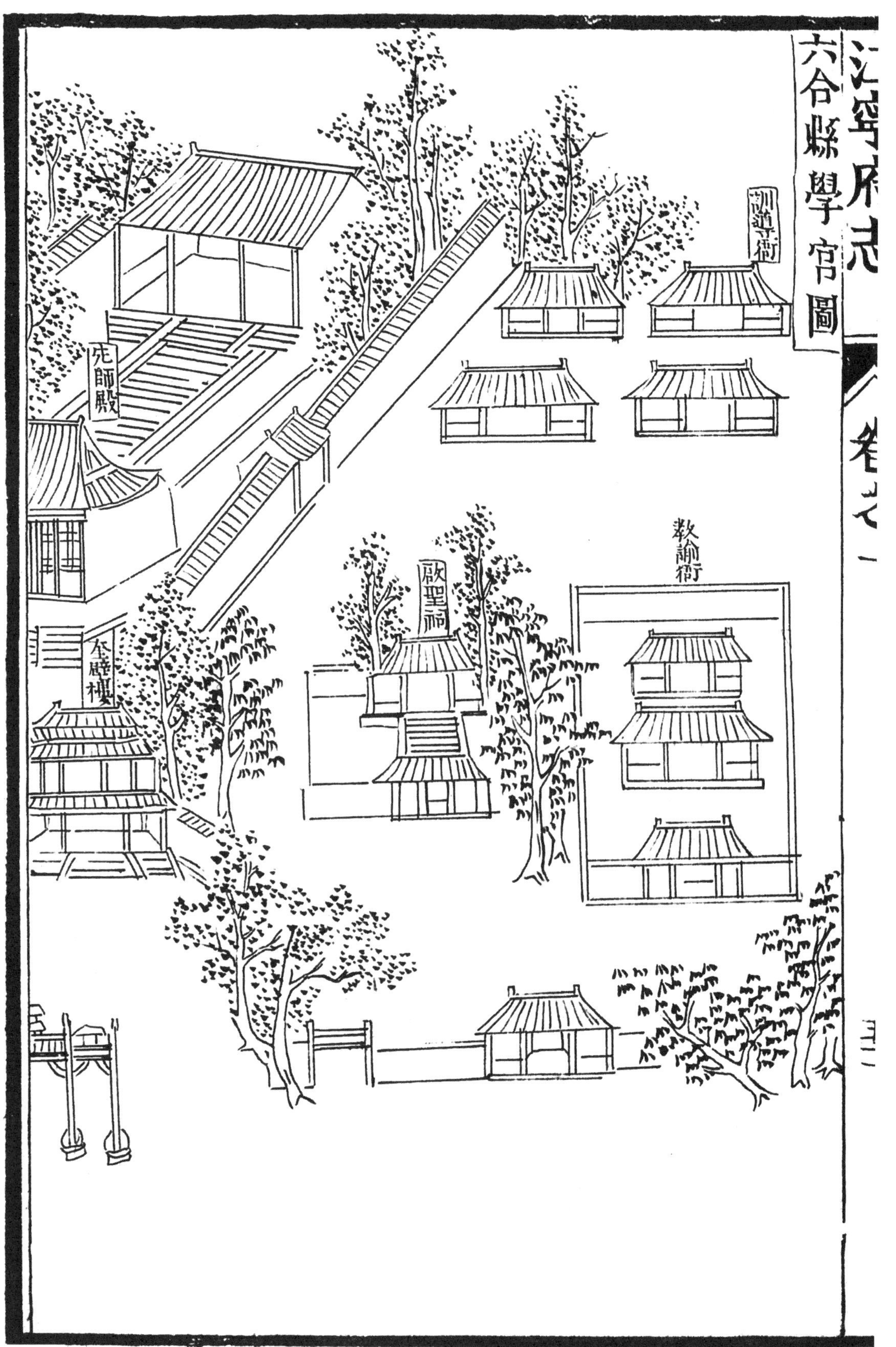
江寧府志
六合縣學宫圖
卷之一
訓導衙
先師殿
教諭衙
啟聖祠
尊經樓

江寧府志
卷之二　圖紀上
三
敬一亭
射圃
魁星樓
名宦祠
戟門
鄉賢祠
櫺星門

金陵四十景圖

鍾阜山
在府治東北漢末秣陵尉
蔣子文逐盜死吳大帝為
立廟封曰蔣侯因避祖諱改
鍾山為蔣山自梁以前寺至
七十餘所后為明太祖孝陵禁
地
國朝猶立有守陵人戶存焉
圖紀下
二

石城橋
在府治西二里
孫權于江岸必
争之地築城
因石頭山塹
鑿之陡絶壁
立當時大江環
繞其趾今河流
之外平衍若砥
居民繁密十
數里始達江滸
陵谷之變遷
此其徵驗已

含虛閣

牛首山
在府城南二十里舊名牛頭山有二峯
東西相對王導曰此天闕也故文石天
闕連接祖堂獻花岩山有含虛閣
獨踞奇勝郡守陳開虞擴而新之
勅碑閣上

白鷺洲
在府治西南八里
周回十五里即太
白詩所稱二水
中分者是也控
枙上流足為天
險舊有賞心亭
白鷺亭二水亭
今城既恢拓亭亦
久廢惟潮汐無
改耳

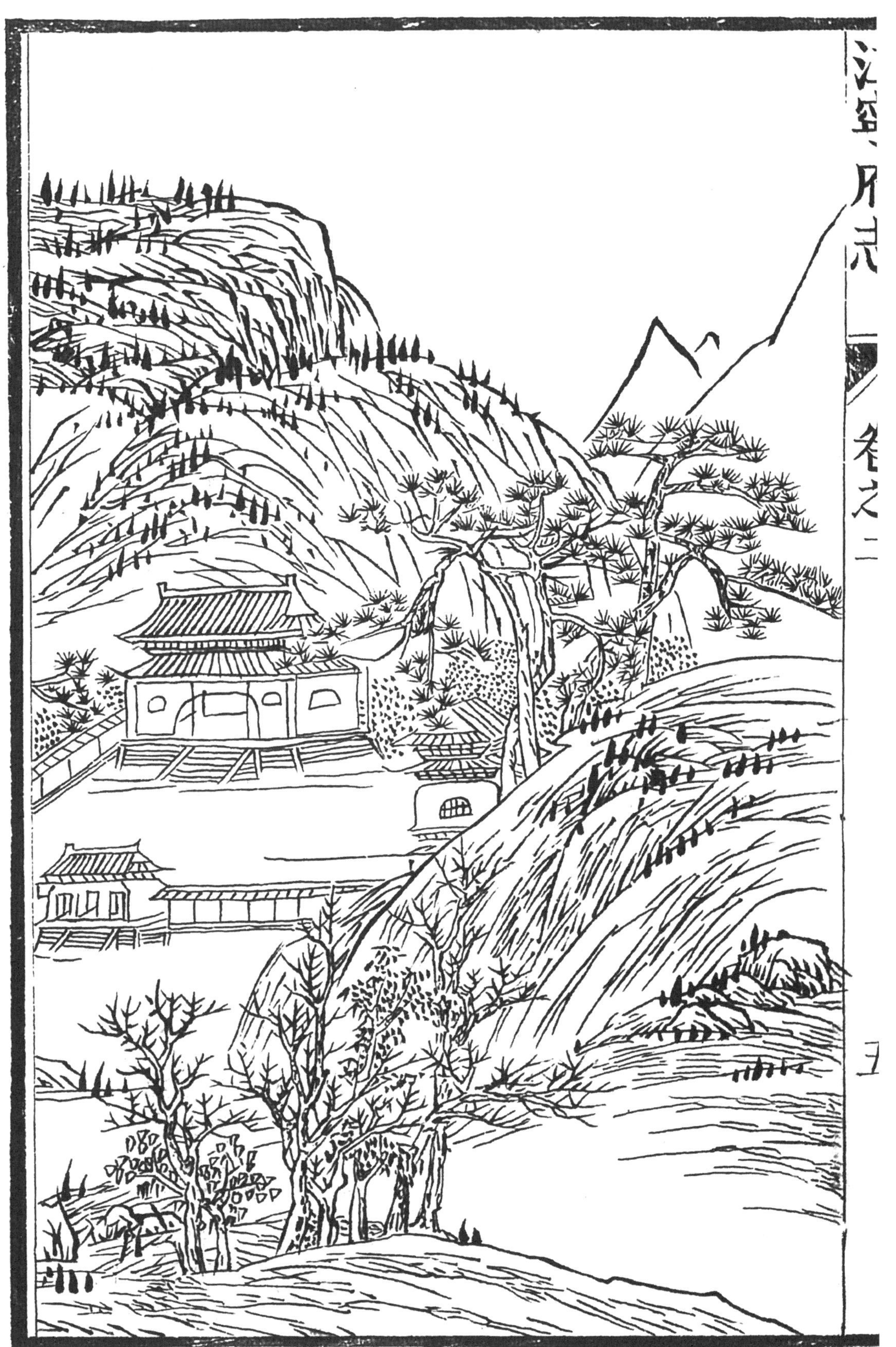

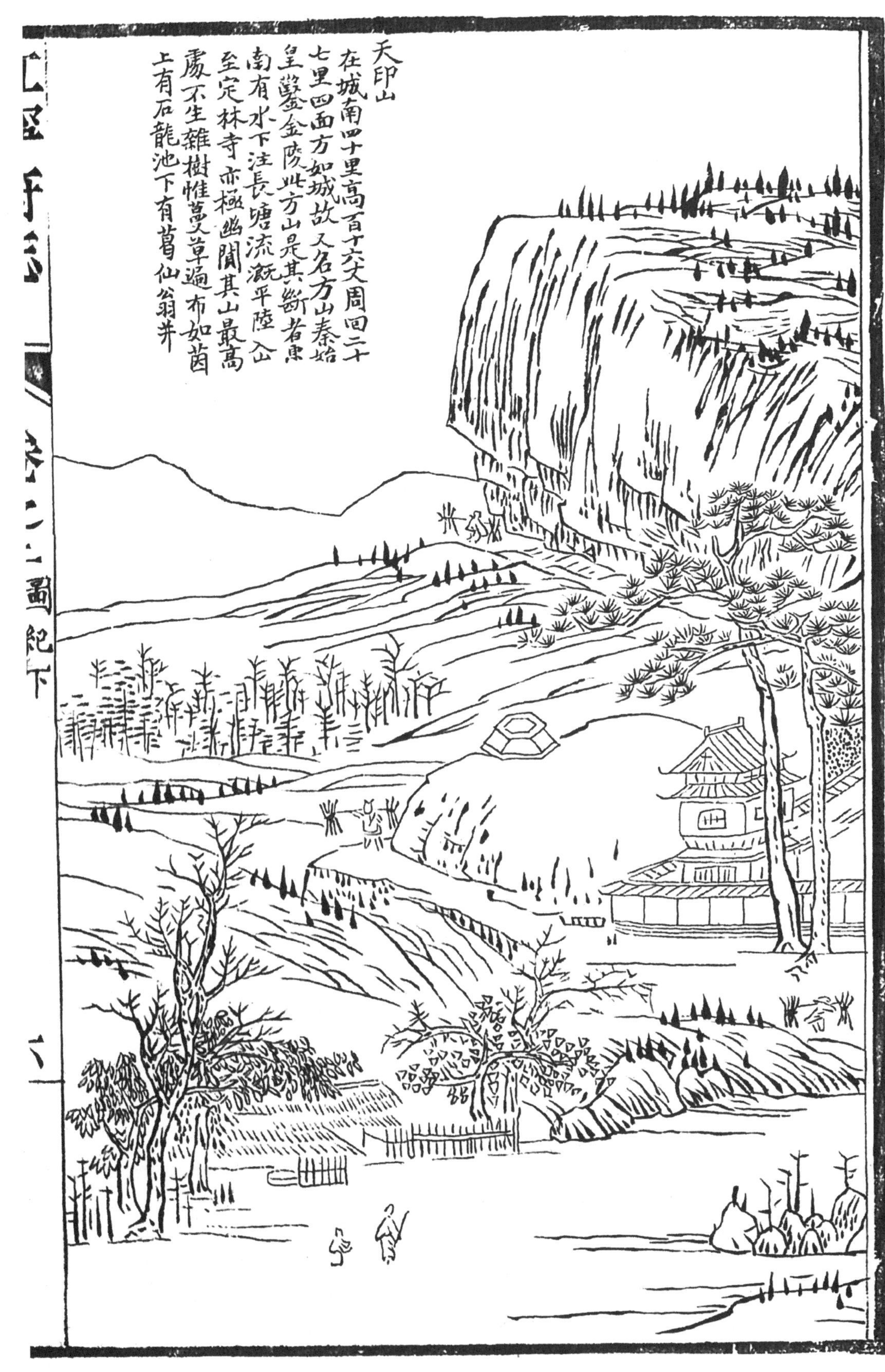
天印山
在城南四十里高百十六丈周回二十七里四面方如城故又名方山秦始皇鑿金陵此方山是其斷者東南有水下注長塘流溉平陸入山至定林寺亦極幽閒其山最高處不生雜樹惟蔓草遍布如茵上有石龍池下有葛仙翁井

江寧府志
卷之二
六
獅子山
在府治西二十里高三十六丈周回五里形如獅子以是得名稍南有紫竹林禪院覩恩和尚至金陵始建郡伯陳開虞修造一閣一亭登眺始曠爰勒死於石
紫竹林

圖紀下

鳳皇臺
在附治西南一里杏花村
中宋元嘉時鳳皇集於
此山築臺山椒以表瑞靍
有保寧寺唐李白南唐
家齊兵俱有詩向為貴
家園囿今皆圮廢昔就其
廢舍葺為鳳遊寺臺
屬寺中有焦竑碑朱之
蕃書
江寧府志
卷之二
十

圖紀下
八

莫愁湖
在三山門外之右偏去城甚近昔有妓盧莫愁家此故以名湖鍾阜石城橫亘于前江外諸岸遙相映帶稱勝地焉

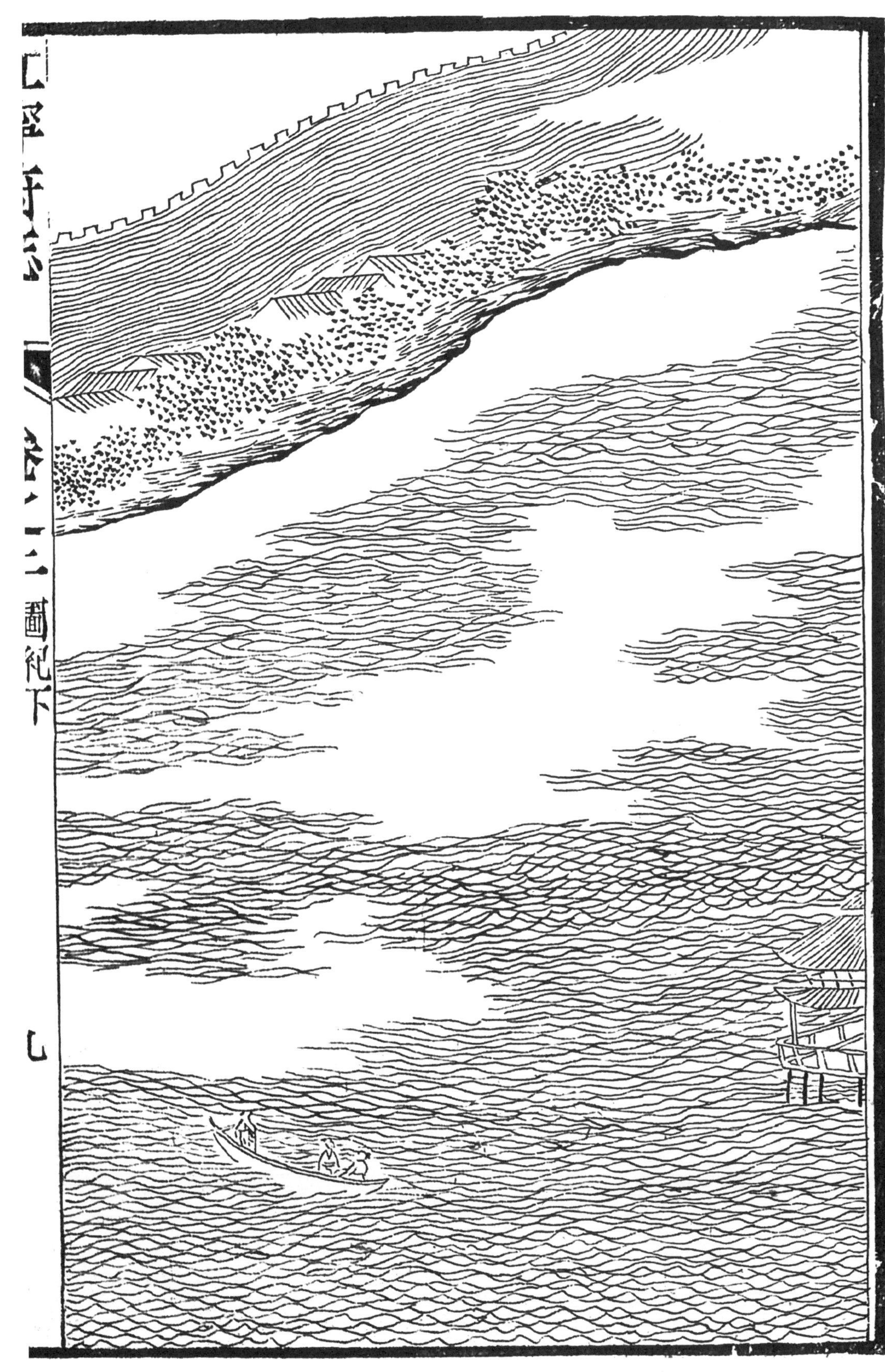

赤石機
在南門外東二
里枕濠面鄗本
與周處臺為一
揚吳時築城鑿
濠中斷為二陂
陀高下茆屋參
差彷舫漁舟多
集于此榴花數
百株每當夏日
丹綠掩映遊人
蟻集流水輕颸
最為勝賞云

江寧府志
卷之二
十

謝公墩
在府治西五里乾河崖上永
慶寺前李太白將營園
其間有詩在集中其丘
阜寬繳治城清凉諸山
四面環繞居民灌園植
蔬近乃多種松于高崗
上每春秋晴爽時遊人
畢集中夜忘返

江寧府志
卷之二

洛星崗
在府西北九里
一名落星墩久
名落星石梁王
僧辯連營立柵
以拒侯景于此
李太白以紫綺
裘換酒村舍亦
此地又城西二十里
西南五十里有山
皆名落星而斯
地為最近且勝
云

江寧府志
卷之二

雞籠山
在府治西北十里
東連覆舟山狀
如雞籠故名宋
元嘉中雷次宗
開館齊竟陵
王子良移居集
四學之士抄五經
百家書皆在此
今府學遠其下
踞高臨卑一望
城南菁翠□目

江寧府志
卷之二 圖考
十三
棲霞寺
在府城東北五十里
多藥艸可以攝
生故名攝山重
嶺孤峙形如繖
蓋故又名繖山
南史明僧紹居
此捨宅爲寺有
千佛嶺天開岩
俯臨大江雲光
映帶以棲霞名
寺匪虐耳

雨花臺
在府南三里聚寶門外據岡阜最
高處梁武帝時雲光法師講經
于此感天雨花故以名其臺臺上
淺草如茵無一雜樹登其巔則江
光日彩與林峦交相映帶游人
車騎終歲駢集殆無虛日

江寧府志
卷之三 圖記下
十五

江寧府志
卷之二
一五

憑虛閣
在鷄籠山最
高處倚崖結
搆虛敞無少
障蔽凭欄滿
望遠樹接聯
閭閻羅布山
雨一來淋浪
驟響恍然雲
霄之上也右
臂山岡綿亘
十廟各據一
壟相傳晋有
四帝陵列在
鷄籠山之麓
想即其處

江寧府志
卷之二

燕子磯
在城北觀音門外
乃幕府諸山盡脉
處石色蒼潤形
勢峆岈直探江
中波濤衝激三
面盡見上建閣
聖祠磴道盤折
而上有俯江亭
可以憩飲其左
渡港穿峽即水
濟寺通龍江關
陸路濱江車舟
遊衍無間也橫
江鐵鎖尚維山
趾

江寧府志
卷之二
長干里

長干里
在城南聚寶門外江東
人謂山隴之間曰干一
出城閭山岡綿衍往
安德鳳臺二門徑道
迴環寺宇錯置其間
平地民庶雜居故相
傳有大長干小長干
之稱今春日遊觀駢聚
最為繁盛
長干里
圖紀下

江寧府志
卷之二

江寧府志 卷之三 圖紀下 十九
達摩洞
在幕府山之側瞰江有岩洞羊腸曲徑沙石
灘出梁武時達摩西來後欲北渡偃息于此
南下有寺僧舍一石榻傳爲孫權時故物
洞西北有夾蘿峯云叩達摩渡處

三宿岩
在府治北二十里靜海
寺內基本江沙漲
溢之處日為江濤所
衝齧俱山嵌空玲瓏
宋虞允文破金軍于
采石回舟泊石邊故
名三宿岩其題名尚
存
卷之三
圖紀下
三

江寧府志
卷之二
清凉寺
在石頭城内南唐名石城清凉寺山頂有翠微亭亦南唐時建又有暑風亭乃李後主避暑殿之故址門内胭脂井尚存登頂眺城南北諸山如在眉睫

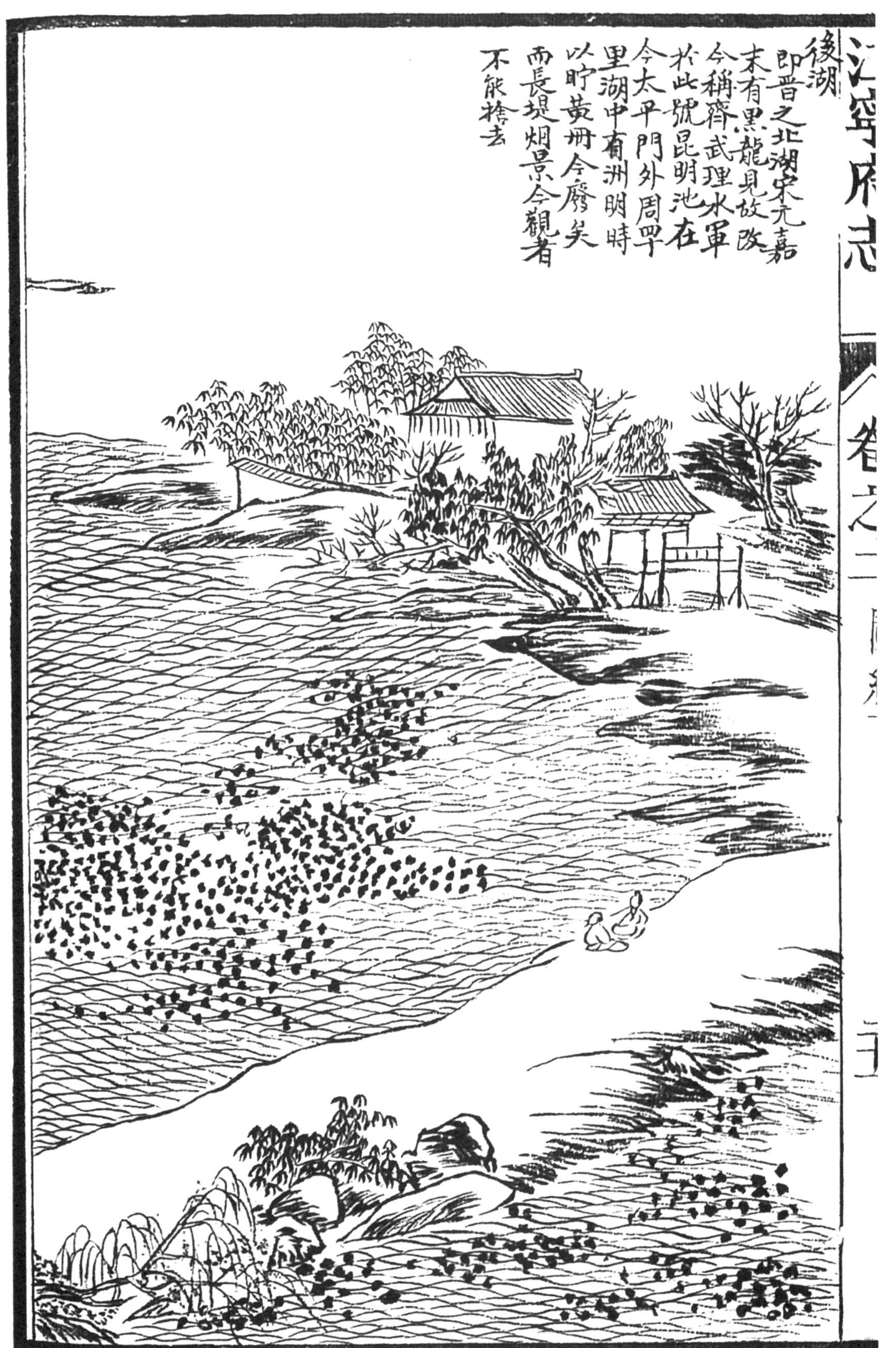
江寧府志
卷之二
後湖
即晉之北湖宋元嘉
末有黑龍見故改
今稱齊武理水軍
於此號昆明池在
今太平門外周四十
里湖中有洲明時
以貯黄册今廢矣
而長堤烟景今觀者
不能捨去

圖紀下

桃葉渡
秦淮渡口曰王獻之妾
桃葉因得名桓伊邀笛
步去此亦不遠昔許遊
舫鱗集想見大令風流
今則甃以石橋無復渡
江之檥矣圖此以存舊
觀

江寧府志
卷之二
杏花村
在江寧縣治西與鳳皇臺相接舊有古杏林立遊人鱗集后摧為薪而南中芳園碁布其旁故跡猶不至于湮沒耳

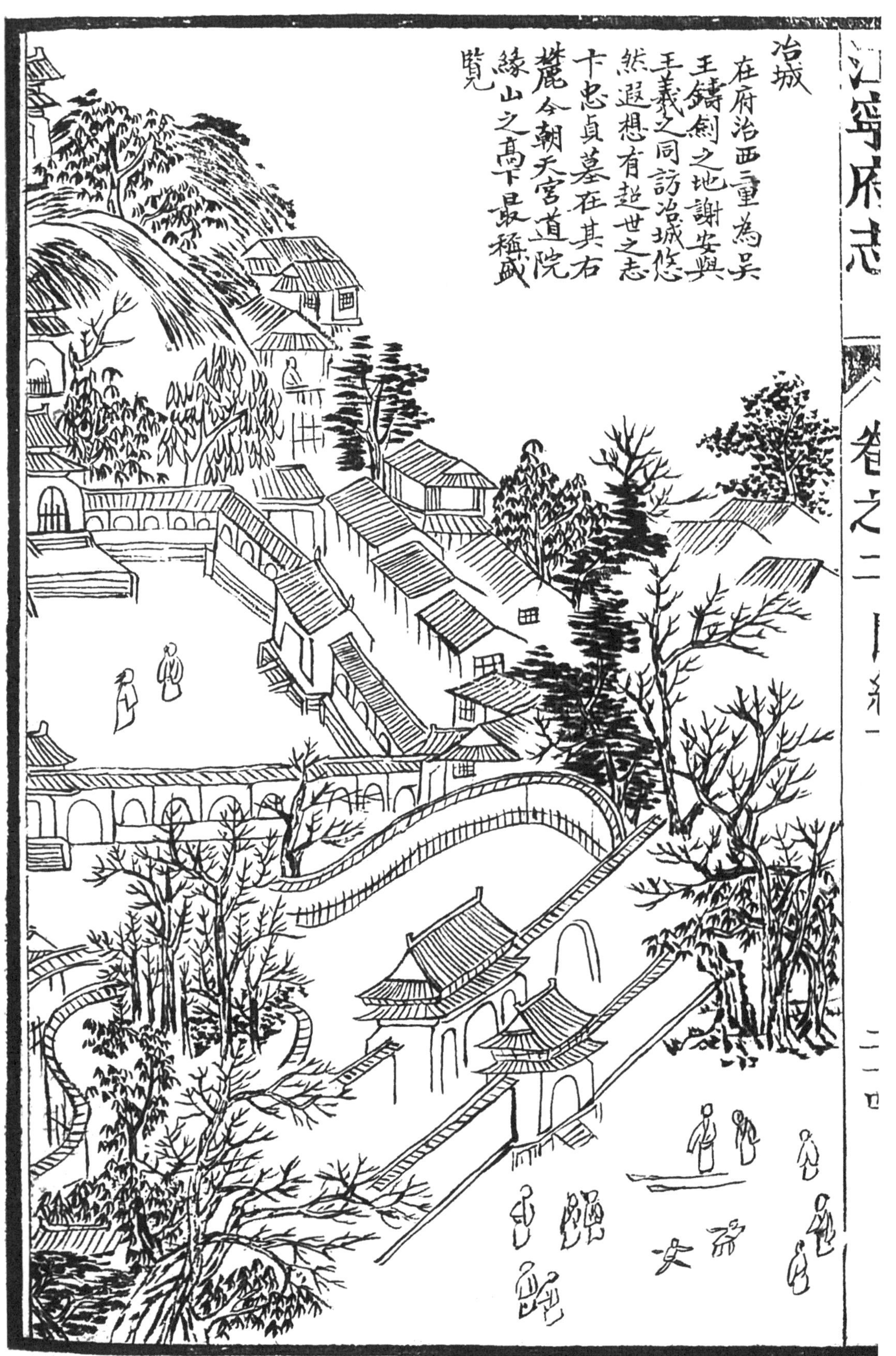
冶城
在府治西三里為吳王鑄劍之地謝安與王羲之同訪冶城悠然遐想有超世之志卞忠貞墓在其右麓今朝天宮道院緣山之高下最稱盛覽
江寧府志　卷之二
二十四

江寧府志
卷之三
圖記下

幕府山
在府西北二十里晉元
帝初渡江丞相王導
建幕于此其上有
仙人臺虎跑泉今稱
為石灰山李子嵩至
崇化寺梅花水皆深
邃幽遠境僻遊跡
罕至然濱江一帶古
跡猶存

神樂觀
在正陽門外三里喬松古柏秀色撲人眉睫盖不遠城市別趣仙都者矣觀旁為舊大祀壇繚垣之外馳道垣迤最宜驅騁

江寧府志
圖紀下

獻花岩
在牛首之東南懶
融禪定　聞雪中
開一奇花且有百
鳥獻花之異故
人以名岩岩外有留
雲亭笑蓉閣及
大觀堂息心所
皆依壁結構登
頓為勞惟小星
搓回眺牛首塔殿
林巒宛如圖畫

青溪
吳開東渠名曰青溪其派九曲通潮溝以
洩後湖水發源鍾山接于秦淮由南而西
經武定鎮淮諸橋夾岸垂楊亭館最盛
夏秋之交吳船載酒笙歌達旦六朝風
流依然未改

幽栖寺
在牛首山之西本懶融脩道
之所唐貞觀中傳四祖法建寺
故山與寺皆名祖堂山寺幽
深遠過于牛首之弘覺方
江寧府志
卷之二

江寧府志
卷之三 圖紀下
三十

東山
在府東南三十里 名土山晉謝
安築之以擬會稽之東山與從
子元圖碁至夜始還山側翼
臺〻古木崇岩登覽曠潤亦
郊坰之勝地也

江寧府志
卷之三 圖紀下
三三

長橋
在府治東南
二里武定文
德二橋之間
橋跨城闉鷲
峯寺側積
水之上勝時
游樂歡宴達
旦不休今歌臺
舞榭鞠為茂
草而橋則屢
經脩治漸就
狹小惟故跡
猶存足徵往
蹟之一端云爾

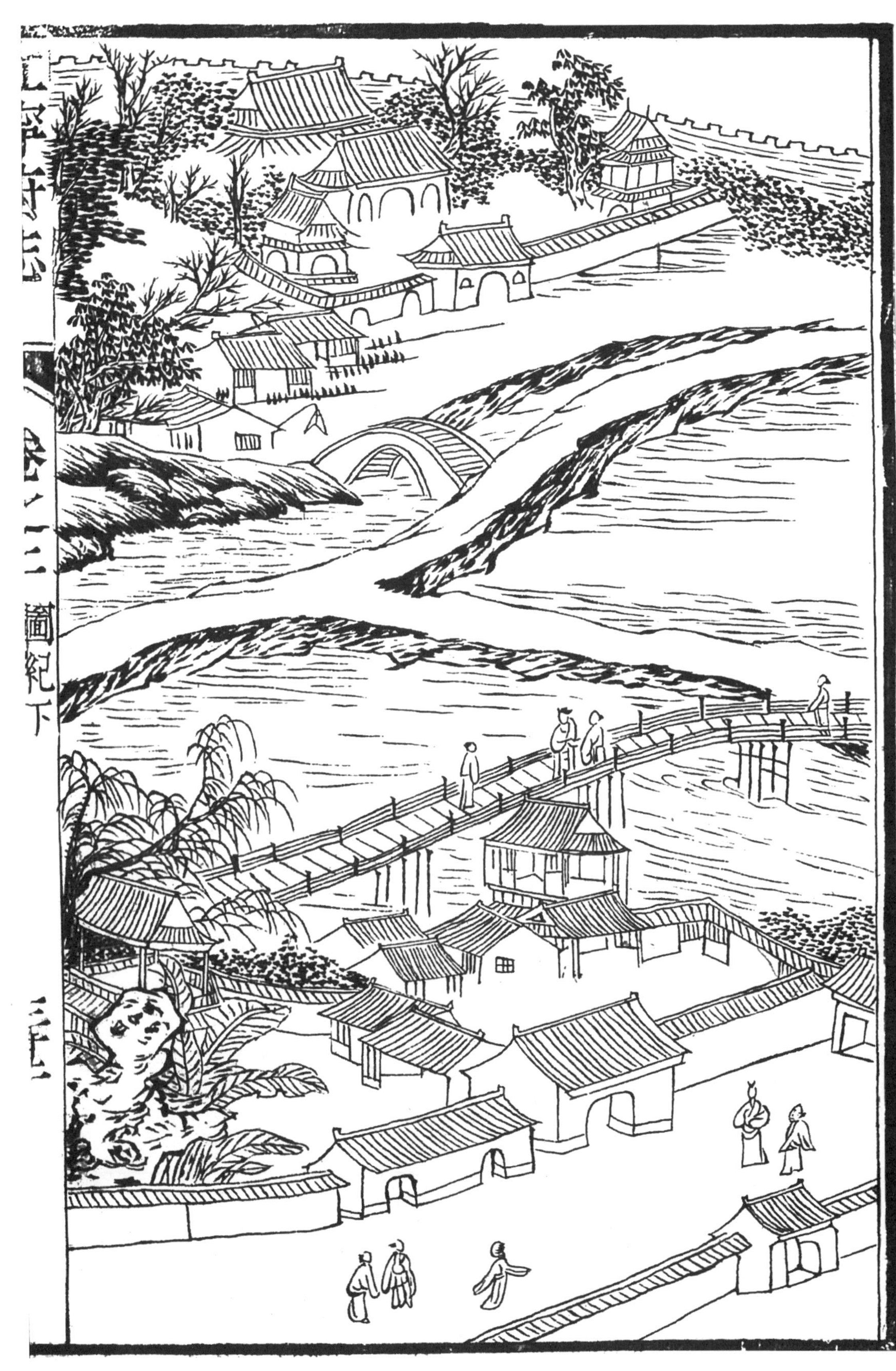
圖紀下

龍江關
在府城西南儀鳳門外設閘津以征楚蜀材木百貨交集生計繁盛本雖洄漩而泊船湖蕩臨江橋梁直接觀音上元諸門連接弘濟燕磯江天曠望景稱最勝云
江寧府志 卷之二
三二

圖紀下

江寧府志　卷之二
靈谷寺
在鍾山東南晉建梁寳誌葬獨
龍阜即此處有八功德水琵琶
街鼓掌則声若彈絲山徑萬
松森立羣鹿遊息其間彷若
画圖
三十三

祈澤池
在府治東南三十五里山高五十丈周四十里為劉家特初法師結庵于此山講法華經龍女聽法師曰可為開一泉乎後數日清泉湧于庵南後人以祈禱多應
江寧府志
卷之二
三十四

卷之三 圖紀下
三十五

虎洞
在府東南四十里出高橋門
田野間延袤而入洞不甚突
異而羣山環立雲光吞吐近
洞有宮氏冢相傳爲漢時
物洞外有脩竹樹參差可
憩

永濟寺
在府治東北平
五里高壁神來
玲瓏奇跪山腰
嵌置臺殿女墻
之外倚臨大江魏
文帝稱天限南
北者此也

嘉善寺
在府治東神策門
外三里入寺徑道
甚幽殿後巨石壁
上折裂處[illegible][illegible]天
光僅露一線石前
有觀音閣閣前一
巨石中立石有亭
由傍徑度石梁可
登真幽勝之奇地
也

圖紀下

天界
寺舊名龍翔在會同橋北洪武
中徙建聚寶門外額題善世
法門與碧峯能仁二寺鼎列中
有三十六庵地既廣凋深邃僧
律精嚴禪誦之聲交發互應
迄今不改于舊云

江寧府志
卷之三 圖紀下
三十九

秦淮
在上元縣治東南三里秦
始皇東巡會稽經秣陵
口鑿鍾山斷長壠以疏
淮本名龍藏浦上有二
源侄句容溧水來合
方山東西注大江因秦的
鑿故名秦淮今與青涇
今流自西水閘出于江

江寧府志
卷之三 圖紀下
四十

報恩塔
在聚寶門外吳
赤烏間有康居
國異僧來長干
里結茅行道能
致如來舍科孫
權爲建塔奉焉
寺名建初是江
南塔寺之怡梁名
長干寺宋改天禧
寺明永樂時毀
新恬招之易以今
名其塔最高金
碧琉璃塔光炫
燈中有燭天極
稱壯觀
上元後學
岑畫

寧府志
圖紀下

金陵高岑蔚生以画名海内郡志成太守陳公屬蔚生圖其勝蹟蔚生抽筆寫七十餘幅刊列志首金陵山水舊傳八景十景四十景画家皆有圖繪見之縑素已多粉本剞劂從棗梨間覓生活今寫蔚生筆崢嶸蕭瑟互皴染既不能及荊關不傳之秘往往於鏤劃之餘天真畢見金陵山水不大為吐氣乎顧蔚生本從山水為模索意有所會胸中為之浩浩

落々固不向荆關乞靈又豈斤々於一樹一石已哉其振筆潑墨高出前代有以丗予以蔚生老畫師一紙半幅為時人爭覺其必傳於後無疑而以此圖自託使後世知龍江鍾阜雲林烟水中有亂髯高士狂號固將與紀載之編並聲施於不朽矣蔚生兄康生名阜年二十許無知之者天慵子望金陵見其制舉業目為奇人令猶傲岸諸生間不俛仰

隨俗競逐榮乎以言 文自娛典蔚生卜築青谿湄卧居滿薜荔遠近聞而過之者望其墻宇皆識為兩高子吮筆叟可以想見其高致矣因披是圖而識其畧以補志中所不及云

康熙七年歲次戊申櫟下周亮工題於賴古堂

江寧府志卷之三

沿革表

九州既定淮海惟揚分合陞降歷代靡常昔阻江限復盆二邑聯絡南北疆界乃闢作沿革志

周

年	國		邑
靈王十三年	楚		棠邑
景王四年	楚		棠邑
	吳		瀨渚邑
五年	楚		棠邑
	吳		陵平邑

十六年	楚		棠邑 平陵邑
敬王三十四年	吳		棠邑 平陵邑
元王三年	楚		棠邑
	越		平陵邑
顯王三十七年	楚		棠邑 平陵邑 金陵邑
秦			
始皇二十六年		鄣郡	秣陵 溧陽
		九江郡	棠邑
三十七年		鄣郡	秣陵 丹陽 江乘 溧陽
		九江郡	棠邑

漢			
高帝六年	荊國	鄣郡	秣陵 丹陽 江乘 溧陽
			崇邑侯國
十二年	吳國	鄣郡	秣陵 丹陽 江乘 溧陽
			崇邑侯國
武帝元光六年	江都國	鄣郡	秣陵 丹陽 江乘 溧陽
			崇邑侯國 句容侯國
元朔元年	江都國	鄣郡	江乘 溧陽 句容
			崇邑侯國 丹陽侯國 湖熟侯國 秣陵侯國
元狩元年	江都國	鄣郡	丹陽 江乘 溧陽 句容

年代			
			棠邑侯國　湖熟侯國　秣陵侯國
元朔元年	廣陵國	鄣郡	丹陽　江乘　溧陽　句容
			湖熟侯國　秣陵侯國
		臨淮郡	堂邑
五年	廣陵國	鄣郡	秣陵　丹陽　江乘　湖熟　溧陽　句容
		臨淮郡	堂邑
元封五年	揚州	丹陽郡	秣陵　丹陽　江乘　湖熟　句容　溧陽
			永平
	徐州	臨淮郡	堂邑
元帝建昭元年	揚州	丹陽郡	秣陵　丹陽　江乘　湖熟　句容

紀年	州	郡	縣
			溧陽侯國
	徐州	臨淮郡	堂邑
新莽 天鳳元年	揚州	丹陽郡	宣亭 丹陽 相武 湖熟 溧陽 句容
	徐州	淮平郡	堂邑
漢			
光武 建武六年	揚州	丹陽郡	丹陽 秣陵 江乘 溧陽 句容
			湖熟侯國
		廣陵郡	堂邑
獻帝 建安十七年	揚州	丹陽郡	建業 丹陽 溧陽 句容
		廣陵郡	堂邑

昭烈章武元年	吳	丹陽郡	建業 丹陽 溧陽 句容 永安
	魏	廣陵郡	堂邑
吳永安七年	揚州	丹陽郡	建業 丹陽 句容 溧陽 永平
		廣陵郡	堂邑
晉			
武帝太康元年	揚州	丹陽郡	秣陵 臨江 丹陽 句容 溧陽 永世
	徐州	臨淮郡	堂邑
二年	揚州	丹陽郡	建鄴 江寧 丹陽 江乘 湖熟 秣陵
			永世 溧陽 句容
	徐州	臨淮郡	堂邑

年代	州	郡	縣
惠帝 元康七年	揚州	丹陽郡	建鄴 丹陽 江 湖熟 秣陵 永世 溧陽 句容
		堂邑郡	堂邑
永興元年	揚州	丹陽郡	建鄴 丹陽 江乘 湖熟 秣陵 溧陽 句容
		義興郡	永世 平陵
		堂邑郡	堂邑
懷帝 永嘉元年	揚州	丹陽郡	建鄴 江寧 丹陽 江乘 湖熟 秣陵 永世 溧陽 句容
		堂邑郡	堂邑

四年	揚州	丹陽郡	建鄴 江寧 丹陽 江乘 湖熟 秣陵 溧陽 句容
		義興郡	永世 平陵
		堂邑郡	堂邑
愍帝建興元年	揚州	丹陽郡	建康 江寧 丹陽 江乘 湖熟 秣陵 溧陽 句容
		義興郡	永世 平陵
		堂邑郡	堂邑
安帝隆安元年	揚州	丹陽郡	建康 江寧 丹陽 江乘 湖熟 秣陵 溧陽 句容

年代	州	郡	縣
		義興郡	永世 [illegible]
		秦郡	堂邑 尉氏
武帝永初二年	揚州	丹陽郡	建康 秣陵 丹陽 江寧 湖熟 永世 溧陽 句容 平陵
	南豫州	秦郡	秦 尉氏
文帝元嘉九年	揚州	丹陽郡	建康 秣陵 丹陽 江寧 湖熟 永世 溧陽 句容
	南兗州	秦郡	秦 尉氏
魏太平真君元年	揚州	秦州	橫山
宋元嘉二十八年	揚州	丹陽郡	建康 秣陵 丹陽 江寧 湖熟 永世

江寧府志 卷之三 沿革

年代	州	郡	縣
			溧陽　句容
	南兗州	秦郡	秦　尉氏
齊高帝建元二年	揚州	丹陽郡	建康　秣陵　丹陽　湖熟　江寧　溧陽
			永世　句容
	南兗州	秦郡	堂邑　尉氏
	青州	齊郡	
武帝永明元年	揚州	丹陽郡	建康　秣陵　丹陽　湖熟　江寧　溧陽
			永世　句容
	青州	齊郡	尉氏
梁武帝天監二年	揚州	丹陽郡	建康　秣陵　丹陽　湖熟　江寧

			溧陽　永世　句容
	南兖州	秦郡	堂邑　六合
北齊天保六年	東廣州	秦州	堂邑　尉氏
陳宣帝大建五年	揚州	丹陽郡	建康　秣陵　丹陽　湖熟　江寧　同夏　溧陽　永世　句容
北齊武平三年	東廣州	秦州	堂邑　尉氏
陳大建七年	揚州	瓦梁郡	
		丹陽郡	建康　秣陵　丹陽　湖熟　江寧　同夏　溧陽　永世　句容
	譙州	秦郡	堂邑　尉氏　橫山

年代	州	郡	縣
十年	揚州	丹陽郡	建康 秣陵 丹陽 江寧 溧陽 永世
			句容
		建興郡	同夏 江乘 臨沂 湖熟
		義州	堂邑 尉氏 橫山
周大象元年	吳州	六合郡 方州	堂邑 方山
隋文帝開皇元年		方州	堂邑 尉氏 方山
四年		方州	六合
隋			
開皇九年		蔣州	江寧 溧陽
		方州	六合

年	州	縣
	蔣州	江寧 溧陽 溧
	宣州	永世
	方州	六合
十八年	蔣州	江寧 溧水
	宣州	永世
	方州	六合
大業 年 廢 省	蔣州	江寧 溧水
	揚州	六合 句容
	宣州	永世
	方山府	方山

[illegible]年	丹陽郡	江寧 溧水
	江都郡	句容 六合
	宣城郡	永世
	方山府	方山
[illegible]德二年 東南道	揚州	歸化 丹陽 安業 溧水 溧陽
	茅州	句容
	南兗州	六合
七年	蔣州	歸化 丹陽 安業 溧水 溧陽
	[illegible]	句容
	[illegible]	六合

八年		揚州	金陵 丹陽 溧水 溧陽 句容
		方州	六合
九年		潤州	白下 句容
		宣州	溧水 溧陽
		方州	六合
太宗貞觀元年	江南道	潤州	白下 句容
		宣州	丹陽 溧水 溧陽
	淮南道	揚州	六合
七年	江南道	潤州	白下 句容

	宣州	溧水　溧陽
淮南道	揚州	六合
九年　江南道	潤州	江寧　句容
	宣州	溧水　溧陽
淮南道	揚州	六合
玄宗天寶元年　江南東道	丹陽郡	江寧　句容
	宣城郡	溧水　溧陽
淮南道	廣陵郡	六合
肅宗至德二年　江南東道	江寧郡	江寧　句容　溧水　溧陽
淮南道	廣陵郡	六合

年	道	州府	縣
乾元元年	江南東道	昇州	江寧　句容　溧水　溧陽
	淮南道	揚州	六合
上元二年	江南東道	潤州	上元　句容
		宣州	溧水　溧陽
	淮南道	揚州	六合
昭宗大順元年	江南道	昇州	上元　句容　溧水　溧陽
	淮南道	揚州	六合
吳武義二年		金陵府	上元　句容　溧水　溧陽
		江都府	六合
天祚二年	西都	昇州	上元　句容　溧水　溧陽

年代	府州	屬縣
	江都府	六合
昇元二年	江寧府	上元 句容 溧水 溧陽 六合
南唐 保大二年	江寧府	上元 江寧 句容 溧陽 溧水 六合
六年	江寧府	上元 江寧 句容 溧陽 溧水
	雄州	
十一年	江寧府	上元 江寧 句容 溧陽 溧陽 溧水
	雄州	六合
周世宗顯德六年	江寧府	上元 江寧 句容 溧陽 溧水
	揚州	六合
宋		

年	路	州府	縣
太祖開寶八年		昇州	上元 江寧 句容 溧陽 溧水
		揚州	六合
真宗天禧二年	江南路	江寧府	上元 江寧 句容 溧陽 溧水
	淮南路	建安軍	六合
四年	江南東路	江寧府	上元 江寧 常寧 溧陽 溧水
	淮南路	建安軍	六合
高宗建炎三年	江南路	建康府	上元 江寧 句容 溧陽 溧水
	淮南東路	真州	六合
端宗景炎二年	元	建康路	溧州 上元 江寧 句容 溧水
		揚州路	六合

三年	元	建康路	上元　江寧　句容　溧水
		溧陽府	
		揚州路	六合
元			
世祖至元十七年	江東道	建康路	上元　江寧　句容　溧水
		溧陽路	溧陽
	淮東道	揚州路	六合
	江東道	建康路	上元　江寧　句容　溧水　溧陽
	淮東道	揚州路	六合
成宗元貞元年	江東道	建康路	上元　江寧　句容　溧水州　溧陽州

	淮東道	揚州路 眞州	六合
大曆二年	江浙行省	集慶路	溧水州 溧陽州 上元 江寧 句容
	淮東道	揚州路 眞州	六合
明			
太祖洪武元年		應天府	溧陽州 溧水州 上元 江寧 句容
	直隸	揚州府	六合
二年		應天府	溧陽 溧水 上元 江寧 句容
	直隸	揚州府	六合
九年		應天府	溧陽 溧水 江浦 上元 江寧 句容
	直隸	揚州府	六合

二十二年	應天府	上元　江寧　句容　溧陽　溧水　江浦　六合
孝宗弘治四年	應天府	上元　江寧　句容　溧陽　溧水　江浦　六合　高淳
大清		
世祖章皇帝順治二年	江南省	江寧府
		上元　江寧　句容　溧陽　溧水　高淳　江浦　六合

唐帝堯八十載命禹治水成功因定九州其五曰淮海惟揚州沿于江海達于淮泗今江寧所隸介江南北之地當屬揚

虞帝舜受命肇十有二州揚仍故

夏王禹受命復九州地仍屬揚

商王湯十八祀纘禹舊服爲九州州方千里揚居其一

周武王元年更定九州東南曰揚其川三江其浸五湖

虞翻韋昭周處酈道元皆謂洮湖爲五湖之一

景王五年吳移瀨渚邑于陵平山下名曰陵平

十六年楚取陵平更名平陵

元王三年越滅吳得其故地以棠邑與楚

秦始皇帝二十六年改金陵爲秣陵縣以平陵置溧陽縣俱屬鄣郡伍員行至溧陽中即此以在溧水之北得名越絕始皇度牛渚奏東安東安今

州丹陽溧陽輿地考以爲漢縣誤矣

更棠邑爲棠邑縣屬九江郡

二十七年冬置江乘縣統于鄣史記帝東巡浮江下過丹陽臨浙江還過吳從江乘渡遂置江乘縣按括地志丹陽在江寧縣東南地理志丹陽秦屬鄣郡則縣始於秦非漢置也綱目質實指丹陽即今隸鎮江者蓋未考秦爲雲陽曲阿耳江乘縣史記正義并括地志俱云在句容北通鑑注在建業東北而圖考辨其在西北蓋本南徐州記建康志但攷諸地理始皇還過吳遂並海上則正義括地足徵況臨沂自江乘分豈容在西北哉圖考又以徐盛疑城自石頭至江乘爲據然盛本傳云緜亘數百里夫自石頭至幕府山固無數百里也父老謂竹里路昔時路行山間遶攝山之北由江乘羅落以達建康是江乘在東北無疑

漢高帝三年十二月九江王布以所統棠邑鄣郡地歸漢先是項羽立布爲九江王統其地

六年十二月封陳嬰爲棠邑侯正月以淮東五十三縣封兄賈爲荆王至十一年賈爲英布所殺

十二年十月更以荆爲吳國立兄子濞爲王統縣如故

景帝三年春吳王濞反誅徙汝南王非王吳地改國號曰江都

武帝元光六年析秣陵地封宗室黨爲句容侯

元朔元年析江都國地封王子敢爲丹陽侯胥行爲湖熟侯纏爲秣陵侯

元狩二年江都王建自殺國除地屬廣陵郡

六年四月以廣陵郡封子胥爲王鄣郡地屬廣陵

元鼎元年改棠邑縣爲棠邑屬臨淮郡

元封二年廢鄣郡置丹陽郡設揚州刺史統之領縣十七江乘秣陵句容丹陽湖熟溧陽與焉又析溧陽南境置永平尋廢宋景定志丹陽辨漢志云丹陽郡治宛陵今寧國府也杜佑通典云丹陽郡隸潤州今鎮江府也吳寶鼎中割丹陽附吳興今安吉州也人惑于三說遂疑丹陽不在建業不知丹陽之名本出建業郡治寓于宛陵者暫爾建安以來丹陽郡治在建業以宰輔諸王爲尹隋以前未嘗改也未置丹陽治建業者孫權也割丹陽附吳興者孫皓也平吳以後復吳興所有之丹陽歸建鄴者晉也平陳以後廢丹陽郡置溧水縣者隋開皇也廢蔣州復置丹陽郡者隋大業也以江寧溧水復置丹陽縣者唐武德也嘗考潤州類集今之潤境舉非丹陽地唐以丹陽名郡何也蓋唐天寶前惟有潤州未有升州時潤所領縣六江寧句容在焉二縣乃丹陽故地天寶初改州爲郡因以名之迨至德二載始割出二

[illegible]增溧水溧陽建爲昇州丹陽之名遂存於潤杜佑通典天寶以前州縣爲定故載潤而闕昇後之作[illegible]志者曾不審此惟據佑所書而在秦在漢皆繫于二郡間悞矣又云漢元封二年改鄣爲丹陽其城在今江寧府東南八里即漢丹陽太守及晉丹陽尹之所治隋平陳廢之平其城爲田太業初復置唐武德九年又廢之以其縣隸潤州天寶元年始改潤州爲丹陽郡又改曲阿爲丹陽縣皆非兩漢六朝之丹陽也其丹陽名縣於潤境者唐天寶以後亦非兩漢六朝之舊也戚氏曰丹陽史記作陽從阜漢志書郡從木書縣從阜東漢吳齊三志唐通典並從阜晉宋唐三志並從木自餘或從阜或從木今志從史記從阜爲定也金陵志辨丹陽縣在江寧當塗之間據聞徵見其說的矣惟丹陽郡治所景定志之辨雖詳而猶有未盡金陵志云丹陽郡漢置治宛陵後漢因之資治通鑑洪适註亦曰西從丹陽郡治宛陵綱目質實亦然則今之寧國府也上元志云丹陽郡即鄣郡治則今之長興縣也景定志云郡治常在建業宮城記云丹陽郡在長樂橋東一里則今之聚寶門東城角之內外是也圖考據之遂刻于此以今考之宛陵移於

東漢鄣郡廢為故鄣二說固為未實若移治建業則斷始自孫吳觀張紘及先主孔明告大帝之語亦可槩見使原為治所三公豈不及之惟寧國志直云丹陽郡治姑熟差為有據蓋武帝因縣以立郡若堂邑縣堂邑郡之類故太平人物志悉載丹陽郡人蓋謂此也若宮苑記所云亦自孫吳移治之後晉太康中所築郡城言之而豈武帝初置之治所哉其餘則景定志辨之已明又溧陽志建武之年改永平為永安漢書地理志無永平當以廢為是

新莽天鳳元年秋莽改秣陵曰宣亭江乘曰相武以堂邑隸淮平郡 金陵志謂改丹陽為宣亭郡者非

漢光武皇帝建武六年移丹陽郡治宛陵統十六城以李忠為太守溧陽秣陵句容江乘丹陽隸焉湖熟為侯國 按金陵志云後漢分揚州置吳郡治建業去[illegible]郡既治建業則秣陵諸縣豈容遠屬丹陽[illegible]

史傳吳郡之不在建業甚明改堂邑屬廣陵郡

獻帝建安十七年七月孫權自京口徙治秣陵城楚金陵邑地號石頭改秣陵爲建業省湖熟江乘爲典農都尉

二十五年孫權自建業徙治公安以呂範爲建威將軍領丹陽太守

昭烈皇帝章武元年四月孫權移丹陽治建業領縣十九圖考云建安十三年移丹陽郡治建業然十七年始更名十三年固無建業也金陵志云二十二年置丹陽郡理于建業權稱二十六年即章武改元也又志所載治所郡名俱云治建業後二載乃表郡自建業徙治蕪湖未知何據又析溧陽置永安尋改永平後復三國志註

永安今武康縣不容一時頓有兩永安豈作志者誤歟抑此既廢而移其名于彼歟又金陵志謂改永平爲永安然休封謙於永安皓封洪於永平志雖無徵年有先後

帝禪建興七年九月吳主權還都建業城舊府太初宮居之金陵建都自吳始

吳主皓甘露元年九月徙都武昌留御史大夫丁固右將軍諸葛靚鎮建業後仍還都焉

晉武帝太康元年春晉龍驤將軍王濬師入于石頭吳主皓降改建業仍爲秣陵析秣陵置臨江縣以堂邑隸臨淮郡六合志未紀堂邑所屬從宋書

二年二月改臨江爲江寧永安爲永世復置建業江乘

湖熟及丹陽秣陵句容溧陽隸丹陽郡還治建業改業爲鄴尋廢江寧金陵志以江寧爲永嘉元年置誤

惠帝元康七年置堂邑郡於堂邑縣隸揚州

永興元年三月析永世置平陵俱屬義興郡尋還丹陽

懷帝永嘉元年七月以琅琊王睿爲安東將軍都督揚州江南諸軍事假節鎮建鄴九月琅琊王自下邳移鎮建鄴因吳舊都城修而居之以太初宮爲府舍復置江寧縣治在今城南七十里南臨浦水水之源出姑熟名江寧浦

四年三月琅琊王睿割永世平陵等縣置義興郡以旌周玘平陳敏之功

愍帝建興元年五月以瑯琊王睿爲左丞相都督諸軍
事八月改建鄴爲建康
元帝大興元年瑯琊王即皇帝位改丹陽太守爲尹
三年四月始置懷德縣于建康以處瑯琊國人隨渡江
者隸丹陽郡丞復爲湯沐邑置南瑯琊南蘭陵郡于
江乘
成帝咸康元年桓温領瑯琊郡鎮江乘之蒲州金城温
以瑯琊雖有相而無其地求割江乘縣境立郡帝從
之郡始有實土
四年僑置魏廣川高陽堂邑諸郡并所統縣寄居京邑

以處流寓時江淮擾亂僑置堂邑于此而本郡未廢故咸康八年通鑑註實郡在江北者有堂邑

六年割江乘西界置臨沂與懷德陽都即丘同隸南瑯琊

安帝隆安元年更堂邑郡爲秦郡置尉氏縣時中原亂民轉徙堂邑更置郡以統之治六合山宣化鎮江上

宋武帝劉裕永初元年六月併廣川郡於廣川縣隸魏郡以建康秣陵丹陽江寧永世溧陽湖熟句容隸丹陽郡揚州領之割建康臨沂爲土費并臨沂江乘陽都費即丘隸南瑯琊郡蘭陵合鄉承縣隸南蘭陵郡

俱南徐州領之秦義成尉氏臨涂平丘外黃沛睢丘浚儀頓丘隷秦郡南豫州領之餘如故按金陵志逸臨沂江乘蘊未改宋書地理志也永初郡國秦郡所隷實繁意郡卽治秦及尉氏其後郡東有義成村臨塗界今滁州頓丘界今來安俱郡故境若平丘等縣則舊隷陳留僑置于此者故何徐諸志不著其名

宋主義符景平元年省棠邑高陽相繼入魏郡

宋文帝義隆元嘉八年六月以秦郡屬南兗州併卽丘于陽都臨塗于秦平丘于尉氏沛于頓丘按金陵志溧陽志并金陵圖考皆云是年省永世入溧陽然攷武太元七年尚有永世是後見綱目者非一南齊丹陽郡領縣八亦有永世隋書永世縣屬宣城郡註云平陳廢開皇閒復置是陳亦有永世也今以史爲正但圖考南畿志出于一人之手圖考旣云省入而南畿志南齊郡縣表中復列之何也又宋書郡國志永世令下云

元嘉九年以併永世溧陽二縣似蒙上文平陵縣[illegible]併平陵于永世溧陽非以永世併溧陽也又南齊樂頤亦嘗爲永世令

九年春省平陵入永世溧陽

十一年省魏郡以其民併建康

十二年併合鄉於承

十五年省費縣入建康臨沂

二十七年元魏陷秦郡遂置秦州及橫山縣

二十八年秦郡復于宋廢秦州

宋孝武帝駿孝建元年併浚儀于秦

大明三年罷揚州以所統六郡爲王畿

四年四月以南瑯琊郡隸王畿

五年省陽都併臨沂江乘置懷德縣隸秦郡郡西南有懷德鄉今屬江浦

七年壬申割懷德烏江置臨江郡以王畿之內郡屬南
徐州

八年十二月復以王畿諸郡爲揚州

宋主子業永光元年廢臨江郡仍以懷德隸秦烏江隸
歷陽七月以石頭爲長樂宮東府城爲未央宮北邸
爲建章宮南第爲長楊宮

宋主昱元徽元年十月割頓丘及鍾離馬頭穀熟鄴四

新昌郡皆僑置縣邑

宋順帝準昇明三年以秦郡增封齊王蕭道成時欲置齊郡于建康議者以江右土沃流民所歸乃治瓜步隷青州領臨淄華城齊安西安宿豫尉氏平曾昌國秦益都郡縣虛置至于分居土蓋無幾焉

齊武帝賾永明元年以秦郡併于齊罷齊安明年併華城于臨淄

齊和帝寶融中興二年

梁武帝蕭衍天監元年四月始置六合縣於秦郡同夏縣於秣陵同夏里隷丹陽郡餘如故同夏梁主所生里秦郡有山名六合邑以得名按六合嘉定志載晉置秦郡於六合山初非置縣也至是梁武於秦郡置六合縣六合之

稱當自梁始故陳伯之稱次六合宇文周因以置郡未審廢於何時又金陵志云大同初置同夏

太清三年秦郡降于侯景景改爲西兗州景誅郡復

陳宣帝陳頊太建元年四月齊人於秦郡置秦州

七年三月移譙州鎮新昌郡以秦郡屬之五月秦郡還隸南兗州

十年八月改秦郡爲義州十月罷義州及瑯琊彭城立建興郡統六縣屬揚州同夏江乘臨沂湖熟與焉

十一年十二月秦郡陷于周周改爲方州領堂邑方山二縣設六合郡統之尋置石梁省橫山入焉

十三年九月隋廢六合郡其方州如故統堂邑尉氏方

山

陳後主叔寶至德元年隋置六合鎮於桃葉山

二年隋改尉氏縣爲六合省堂邑方山併入仍屬方州

隋文帝開皇九年正月平陳二月詔建康城邑宮室并平蕩耕墾更於石頭置蔣州以郭衍爲蔣州刺史遂廢丹陽郡省建康同夏秣陵三縣入江寧與溧陽俱屬蔣州餘並廢

十一年析溧陽及丹陽故地置溧水縣屬蔣州

十二年復置永世縣屬宣州

十八年併溧陽入溧水

煬帝大業元年廢方州更六合句容屬揚州尋立方山府于上沛領方山縣

四年復以蔣州置丹陽郡領江寧當塗溧水三縣

十二年方山府廢

唐高祖李淵武德二年置揚州東南道行臺尚書省蔣州廢

三年以江寧溧水二縣置揚州又析置丹陽溧陽安業三縣更江寧曰歸化以句容延陵二縣置茅州茅江寧句容爲望溧陽溧水爲上六合時隸南兗州[illegible]縣

七年廢揚州行臺爲大都督復置蔣州于金陵割六合西北置石梁縣復方州領之

八年復揚州又以延陵句容隸之茅州廢省安業入歸化更歸化曰金陵按金陵志載復揚州于六年上下殊戾據唐地理志正之十二月以襄邑王神符檢校揚州大都督始自丹陽徙州府及居民於江北按揚州治無常處至孫吳復遷建業唐以後則在江都秦觀云自隋以後揚州皆在廣陵圖考因之亦云隋末以江都爲揚州自後揚州之名專屬江都然唐書所載武德三年以江寧溧水置揚州七年更名八年復揚州徙隋踵移治而唐初復置不得云專在江都自是年遷治之後揚始於建業無與而景定志云貞觀七年復治江寧金陵志遂云貞觀七年復舊至德中復治江都不免附會觀李敬業起兵揚州欲先取金陵則武后時揚州已在廣陵矣豈得云貞觀七年尚在建業而

至德中始徙江都哉况江寧更于九年而七年亦無江寧其爲臆說無疑嗣是置江寧郡屬江東道而揚州屬淮南所隸惟六合一縣

九年徙金陵於白下村置白下縣并延陵句容隸揚州

以丹陽溧陽隸宣州

太宗貞觀元年廢方州省石梁以六合隸揚州

七年省丹陽入當塗

九年更白下曰江寧　按圖考云貞觀七年更白下曰歸化九年仍爲江寧縣志因之金陵志云七年更白下曰江寧皆無據以唐書爲正

元宗天寶元年以六合縣屬廣陵割縣東北境置千秋

肅宗至德二載正月以江寧縣置江寧郡并領句容

率溧陽

乾元元年改江寧郡爲昇州統縣如故以刺史韋黃裳爲浙江西道節度使兼江寧軍使治昇州後徙治蘇州

上元二年更江寧縣曰上元昇州廢仍以句容上元屬潤州而溧陽溧水屬宣州按唐書昇州廢於是年金陵志沿革盡從之而表中復云寶應元年廢昇州者何也此類甚衆不能悉辯

昭宗大順元年復置昇州於上元縣領縣如故

吳宣王楊隆演武義二年五月改昇州大都督府爲金陵府拜徐溫爲金陵尹

天祚元年十月以昇州爲齊王徐知誥封邑

二年十一月以金陵府爲西都

三年正月徐知誥建齊國于金陵改金陵爲江寧府牙城曰宮城廳堂曰殿始建太廟社稷十月誥稱帝國號唐遂以六合屬江寧餘縣如故

南唐元宗璟保大三年復割上元南境置江寧縣

六年改六合爲雄州十一年復置六合縣

南唐中興元年周取雄州尋廢之以六合屬揚州

宋太祖開寶八年曹彬克金陵是年復昇州領縣五

元江寧句容溧陽溧水而六合仍隸揚州

太宗端拱元年割溧陽胎德等三鄉益建平縣

五年置上元縣淳化鎮

至道二年以六合縣屬建安軍割縣東境益永貞

眞宗景德二年改陶吳鋪爲金陵鎮

天禧二年以昇州爲江寧府

四年改句容爲常寧後復舊（先是嘗置常寧鎮于句容）

仁宗嘉祐四年詔進昇爲大國毋得封以帝始封昇王故也尋徙江南東路兵馬鈐轄于江寧府

徽宗大觀元年第六合爲望縣詔江寧府控山瞭海大水阻隔山川鞏固嶮不可近以府爲帥府

高宗建炎三年五月帝如江寧府駐蹕神霄宮改府名
建康第上元江寧爲次赤句容溧陽溧水爲次畿
帝縣德祐元年元立行省于建康統上元江寧句容溧
水
二年正月元以溧陽隸建康六合隸揚州大都督府
端宗景炎二年元罷建康宣撫司設江東建康道提刑
按察司江東道宣慰司皆治建康改建康府爲路知
府事爲總管溧陽縣爲溧州設錄事司江寧上元句
容溧水皆領於路以張弘範爲宣慰使阿八赤爲按
察使

三年元改溧州爲溧陽府罷茶運司及營田司以其事隷宣慰改州爲府元史無但金陵志出元

人豈置府止一年而史略之歟

帝昺祥興二年元改溧陽府爲路領溧陽縣并錄事司

元世祖至元二十一年正月立江淮行樞密院治建康以六合屬眞州

二十七年十一月江淮行省言建康等城跨據大江人民繁會請置七萬戶府從之

二十八年五月改按察司曰肅政廉訪司省溧陽路爲縣復隷建康按罷溧陽路元史在二十七年及攷本紀賑五路饑以溧陽先太平徽州廣德鎭江是路尚未罷也其餘前後多相戾者以金陵志爲正後倣此

成宗元貞元年五月陞溧水溧陽二縣爲中州仍隸建康路

大德三年二月罷江東宣慰司建康直隸江浙等處中書行省

文宗天曆二年八月改建康路爲集慶路

順帝至正十五年六月明太祖命徐達取溧水州八月取溧陽州

十六年三月明太祖克金陵改集慶路爲應天府置上元江寧二縣句容及溧陽溧水二州隸焉六合仍屬揚州

明太祖洪武元年八月詔以金陵爲南京
二年十月改溧陽溧水州爲縣
九年五月析六合及滁和二州地置江浦縣屬應天府
二十二年以揚州六合屬應天府
二十四年二月割江寧沙洲鄉屬江浦縣
孝宗弘治四年析溧水西南地置高淳縣屬應天府
大清
世祖章皇帝順治二年五月
豫王統大兵南下軍民投誠江南底定改南京爲江南
省應天府爲江寧府屬縣仍舊

論曰一代之興必更制度固不獨禮樂衣冠也其土地之分合州邑之陞降各有錯綉犄角之方焉江寧上自禹定九州其五曰淮海惟揚而迨今茲其中爲州爲郡爲府爲路及隸南隸北疾於轉丸當時經畫非不宏遠而後人指爲陳迹然以考鏡得失之故詳究盛衰之本舍此倀乎奚從也

本朝土宇版章不事更易而一統車書闢國海外規模度越前代矣

江寧府志卷之三終

江寧府志卷之四

疆域 風俗附

體國經野察地觀天下畫郊圻上應星躔斗女之墟南邦是宅土厚民淳四方維則作疆域志

星經云每度計一千四百六里二十四步六寸四分有奇江寧郡南北將五百里一度中占三分之一矣舊志不載分野謂揚州地廣非一郡可爲亦未思星土相麗不遺尺寸乎故具列舊載分野于首

黄帝分星次斗十一度至婺七度曰須女

禹既定九州周禮保章氏以星土辨九州之地鄭康成

註云星土星所主土也十二次之分星紀吳越也吳

澄曰星紀揚州之星土也

周禮保章氏註斗牛女爲揚州

爾雅星紀斗牽牛吳分野

史記正義南斗牽牛女爲揚州

前漢天文志牽牛婺女揚州斗南三度

地理志云吳地斗分野今之會稽九江丹陽豫章廬江

廣陵六安臨淮淮南皆吳地

後漢郡國志註帝王世紀曰黃帝受命始作舟車以濟

不通乃推分星次以定律度自斗十一度至婺七度

一名須女曰星紀之次於辰在丑謂之赤奮若于律爲黃鐘斗建在子今吳越分野

晉天文志云自斗十一度至須女七度爲星紀吳越之分野

隋地理志云揚州于禹貢爲淮海之地在天官自斗十一度至須女七度爲星紀吳越得其分野

唐志云揚楚滁和廬壽舒爲星紀分又云南斗在雲漢下流當淮海間爲吳分

占侯曰熒惑漢書吳楚之疆候熒惑

鼉疇曰權星經北斗第四星曰權屬揚州

宮曰磨羯地理指掌圖揚州宮爲磨羯
晋天文志云揚州九江入斗一度費直云起斗十六度
蔡邕云起斗六度
論曰古之言分野莫辨於晋志而愈辨愈難曉大致謂班固取三統曆十二次配十二野其言最詳魏太史令陳卓更言郡國所入宿度前范蠡鬼谷張良後諸葛亮譙周京房張衡皆與劉向班固同但費直說周易蔡邕月令章句所言頗有先後此晋志可據者也愚竊謂天地必先定一中而後可準八方之位淮南子謂崑崙爲天地之中而汝寧志載天中山爲天

之中自古考日影測分數莫正於此則一中也已
數萬里而況因地以測天乎且所係之州或非其國
所係之郡或非其州即如星紀吳越之分野屬揚州
所列郡名則九江豫章廬江臨淮等郡多楚地泗水
一郡本屬徐州且揚州江夏郡又別係於翼謬亂如
此誠可疑也轉非揚州地廣非一郡可專之謂也但
晉書出李淳風宜非苟作則牕爲解曰星土分星本
不以州國拘也故司徒但言十有二土未嘗斥言所
應者何次保章氏言星土辨九州之地不明言所辨
者何星是九州上應星土則三百餘度皆有其驗豈

特十二次已乎封域皆有分星賦千八百國皆有所屬豈特十二國已乎此其繫之州繫之國繫之郡各據所見而互有矛盾焉乃知斗言吳者其大致也吳越皆星紀左傳謂越得歲而吳伐之其以度數所入者乎淮[illegible]云吳地斗分越地牛女分可知也若班劉費蔡所起之度異者日行歲差則日月所會之次分度亦異此言十二次所以不同也鄭康成亦謂大界九州諸國封域於星亦有分焉其書久亡堪輿雖有郡國入度非古久矣書此聊俟博識君子斷定焉

郡治東界鎮江之丹陽一百六十里　西界和州一百八十里　南界

寧國二百四十里北界泗之天長一百四十里東北界鎮江之丹徒一百二十七里東南界常之宜興二百二十五里西南界太平五十里西北界揚之儀真一百二十七里東西廣三百六十里西北袤四百六十里附郭縣二上元江寧外縣六句容溧陽溧水高淳江浦六合

上元縣附郭在府治東北東至周郎橋與句容界西至古御街中分南至永豐鄉白米湖與江寧縣界北至大江中流與六合界廣九十五里袤八十五里鍾阜龍盤石城虎踞獅子石灰臨沂直瀆諸山盤峙神皋北枕大江南縈秦淮地稱靈紀

江寧縣附郭在府治西南東北界於上元自三山街折

南古御街中分抵聚寶門東至武定橋止又自三山門至三山街盡折南處過斗門橋歷北乾道倉巷內石城門亦爲縣境城之外自聚寶門東南達雙橋門至烏刹橋與溧水界西北歷馴象諸門以至於龍江關又西至鰻鱺洲大江中流與江浦界東西不及上元十里南北過上元十三里田畝半圩其渡江口岸私塩港對針魚嘴大勝關對劉家疊上河對江浦艸鞋夾對浦口宣化渡（晉五王南奔渡處）觀音門西對瓜步渡唐淮南節度使以渡屬揚州（周庾信詩）校尉始辟國樓船欲渡河輶軒臨磧岸旌節映江沱觀濤想帷蓋爭長憶干戈雖同燕市泣猶聽趙津歌（唐駱賓王）捧檄辭幽徑鳴榔下貴洲驚濤疑躍馬積氣似連

月迴黃沙浄風急夜江秋不學浮雲影他鄉空滯流又名回軍渡宋太祖以[illegible]師伐南唐[illegible]瓜步振旅凱還因名觀音門正對王家溝太子洲渡對青山頭螺螄溝渡對青山頭天寧洲渡對儀眞其餘小渡隨民家居止往來所在有之

句容縣在府東九十里東至丹陽山口爲界南至溧水丁塘村爲界西至上元周郎橋爲界北至儀眞大江中流爲界廣七十里袤倍之四面山水環遶陶弘景云東視則連峯入海南眺則重障切雲西臨江漸北接駒驪

溧陽縣在府東南二百四十里東至葑埭村與宜興界

西至三埨村與溧水界南至石屋山與廣德界北至丫髻山與句容界廣百里袤百五十里舊志云南列屏山北横瓦屋兩江交注五堰連瀦又云西山横嶂南北分峙江走兩山之間而東山之闕者𢌞還其流此形勝之大觀也

溧水縣在府東南八十五里東至回峰山與溧陽界西至烏刹橋與上元界南至髀岡與宣城界北至上義山與江寧界廣一百里袤一百十里自溧陽而分形勝焉

高淳縣在府東南二百四十里東至溧水儀鳳鄉戲墩

界西至當塗丹陽湖界南至建平蓮花池界北至江寧界廣一百五十里袤九十里地形夷曠山少而、多荊山拱其前臙山擁其後丹陽石臼固城環繞其左舊志云縣自溧水分置地控三湖專事耕植

江浦縣在大江北去府西四十里東至江寧以大江中流新興洲為界西至滁洲以後河中流費家渡為界南至和洲以大江中流鱭魚洲尾為界北至六合以三汊河為界廣一百一十里袤加五里縣自浦子口城遷建曠口山之陽東據大江西通滁鳳南控湖襄北跨淮泗實為水陸要會本以滁和六合割地所置

六合縣在大江之北去府西北一百三十里東至褚家堡與儀真界西至號墩與來安界南至浦子口與江浦界北至汊澗與天長界廣八十里袤一百六十里舊稱望邑大江奔流其南滁河縈帶其西東有靈巖之廻伏北有冶山之雄峙乃江寧之屏障房翰叔孫矩張昌沈峙諸記足徵也

大江舟師戰守往來考

江黙曰自淮而東以楚泗廣陵爲之表則京口秣陵得以蔽遮自淮而西以壽廬歷陽爲之表則建康孰得以襟帶表裏之形合則東南之守不孤北[illegible]

戍守之大規局也

宋元嘉二十七年魏人聲欲渡江文帝大具水軍爲防禦之備所遣戍守將領軍將軍劉遵考等數十人所守地曰横江曰白下曰新洲曰貴洲曰蒜山曰北固曰西津曰練壁曰譙山曰薄落曰采石皇太子出戍于石頭徐湛之守石頭倉城　齊建元元年魏主宏聞太祖受禪發衆入冦明年衆軍北討初冦至緣淮驅略江北居民驚走不可禁止乃于梁山置二軍南置三軍慈姥山置一軍烈洲置二軍三山置二軍白沙置一軍蔡洲置五軍長蘆置三軍徐浦置一軍

以備之魏不能攻　魏文帝嘗至廣陵魏太武軍嘗至瓜步石季龍嘗至歷陽石勒寇豫州至江而還皆限于江而不得騁者也王渾以奇兵八百泛舟即渡吳人有北來諸軍乃飛過之語韓擒虎以五百人宵渡采石守者皆醉遂襲取之曹彬師下江南以樊若水言采石磯引巨纜浮梁濟師如履平地此則人不能守險與敵共之而孫忌稱長江當十萬之師無所用矣　曹操初得荆州說者謂東南之勢可以拒操者長江也操既得荆州則長江之險已與我共之獨周瑜謂捨鞍馬而仗舟楫非彼所長赤壁之役果有

成功　晉人伐吴王濬樓船自益州而下直抵建康初羊祜之言曰南人所長惟在水戰一入其境長江非復所用他日成功略如祜言　苻堅自項城來歷陽侯景自壽陽移歷陽孫恩自廣陵趨石頭王敦自姑孰渡竹格蘇峻自橫江取小丹陽侯景自采石向慈湖韓擒虎自采石屯新林賀若弼自廣陵斷曲阿曹彬自采石取新林考前世盜賊與南北用兵由壽陽歷陽來者什之七由橫江采石渡者三之二至於據上游之勢以窺江左者未論也　自建康至姑孰一百八十里其險可守者有六曰江寧鎮曰礪沙夾

曰采石曰大信口曰蕪湖曰繁昌又曰采石渡江潤而險馬家渡江狹而平相去六十里皆與和州對岸又曰和州烏江縣界可自江北車家渡徑衝建康府之馬家渡滁州全椒縣可自江北宣化渡徑衝建康府之靖安鎮又泗州盱眙有徑小路由張店上下尾梁盤城亦自徑至宣化渡不滿三百里又自上尾梁下船直至滁河口可以入江　元人萬戸府鎮守地界自東而西起溧陽州曰急水港曰老鸛嘴曰觀山曰撅河口曰韓橋曰新開河曰大城港曰三山磯曰磵沙夾觀以上所記而古今金陵控制之略思過半

矣

風俗

上元縣在府治之東北自晉宋以來衣冠萃止人物繁盛士皆重廉讓恥夸毗以文章致聲名取爵祿者甚衆不尚交搆

江寧縣附郭在府治之西南隅明初塡實率蘇杭右族習尚豪侈猶有六朝遺風而上元近東北者敦厚朴實鮮以華靡相競然居鄉者特獷悍不若江寧畏法易治此其不同者也

杜氏通典云永嘉之後帝室東遷衣冠之族多渡江

而南藝文儒術于斯爲盛今雖閭閻賤隸處力役之際吟詠不輟蓋顏謝徐庾之遺風焉顏氏家訓云江東婦女略無交游婚姻之家或十數年間未相識者惟以信命贈遺致殷勤而已顏介云南方水土柔和其音清舉而切天下之能言唯金陵與洛下耳楊萬里云金陵六朝之故國也有孫仲謀宋武帝之遺烈故其俗毅且美有王茂弘謝安石之餘風故其士清以邁有鍾山石城之形勝長江秦淮之天險故地大而才傑楊演云建業自六朝爲都邑民物浩繁人才輩出實士林之淵藪戚氏志云金陵山川渾深土壤

平厚在宋建炎中絕城境爲墟來居者多汴洛力能遠遷巨族仕家視東晉至此又爲一變歲時禮節飲食市井負衒謳歌尚傳京城故事地當淮浙之衝談者謂有浙之華而不挑淮之淳而不俚斯得之矣宋安撫司幹辦官游九言云每愛金陵士民質厚尚氣前年攝行倅事日受訴牒纔當劇郡十之一耳爲吏爲兵者頗知自愛少健狡之風工商負販亦罕聞巧僞視今乃少殊焉

顧華玉尚書近言云吾鄉大都也生人之性亢朗冲融重義而薄利風俗之美喜文藝而厭凡鄙得天地

之靈懿焉其敝也乃或樂虛淫習侈豫無麻衣蟋蟀之風恐士緣以喪節也焦弱侯太史云金陵六代舊都文獻之淵藪也以故寰寓推爲輿區士林重其清議及夫餘風細故昔稱游麗辯論彈射臧否剖析毫釐擘肌分理者至今猶然

顧文莊客座贅語云南都一城內民生風尚頓異自大中橋而東歷正陽朝陽二門迤北至太平門復折而南至元津百川二橋大內百司庶府之所蟠亘也其人文客豐而主嗇達官健吏日夜馳騖于其間廣奓其氣故其小人多尷尬而傲僻自大中橋而西由

淮清橋達于三山街斗門橋以西至三山門又北自倉巷至冶城轉而東至內橋中正街而止京兆赤縣之所彈壓也百貨聚焉其物力客多而主少市魁駔儈千百嘈哄其中故其小人多攫攘而浮兢自東水關西達武定橋轉南門而西至飲虹上浮二橋復東折而江寧縣至三坊巷貢院世冑宦族之所都居也其人文之在主者多其物力之在外者侈游士豪客競千金裘馬之風而六院之油檀裙屐浸淫染于閭闔膏唇耀首倣而傚之至武定橋之東西嘻甚矣故其小人多嬉靡而淫惰由笪橋而北自冶城轉北門

橋鼓樓以東包成賢街而南至西華門而止是武弁中涓之所羣萃太學生徒之所州處也其人文主客類相埒而物力嗇可以娛樂耳目羶慕之者必從而圖南非是則株守其處故其小人多拘狃而劬瘠北出鼓樓達三牌樓絡金川儀鳳定淮三門而南至石城其地多曠土其人文主與客並少物力之在外者嗇民什三而軍什七服食之供糲與蔬者倍蓰于粱肉紈綺言貌樸僿城南人常舉以相啁哳故其人多悴劬而蹇陋又云上元在鄉地在城之北與東南北濱江東接句容溧水其田地多近江與山磽瘠民

半其民俗多苦瘁健訟而負氣江寧在鄉地在城南與西南濱江西南隣太平田地多膏腴近郊之民醇謹易使其在山南横山銅井而外稍不如而殷實者在在有之又云江寧婚姻亦備六禮差與古異古婚禮以不親迎爲譏今則壻之親迎者絶少唯姑自往迎之女家稍欵以茶果婦登輿則女之母隨送至壻家舅姑設宴欵女之母富貴家歌吹徹夜至天明始歸壻隨往謝婦之父母亦欵以酒而婦之廟見與見舅姑多在三日按家禮婦於第三日廟見見舅姑第四日壻乃往謁婦之父母蓋謂婦未廟見與見舅

姑而壻無先見女父母之禮也此禮宜復但俗沿已久四日往謝衆論駭然議於第二日晨起子率婦先廟見拜父母舅姑而後壻往婦家拜其父母庶幾得禮俗之中矣又云金陵人家行聘禮行納聘禮其筭盒中用栢枝及絲線絡菓作長串或剪綵作鴛鴦又或以糖澆成之又用膠漆丁香粘合綵絨結束或用萬年青草吉祥草相詶爲吉慶之兆攷通志婚禮後漢之俗聘禮三十物以元纁羊鴈淸酒白酒粳米稷米蒲葦卷栢嘉禾長命縷膠漆五色絲合驩鈴九子墨金錢祿得香草鳳凰舍利獸鴛鴦受福獸魚鹿烏

九子婦陽燧鑽凡二十八物又有丹爲五色之榮靑爲東方之始共三十物皆有俗儀不足書按此則今俗相沿之儀物固有所自來矣又云近代喪禮中有二事循俗而與古反者沿流既久遽難變之其一曰服古人遇死喪凡應服某服者或內親或外親人自製其所應服之服哭之交友亦不以元冠色衣弔蓋哀慼在心故必變服以臨之耳乃今自同宗外凡應服者必喪家送布始製而服之不送卽應服而元其冠色其衣者有矣甚且喪家力不能送共以詬厲加之而大家復有破孝送帛之事破孝毋論何人但入

弔者即贈以布或絹有生平不一識面聞名爲布而弔者矣不知變服志哀乃喪之旗心既不哀服於何有且送而不服尤屬無謂至送帛則本不爲服直以幣帛將孝子之徹爲酹酢而已其一曰奠始死而有奠記所謂餘閣者也成服後諸祭皆主人自爲之其在姻友直有賻襚賵已耳賻以錢帛襚以衣服賵以車馬皆以助殮與殯之事賓客至有喪者之家哭之弔之奠此物而已奠者置也置其物於前也今則賻襚之禮間有行焉賵則江南絕未聞者乃代爲喪家致祭屠割羊豕崇飾菓蓏粔籹餦餭寓錢楮幣之類

闃寂於庭客乃爲酹酒致敬夫酹乃主人之事賓乃代而行之知禮者謂宜於送孝上祭一切止之惟有服者人自製而服以示哀感變常之意其在賓客第行賻禭以助之或貧者出力以佐其事祭悉輟而不舉庶使喪主人不苦于送布之紛紛而賓客亦不爲此無益之糜費是亦從禮從儉之一端也（又云）喪禮之不講甚矣前輩士大夫如張憲副祥有期之喪猶着齊衰見客其後或有期功服者鮮衣盛飾無異平時世俗安之恬不爲怪間有守禮者恐矯俗招尤不敢行也昔晉人放曠禮法之外爲儒者所詬乃其

晉陳壽居喪病使婢丸藥坐廢不仕謝安石期功不廢絲竹人猶非之覌今日當何如哉余謂士大夫在官有公制固所不論至里居遭喪卽期功亦宜示稍與常異如非公務謁有司不變服不赴筵會卽赴亦不聽聲樂不躬行賀慶禮不先謁賓客庶古禮猶幾有什一於千百也（又云）軍中鼓吹在隋唐以前卽大臣非恩賜不敢用舊時吾鄉凡有婚喪自宗勲縉紳外人家雖富厚無有用皷吹與敎坊大樂者所用惟市間皷手與敎坊之細樂而已近日則不論貴賤一槩溷用浸淫之久體統蕩然恐亦不可不加裁抑也

止流競也〈又云〉歲除歲旦秣陵人家門上插松栢枝芝蔴楷冬青樹葉大門換新桃符貴家房門左右貼畫雄雞此亦有所自起按魏晉制每歲朝設葦茭桃梗磔雞於宮及白寺之門以辟惡氣漢五月五日朱索五色印爲門戶飾以儺止惡氣後漢文以朱索連葷菜彌牟朴蠱鍾以桃印長六寸方三寸五色書文如法以施門戶今人家五月五日庭懸道士硃符人戴珮五色絨綫符牌門戶以縷系獨蒜及以綵帛通草製五毒蟲虎蛇蝎鼃黿蜈蚣蟠綴于大艾葉上懸於門又以桃核刻作人物珮之蓋用漢五月五日之

遺法也又云秣陵人家以十二月二十四日夜祀竈餳餅酒果自士大夫至庶人家皆然此古五祀之一也五祀一曰戶二曰竈三曰中霤四曰門五曰行天子與諸侯大夫同周制惟庶人立一祀或立竈或立戶戶以春祭竈以夏祭今士大夫止祀竈一不及其他又祭以冬盡皆與禮異又云秣陵有昔人龍袖驕民之風浮惰者多劬勤者少懷土者多出疆者少遡來則衣絲躡縞者多布服非屨者少以是薪粲而下百物皆仰給于貿居而諸凡出利之孔拱手以授外土之客居以是生計日蹙生殖日枯而又俗尚日奢

婦女尤甚家纔儋石已著綺羅積未錙銖先營珠翠
爭跡未幾傾覆隨之比比是也國奢示儉可無異哉
王丹丘先生著有建業風俗記一卷其事自冠婚喪
祭以迨飲食衣服其人自鄉士大夫秀才以至於市
井之猥賤亡不有紀大較慕古昔以前之龎厚而傷
後之漸以澆薄也姑舉其數則如云昔年文人墨士
雖不逮先輩亦少涉獵聚會之間言辭彬彬可聽今
或衣巾輩徒誦詩文而言談之際多襍亂不雅又云
嘉靖中年以前猶循禮法見尊長多執年幼禮近來
蕩然或與先輩抗衡甚至有遇尊長乘騎不下者又

云昔年市井極僻陋處多有豐厚俊偉老者不惟忠厚朴實且禮貌言動可觀三四十年來雖通衢亦少見矣又云昔年士大夫有號者十有四五雖有號然多呼字後來束髮時卽有號末年奴僕輿隸俳優無不有之又云古昔以前富厚之家多謹禮法居室不敢淫飲食不敢過後遂肆然無忌服飾器用宮室車馬僭擬不可言又云前人房屋矮小廳堂多在後面或有好事者畫以羅木皆朴素渾堅不淫後來士大夫家不必言至於百姓有三間客廳費千金者金碧煇煌高聳過倍往往重檐獸脊如官衙然園囿僭擬

公侯下至勾闌之中亦多畫屋矣它多感慨之言不能具載

句容縣在府治之東其人秉性愿愨習尚禮義鄉隣婚喪貧乏之者互相周濟以地窄人稠自勤農之外列肆而居者若鱗次然其貿易于外者尤衆以故家多富饒而文物頗盛往往與舊志所稱相符然善自生殖析利至秋毫而豪右之族婚娶競以奢侈相尚視諸縣爲特異也

溧陽縣在府治之東南二百四十里民俗椎魯果毅務農植穀不事商賈然好氣尚力舊稱獷狡難治縣志

云民居其間君子尚樸質好儒術小人力畊植少商旅婦女不出戸閾不事交游文藝盛于潘乾之後節義襲于貞女之餘然角氣慼邪或未能盡變云

溧水縣在府治之東南舊州志稱其有山林川澤之饒民勤耕稼魚稻果茹隨給粗足雖無千金之家而罕凍餒之民信巫鬼重淫祠畏法奉公各守其分安業重遷尤好文學承平時儒風藹然爲五邑之冠縣志云民勤而力稼士重而多介山川碩老樂相恬退有童而野處華顛未識公署者此亦足以見其異同矣大都樸茂視溧陽而嚚健爲少減云

高淳縣在府治東地控三湖專事耕植逐末者寡第冠婚喪祭未能盡如古禮而角力尚氣以財勢相雄長挾數健訟以法律爲詩書無能盡改于舊然嘉靖初學記謂自學政聿興士風寖盛富家漸知禮度貧民恥于匄乞婚姻論閥閱市井鮮博戲無逋賦無嚚訟老稚不敢懷詐暴憎閭閻寖成敦本儉朴之俗則感應之理于斯可見

江浦縣在府治之西北蓋割滁和六合地所置故滁志言其習尚勤儉和志言其習尚淳質好儉約蓋地當紛更賦役繁重民惟勤儉不事末技故百餘年來舊

俗不攺自定山諸公相繼而起士風日盛民知畏法而強暴健訟者寡俗之可重者以此餘具六合語中

六合縣在大江之北風俗初與楊州同後攺屬江寧江寧文雅好儒術有相類者然地當南北之交舟車輻輳其乘堅刺肥交通厚勢者皆富商大賈而儉約敦樸柔輭乃其故習云昔時楊廷朗子見其俗淳遂家焉今宦籍于此者頗衆大抵江以南物力豐厚風流文雅而奢靡相高游冶相尚則其俗之弊者江以北敦朴儉素猶存古風而園桃沮洳不能免云

論曰夏志九州周叙職方詳哉乎其言之葢自疆域

肇分其中山谷之險阻江河之津要為攻為守之所寓焉原隰之腴瘠陂池之瀦濩厥田厥賦之制典焉江寧襟帶吳越轄轂江楚犬牙之制包天塹而稱神州固東南一大都會也風土淳厚士民秀上其君子秉禮義樂清淨無或踰越以干清議者其小人亦畏法好善自食其力號為易治若夫飲食服御稍未盡善然亦僅矣昔賢有云事之無害于義者從俗可

江寧府志卷之五

山川上

闤堺絪緼山川融結地脉鈎連天膏滮溢如龍斯幡畫江爲塹金陵奥區昔賢所贊作山川志

山川志總序

易曰地勢坤坤於卦位西南故岷嶓之山大勢皆自西南而趨東北朱文公謂岷山之脉東爲衡山者盡於洞庭之西其一支南出而東度大庾嶺者則包彭蠡之源而北盡乎建康山之所趨水亦至焉今大江入海處去建康甚近而淮泗黄河之流亦會於其北故建康者東南之奥區而山

水之都會前志敘之曰鍾山來自建業之東北而向乎西南大江來自建業之西南而朝於東北由鍾山而左自攝山臨沂雉亭衡陽諸山以達于東又東爲白山大城雲穴武岡諸山以達于東南又南爲土山張山青龍石硊天印彭城雁門竹堂諸山以達于南又南爲聚寶山戚家山梓桐山紫巖夏侯天闕諸山以達于西南又西南綿亘至三山而止于大江此諸葛亮所謂龍盤之勢也今按自土山石硊而下臨沂攝山諸山皆隨蔣山之脈沿江逆而上非自蔣山分而向左其聚寶山自天闕牛頭山降勢自東南而西西而北而東北其石脉渡城濠止于周處墩後謂之朱雀固宜此謂自竹堂而南亦非姑以明山之周遭環合可耳由鍾山而

右近之爲覆舟山爲雞籠山皆在六朝宮城之後東南利便書曰吳太初宮晉太初宮及歷朝宮闕皆北接覆舟山之麓牛首在其前卽王導所記天闕是矣又北爲直瀆山大壯觀山四望山以達于西北又西北爲幙府盧龍馬鞍諸山以達于西是爲石頭城亦止于江此亮所謂虎踞之形也其左右群山若散而實聚若斷而實續世傳秦所鑿斷之處雖山形不聯而骨脉伏地隱然相屬猶可見也左則方山石硊山之間右則盧龍山馬鞍山之間耆老相傳皆以爲秦始皇鑿斷長隴之所石頭在其西三山在其西南兩山可望而挹大江之水橫其前秦淮自東而來出兩山之端而注于江此蓋建業之門戶也覆舟

山之南聚寶山之北中爲寬平宏衍之區包藏王氣以容衆大以宅壯麗此建業之堂奧也自臨沂山以至三山圍繞於其左自直瀆山以至石頭沂江而上屏蔽於其右此建業之城郭也元武湖注其北秦淮水遶其南青溪縈其東大江環其西此又建業天然之池也龍川陳亮論建業形勢東環平岡以爲重帶元武湖以爲險擁秦淮青溪以爲阻是以王氣可乘而運動如意昔人詩詠石頭城有山圍故國潮打空城之句則石城實臨大江今大江遠石頭青溪九曲僅存其一皆非昔矣然此論環城數十里之山川耳其居秦淮之源有東廬山華山臨丹陽湖之上者爲絳巖山其最特然爲一州之鎮者又有茅山焉而岷山

江逕蕪湖溧陽以入于荆溪太湖則又禹貢所謂三江既入震澤底定者其他一丘一壑擅名紀勝咸有可徵

鍾山在東北朝陽門外志云東連青龍山西接青溪南有鍾浦下入於秦淮北接雉亭山明孝陵在焉嘉靖中詔改爲神烈山周廻六十里高一百五十八丈諸葛亮對吳大帝云鍾山龍盤指此漢末秣陵尉蔣子文逐盜死事於此孫吳改曰蔣山又名金陵山又名紫金山晉元帝未渡江時望氣者云望之常有紫氣又名聖遊山又名北山卽南齊周顒隱處孔德璋作北山移文者兩峯秀

起北一峯最高其巔有一人泉細流不竭循泉西爲黑龍潭曾有龍現其上爲太子岩又名昭明讀書臺岩西有峴曰栽松輿地志云蔣山本少林木東晉令刺史罷還栽松百株宋時令刺史栽松三千株下至郡守各有差曰楊梅巖曰頭陀嶺緣蔣祠有玉澗其崇岡曰孫陵宋九日臺在焉峯之秀者曰屏風嶺後曰桂嶺碧石青林幽阻深靚其東曰道士塢卽陳宣帝禮元靖藏兢處道卿巖宋葉清臣遊此故名八功德水在其下舊志云在悟眞菴後一清二冷三香四柔五甘六淨七不饐八蠲痾自梁以來嘗取此供御案梅摯亭記梁天監中有胡僧曇隱寓錫於此山中之水有龐眉叟相謂曰予山龍也知師渴欲飲措之無難俄一沼沸出後有西僧至云本域八池已失其一洪武間遷寺東麓舊池就涸從寺東馬鞍山下遁出宣德

閒水竭正統元年久旱又湧出如初西折爲桃花塢道光泉宋熙寧閒僧道光闢宋熙泉陟左有東澗石邁古跡編云梁處士劉訏隱此精釋典常聽講於鍾山諸寺因卜築宋熙寺東有終焉之志茱萸塢金陵志云宋道士陸靜修餌茱萸於此山之南有岡曰獨龍阜峯曰玩珠梁釋寶誌墓在焉浮圖五級今移置東麓塔之西有洗鉢池落叉池而猿驚鶴怨二谷則係後人增名也東山巔有定心石山之半有井其泉與江潮爲盈縮名應潮井酉陽雜俎云蔣山有應潮井在半山間俗傳與江潮相應嘗有破船朽板自井中出貞觀中有牧兒汲水得杉板上朱漆字曰吳赤烏二年豫章王子駿之船古跡編云應潮井在蔣山古頭陀寺後舊志所云井與江近地脉相通或有之餘不免附會南麓有霹靂溝有曲水晉

海西公疏以宴百僚宋時以三月三日祓除於此山之支迤邐而南隱然隆起者爲龍廣山唐地理志云江南道其名山衡廬茅蔣朱紫陽亦云天下山皆發源於岷山蔣山實其脉之盡者自孫吳建都以來便稱佳麗名賢勝蹟茲山爲特富琳宮梵宇窮極華美計七十餘所今無復存者亦據載籍稱其名云劉勔別墅鍾嶺南聚石蓄水爲棲息地朝士雅素者多從遊　招隱館西巖下宋文帝築居雷次宗　會宗堂晉謝尚齊朱應吳苞孔嗣之梁阮孝緒劉孝標並隱於此唐大曆中處士韋渠牟亦隱此號遺名子顏眞卿題其堂　兩翁軒定林寺艸堂寺在山西齊周顒建以居僧慧約即顒舊隱所　大愛敬寺梁武帝建　太平興國寺在獨龍阜梁天監十三年

郎實誌塔前建開善寺唐乾符改爲寶公院南唐後主改爲開善道場宋太平興國五年詔修繕改今名

靜壇梁侍中周捨立武帝問壇何如日風不鳴條雲無膚寸鹿巾黃帔甚多白簡朱衣罕至

明慶寺八功德水前　秀峯院郎實林院有琪樹在法堂前　翠微寺在寶咔峯之巔

悟真菴八功德水前　定林菴宋王安石讀書處米元章榜日昭文齋李伯時畫公之像于齋壁着帽束帶神彩如生安石毀齋嘗扃閉遇重客至寺僧開戶客忽見像皆驚聳覺生氣逼人寫照之妙如此　崇禧萬壽寺元泰定四年建　又有七佛菴霜筠雪竹菴宋熙寺白蓮菴彈琴石朱湖洞慈山之可紀者南齊時崔慧景遣千餘人魚貫緣山西巖夜下鼓譟臺軍震恐侯景反邵陵王綸率西豐公大春等馬步三萬發自京口直據鍾山景黨大駭陳大寶元年齊軍

潛至鍾山踰龍尾皆此地元胡炳文鍾山遊記江以南形勝無如昇鍾山又昇最勝處予至昇首過上元謁明道先生祠禮畢郎度關遊山夾路松陰亘八九里清風時來寒濤吼空斯須寂然如故路左入半山是謝太傅園池荆公宅之捐爲寺至今祠公與傳法沙門等出行三四里又入一寺弘麗視半山百倍龕鏤壁繪光彩奪目詭狀萬千兩廡無級石而升四五十丈始至寶公塔塔邊有軒名木末履舄之下天籟徐鳴浮嵐暎翠可俯而挹下有羲之墨池投以小石遠聞聲出叢葦間徑恢荒蕪遊客罕至獨拜塔者累累不絶長老云寶公巢生里人朱氏取而子之後成佛凡禱水旱疾疫如響語多不經由塔後循山而左過安石讀書所山石崛嶪忽敞平原修篁老檜萬綠相扶風鳴交加猶作當[illegible]吾伊聲又行數里休于觀音亭其傍八功德泉有[illegible]鏘然汩汩至亭下則囦然以涵或謂病者飲此立[illegible]衆皆飲予以無疾不飲遂回塔後攀松升磴六七[illegible]至山椒鉅石人立予登石以坐鳳臺鷺洲渺不知[illegible]何許但覺繚白縈青隱見烟霧間城中數萬家[illegible]如畫其間曠無人處六朝故宮也北視楊子江[illegible]

舟如葉行移時不咫浪楫風帆想數十里遥矣盤龍踞虎亘以長江其險也如此黄旗紫蓋王氣猶有時而終令人淒然久之下山至七佛菴白雲淒潤羃壒不來一僧噓石爐灰點鬢眉如雪一僧蹇跣崖邊拾松子以歸語客賓木絶不與前寺僧類聞其下有猛公菴予文廟山水稍奇麗率爲事神若佛者家焉欲訪猿鶴山堂莫得其處遂朗吟小山招隱術故道御天風而下兩袂如飛亟入關復至明道精舍少憇而歸因喟喟曰昇自紫髯翁以來幾興衰矣眼前花草無復當時光景伯子春風千年猶將見之至若熙寧祖業非不焯焯然炫人耳目迄不如一主上元簿者復祠于學何哉明宋濂遊鍾山記鍾山一名金陵山漢秣陵尉蔣子文逐賊死山下大帝封蔣侯大帝祖諱鍾又更名蔣山實作揚都之鎮諸葛亮所謂鍾山龍盤是也歲辛丑二月癸卯予始與劉伯溫夏允中遊日在辰出東門過半山報寧寺寺何王故宅謝公墩隱起其後西對培塿小丘培塿蓋紆王荊濕鑿渠通城河處南則陸靜修葉黄園齊文惠太子博望苑白烟凉草離離蕤蕤使人躊躇不忍去沿道多蒼松或如翠蓋斜偃或蟠身矯首如玉虺搏人或捷如山

猿伸臂撝澗泉飲相傳其地少林木晉宋詔刺史郡守罷官者栽之遺種至今抵圖悟關關宋勤法師築太平興國寺在焉梁以前山有佛廬七十今皆廢唯寺爲盛近燬於兵外三門僅存適松花正開黃粉瑹瑹觸人詩興于獨出行函道間會章君三益至遂執手上翠微亭登玩珠峰峰獨龍阜也梁開善道場寶誌大士塟其下永定公主造浮圖五成覆之後人作殿四阿鑄銅貌大士實浮圖浮圖或見五色實光舊藏大士履神龍初鄭克俊取入長安殿東木末軒舒王所名俯瞰山足如井底出度第一山亭亭額米芾書亭左有名僧婁慧約塔塔上石其制若圓盝中斲爲方下刻二鬼擎之方上書曰梁古草堂法師之墓有蝸匾法定爲梁人書復折而西入碑亭碑凡數輩中有張僧繇畫大士相李白贊顏眞卿書世號三絕又東折度小澗澗前下定林院基舒王嘗讀書於此院廢更搆雪竹亭與李公麟寫舒王像洗硯池亦皆廢又折北至八功德水天監中胡僧曇隱來棲山龍爲致此泉今甃作方池池上有圓通閣閣後即屏風嶺碧石青林幽邃如畫前乃明慶寺故趾陳姚察受菩薩戒之所又東行至道卿巖道卿葉清臣字也嘗

來遊故名有僧宴坐巖下問之張目視弗應時雉方桴粥開人聲戛戛起巖草中從此至靜壇多臧矜先生遺跡復西折過桃花塢詢道光泉舒王所植松唯一泉紺碧沉沉如故日將夕章君上馬去予還廣慈

明日甲辰予同二君遊崇禧院文皇潛邸時建從西廡下入永春園園雖小泉卉畧具楳栢爲欒鹿形栢毛方怒長翠濯濯可玩二君行倦解衣覆鹿上挂冠鼠梓間據石坐主僧全師具壺觴予不能酒謝二君出遊夏君愕曰山有虎近有僧采蒔虎逐入舍僧門焉虎爪其顴顴有瘢可驗子勿畏往矣予意夏君紿我挾兩騶奴登唯秀亭亭宜望遠惟秀永春皆文皇題牓塗以金又折而東路益險予更苙屩倚騶奴肩跐踔行息促甚張吻作鋸木聲倦極思休不問險濕蹀據頓地視燥平處不數尺兩足不隨久之又起行有二臺濶數十丈上可坐百人郎宋北郊壇祀四十四處問蔣陵及步夫人塚無知者或云在孫陵岡至此屢欲返度其出巳遠又力行登慢坡草叢布如氊不生雜樹可憩思欲借裀褥臥不去坡古定林院基望山椒無五十弓不翅千里遠竭力躍數十步輒止氣定又復躍如是者六七徑至焉大江如玉帶橫圍

三山磯白鷺洲皆可辨天闕芙蓉諸峯出沒雲際雜籠上下接落星澗澗水淲淲流元武湖已湮久三神山皆隨風雨幻去西望久之擊石爲浩歌歌已繼以感慨又久之傍厓尋一人泉泉出小竅中可飲一人繼以千百弗竭循泉西過黑龍潭潭大如盎有龍當可居側有龍鬼廟頗陋由潭上行叢竹翳路左右手開竹身中行隨過隨合忽腥風逆鼻群鳥哇哇亂啼憶夏君有虎語心動急趨過似有逐後者又棘針鈎衣足數躓咽唇焦甚幸至七佛菴菴蕭統講經之地有泉白孔色卽踞泉剌嘸衫袂落水中不暇救三嘸神明漸復菴後有太子崖一號昭明書臺方將入巖遊菴中僧出肅面有新瘢詢之卽向采莽者心益動遂舍巖問別徑以歸所謂蓮池定心石宋熙泉應潮井彈琴石落人池朱湖洞天皆不復搜覽還抵永春園見肴核滿地一髫童立花下問二客何在童云進公不來出壺中酒飲且賦詩大噱酒盡徑去矣予遂同廣慈二君出迎夏君曰子顏色有異得無有虎恐乎予笑而不答劉君曰是矣子幸不甕虎腹當呼斗酒滌去子驚可也遂同飲飲半酣劉君澄坐至二更或撼之作舞笑鈎之出異響畏脇之皆不動予與夏

君方困睫交不可擘乃就寢又明日乙巳上人出猶未歸欲遊草堂寺雨綿綿下意不住乃還按地理志江南名山唯衡廬茅蔣蔣山固無聳拔萬丈之勢其與三山並稱者蓋爲望秩之所宗也晉謝尚宋雷次宗劉勔齊周顒朱應吳苞孔嗣之梁阮孝緒劉孝標唐韋渠牟並隱於此今求其遺跡鳥没雲散多不知其處唯見蕘兒牧豎跳嘯於淒風殘照間徒足增人悲思况乎人事往來一日萬變達人大觀又何足深較予幸與二君得放懷山水窮一刻之樂千金不易也山靈或有知當使予游盡江南諸名山雖老死烟霞中有所不恨他尚何望哉他尚何望哉

沈約應詔詩靈山紀地德險峭資岳靈終南表秦觀少室邇王城翠鳳翔淮海襟帶繞神坰北阜何其峻林薄杳葱青發地多奇嶺千雲非一狀合沓共隱天參差互相望鬱律構丹巘崚嶒起青嶂勢隨九疑高氣與三山壯

陳釋洪偃遊鍾山詩杖策步前嶺褰裳出外扉輕蘿轉蒙密幽徑復紆威樹高枝影細山盡鳥聲稀石苔時滑屣蟲網乍沾衣燗旁紫芝曄岩上白雲霏松子排烟去堂生寂不歸窮谷無還往攀桂獨依依

唐李嘉祐送韋邕少府歸鍾山詩祈門官罷後負笈向

桃源萬卷長開帙千峯不閉門綠楊垂野渡黃鳥傍山村念爾能高枕丹墀會共論〔宋蘇軾詩〕到任席不煖居愁空惆然好山無十里遺恨恐他年欲款南朝寺同登北郭船朱門收畫戟紺宇出青蓮夾路蒼髯古迎人翠麓偏龍腰蟠故國鳥爪寄層巔竹杪飛華屋松根泣細泉峯多巧障日江遠欲浮天畧彴橫秋水浮屠插暮烟歸來踏人影雲細月涓涓〔元楊維楨鍾山詩〕鍾山突兀楚天西玉柱曾經御筆題日照金陵龍虎踞月明珠樹鳳皇棲氣吞江海三山小勢壓乾坤五嶽低百世昇平人樂業萬年帝壽與天齊〔明劉基鍾山詩〕白雁蕭蕭柿葉紅野花開盡六王宮空餘一道秦淮水着意西流竟向東〔張孟兼詩〕訪古來鍾阜尋僧問草堂千年猿鶴靜一逕石林荒泉落春冰細梅留臘雪香鄉心憐薄暮矯首碧雲長〔余孟麟鍾山詩〕原廟中峯裏孱顔入翠微百靈朝絳節五柞閟珠衣阜路雲霞拱山庭兕象圍千年佳氣繞草木日芳菲〔顧起元鍾山詩〕青霄雙岫劈芙蓉王氣長看紫翠封地轉東南迴二水天橫江海出千峯龍蟠遠揖秦關險虎衛深環漢寢重聖一自神京開奠麗萬年形勝此朝宗〔陳丹衷夜登鍾山詩〕破筑聲悲斷石[illegible]

背大乘輿上鍾山九天夢托三株樹百代風留五尺關梓瘞劍埋弓何處是亂雲飛雨不能還來朝更向孤峯望愁說僧燈隧道閒〔宋王安石王澗詩〕澗水無聲繞竹流竹西草木共春柔茅簷相對坐終日一鳥不鳴山更幽〔曾拯八功德水詩〕數斛供厨替八珍穿松漱石瑩心神中涵百衲烟霞氣不染齊梁歌舞塵〔王安石霹靂溝詩〕霹靂溝西路柴荆四五家憶曾騎款段隨意入桃花〔謝惠連曲水詩〕四時着平分三春禀融爍遲遲和景婉夭夭園桃灼携朋斯郊野昧旦辭廛廓斐雲興翠嶺芳飈起華薄解轡偃崇丘藉艸繞回壑際渚羅時藪託波泛輕爵〔宋釋惠洪雨翁軒詩序略云〕悟眞菴西踈竹間蒼崖千尺歲久折裂余數行山中至此未嘗不徘徊菴僧爲開高軒向之因作詩云水邊修竹才堪數林外蒼巖已半頹我輩自追方外樂軒窗誰爲此中開待邀山月三人共要聽松風萬壑哀坐久篆畦香遠遍碧消烟縷雪殘灰〔梁武帝愛敬寺詩〕面勢周天地縈帶極山川稜層疊嶂遠迤邐磴道懸〔南唐李建勳詩〕溪雲藏寺靜風磬摘林鳴臺古松多折碑荒字欲平〔梅摯秀峯院詩〕影共金田潤香隨碧月流遠疑元帝植近想寶公遊〔耿湋鍾

山紫芝之觀詩〕繫舟仙宅下清磬落春風雨過芝田長雲深藥徑重古房清磴接虛殿紫烟濃鶴駕何時去遊人自不逢〔明汪廣洋登蔣山望江亭詩〕絕頂出華構有時來一登曾將六朝事閒問百年僧

覆舟山在太平門內與鍾山支脉相連狀若覆舟故名又名龍山又名龍舟山在城北七里周廻三里高三十一丈劉宋時以山臨元武湖改名元武山陳高祖與北齊兵大戰即此舊有甘露亭瑤臺閬風亭山陰藏冰井今皆廢〔宋孝武詩〕束髮好怡衍弱冠頗流薄素想終勿傾聿求果丘壑層峯亘天維曠渚綿地絡逢皐列神苑遭壇樹仙閣松磴含青暉荷源爔丹爍川界泳遊鱗崖庭響鳴鶴〔齊王融詩〕道勝業茲遠心閑地能閒桂崦鬱初栽蘭皐坦將闢虛檐對長嶼高軒臨廣液芳草列成行嘉樹紛如積流風轉圓逕清烟泛喬石日泊山照紅松映水花碧暢哉人外賞遲遲眷西夕〔明蔡羽覆舟山詩〕覆舟山

頭霽景明長松落落崖石平迴巒秀嶺低復昂傳時此地爲臺城南望建章宮佳氣何鬱葱秦淮樹中流遥與宮門通城中萬井如棋畫楊柳烟中分紫陌內園蘭桂浮溫香戚里池臺蕩朱碧鳳皇樓閣無處尋臨春結綺作梵林尊前却是樂遊苑市朝更改成古今登臨易頭白銜杯落日回望北湖烟蟬鳴樹蕭瑟秋波慘淡荷芰花玉鳬錦雞踏浪霞西曹已鳴馬東曙復報衙冥冥湖底月寂寂城頭鴉倚琴送盡飛鴻影引領天邊不見家（李流芳憶舊遊詩）雞籠山閣舊居停曲檻廻廊幾度經最是城陰秋望好覆舟遥接蔣山青

雞鳴山在覆舟山西北臨元武湖舊名雞籠山劉宋時黑龍見元武湖又名龍山山高二十丈周廻一十里明初於山巔置儀表以測象緯名觀象臺亦名欽天山左右列十廟繚以朱垣其東麓爲雞鳴寺有普濟塔

寰宇記云西掖落星澗北臨元武湖元嘉十五年立儒館於北郊命雷次宗居之齊高帝嘗就次宗受禮及左氏春秋（明吳寬鷄籠山詩）秋盡荒山鳥跡稀拂衣獨上扣柴扉屋頭鹿下緣青澗樹杪僧行入翠微千里風烟擁短鬢六朝文物付斜暉悠悠身世渾如此目斷天邊一雁飛（朱日藩雞籠山詩）客樓睡起西日曛鍾山曳曳擁歸雲鏡中島嶼後湖出花外池臺上苑分何處攀龍光祿讌當年怨鶴草堂文殘英儘及東林醉莫遣流鸎醒後聞（柳應芳雞籠山詩）臺城遺跡動悽其總爲前朝足亂離舊路人非芳草在故宮春盡落花知江山自首猶餘恨鳥雀黃昏亦自悲更是傷心張緒柳年年空被野風吹（王嗣經詩）湖山迤邐接亭臯前代遺踪有石壕別殿珮環歸杞棘修陵梟雁出蓬蒿臺荒過午樵歌入寺近經時梵鐸高腸斷覆舟山下路年年春草似青袍（吳文潛詩）謾將遺跡問齊梁寂寂臺城露草荒廢井尚封陵寢氣初鐘不喚景陽妝蒼菸對水迷官道高下寒山出女牆還憶誦經梁武帝臨風倚樹弔斜陽（張天機雞鳴山望江南詞）江上曉翠羽報晨更四學環山開上館玉衡據嶺測天心俯仰古今情

祇闍山在雞籠山西舊有祇闍寺今廢

幕府山在城西北二十里周迴三十里高七十丈王導從元帝渡江建幕府於此故名壟多石居人煆以爲灰又名石灰山北濵大江東與直瀆諸山接爲建業門戸魏人至瓜步文帝登此山觀望形勢齊師至鍾山龍尾陳霸先自率麾下出幕府山齊人大潰山有五峯南曰北固峽中有石洞幽邃中峯有仙人臺虎跑泉西北峯曰夾蘿亦名翠蘿上有達摩洞

明顧璘登幕府山絕頂詩 江山開壯觀風日澹清秋攀陟良多險登臨足寫憂洲横鋪練出江拂畫屏流霽景千巖秀鳴宗萬壑幽風帆天際滅沙鳥鏡中浮今古興衰地乾坤浩蕩遊長歌懷往代遐覽託冥搜名相今誰在神

借不可求唯餘山水地作險鎮皇州〔顧起元詩〕絕巘曾聞駐六師龍宮深谷轉透迤雲多短策穿林遠風急蹕鍾度鑾遲壁啓雙扉皆翠鑿磴懸九折半蘿垂聊杯坐覽神州勝殊異新亭洒淚時〔顧璘幕府山泉詩〕隔嶺通江脉分爲石上泉聲兼松韻爽寒浸月華鮮列籍依沙淨浮杯逐浪圓淸泠聊一酌塵意已翛然〔顧源夾蘿峯詩〕紅日纔生暘谷東魚龍吹浪曉濛濛徜徉笑指三山路玉竈銀牀紫霧中〔焦竑達摩洞詩〕禪龕沿緣嶼石洞俯滄波風雨江聲壯魚龍夜氣多停杯今日望飛錫向時過欲問西來意蹕鐘度薜蘿

直瀆山在北二十五里周廻二十五里高十七丈吳將甘寧墓在此或云有王氣吳主皓惡而鑿其後爲直瀆因名東西有水流入大江

大壯觀山與直瀆接在城北一十八里周廻五里高二

十八丈陳宣帝起大壯觀於此因名

觀音山在觀音門外北濱大江西引幕府諸山東連臨沂衡陽諸山形如錯繡皆懸巖側壁拱捍大江眞天造地設也山東北一石吐江濆三面懸壁崿絕勢欲飛去名燕子磯春夏江漲水勢奔嚙不風而濤舟弗能上乃鑿壁穿鐵絙周之舟子曳絙以進上有亭名俯江從石罅下窺猶見江轉磯底金焦而上一大觀也明呂柟游燕子磯記畧己丑二月王子崇邀陸伯載及予同游燕子磯登弘濟寺寺西則觀音巖也怪石礧垂蒼黛參差上接雲霄而大江自龍江關西來直過其下觀音閣亦傍巖下就江潛築基上又竪九柱皆丹柱上棚棧構閣閣三面皆闌干憑之瞰江若在樓船頂立也是時晴見萬里日映碧流江豚吹

浪上下西望定山如娥眉東指瓜步如丘垤他山皆閃閃冥冥如落鴈蹲鳧不可辨矣昔予在解州嘗遊龍門眺底柱登流丹亭汲河烹茶以吊禹績至此乃勃然興懷將天下奇觀尚有過斯二者乎閣東厓有白巖喬公篆書刻石上而予崇伯載至乃復同升閣上流覽歎賞列席懸巖上對江而酌酒肴既行卒爵欲往燕子磯乃招二篙師泛舟往至觀音港登壽亭侯廟先至水雲亭其扁爲予友景前溪書精采如神乃面江小坐遂上謁壽亭侯祠左有大觀亭亦前溪書至此看江日隱斷雲烟霧霏微蒼茫無際矣遂攀松捫蘿以上燕子磯磯皆巉石疊起水圍三面其石罅猶見江轉磯底可以高覽八極也乃坐中磯道士日五七年前江衝磯前深不可測自立關廟後水頗遠磯而去今南徙磯東數百家矣二君皆補和前詩予崇又命行酌興酣北望泰山東瞰滄海灝氣縈廻靈光掩映不知此身之在天地間也（張羽觀音山詩連山爭南馳劃斷滄江曲勢如萬馬奔鞭轡忽廻復石角不戴土蒼膚四無麓寸草不得榮唯含古苔綠浪波撞其根巖竇響琴筑浮圖乃善幻夌虛駕佛屋行人願利涉望拜各致祝人生貴無事安能慮存覆

我欲升其巔憑高快心目飛傳不可留一往如電速

宗臣登觀音山詩一上孤峯破大荒吳山楚水更蒼

茫雲間棟宇垂天渚江上黿鼉吹石梁絕壁晝開風

雨色斷虹秋掛薜蘿長吾將從此尋瑤草黃鵠天風

好共翔顧璘燕子磯詩名山意自勝臨水趣轉幽兒

茲燕磯秀復枕澄江流孤根託何所上抱雲中樓空

冥瞰水府下見黿鼉遊衝濤蕩危石翻恐地軸浮元

氣旋混茫長風吹不休西來疊浪色發自岷峨原杳

靄衆山影依微行客舟徒倚白日暮極目令人愁盛

時泰燕子磯詩渺渺寒潮帶石磯潮聲山色兩相依

陰雲翻浪明秋日霞氣蒸林生晚霏巴蜀船從巫峽

下荊吳人自海門歸聽歌酌酒銀河曙坐見高天一

雁飛王叔承遊觀音巖燕子磯詩觀音高閣迥巖扉

客酒憑凌燕子磯山帶石城孤寺立潮平江國亂帆

飛故宮木葉空金盌荒渡蘆花失寶衣我亦乘風欲

西逝少林秋老白雲歸林章燕子磯詩揚子江頭燕

子磯楊花燕子一時飛六朝人物空流水兩晉山川

盡落暉草色遠迷瓜步去潮聲暗打石頭歸倚闌天

際春三月惆悵東風動客衣焦竑詩江葵坐依微繁

星落釣磯寒沙連野盡新漲浴天低小憩郵郵瞑前

期事事非塵機吾已息不礙白鷗飛〔范洒泊燕子磯詩〕山影沉沉日乍紅峭帆人怯剪江風鷗鳧占我曾題石一半峆岈疊浪中〔孫國敉燕子磯奉別阮太冲詩〕累夕不成別千峰青送君亭危銜石壘潮午韻江濆奇服驕林麓深杯駐水雲可堪磯上燕春日有離群〔張風燕子磯詩〕海燕何年化石磯等閒猶是意飛飛新愁對水話難盡舊事營巢壘欲稀春社再成吾已老秋風纔入子先歸獨憐臥向空江裏鎮日關河迸落暉〔何淳之三台洞詩〕絕壁倚江蹲蒹葭障洞門山腰窺日影石乳帶潮痕鮫市秋多雨龍宮晝亦昏探奇疑禹穴避世有秦村鍾鼎誰陳列烟霞互吐吞谷聲傳野鶴浪隊見游鯤千載今纔闢諸天若可捫三台干氣象江上五雲屯

臨沂山在城東北四十里周廻三十里高四十丈西南有臨沂縣故城

雉亭山在東北四十里周廻六里高五十丈與舊臨沂

縣相望齊武帝遊鍾山射雉於此故名舊志云吳大帝時蔣帝神白扇乘馬常見形於此又呼爲騎亭山

衡陽山在城東北四十五里周廻九里高二十九丈西北有水下湖南接雉亭山昔朗法師居此有衡陽神女來聽講後爲此山之神故名今鍾山鄉資福院有神像可考盛時泰衡陽寺詩朗公飛錫處四壁引藤蘿泉上苔將合幢間字半磨寒烟連阜白落葉近增多龍女聽經後山精幾度多我來樓鷲嶺偶爾入山阿搖落誰相問悽然獨放歌鳥聲依澗樹蛩響出庭莎燈閉青蓮影香消碧艷羅高僧難再遇何處禮祇陀

攝山一名繖山以狀如繖也在城東北四十里周廻四十里高一百三十二丈山多藥艸可以攝生故名有

水注江乘浦入攝湖卽秦始皇所從渡江者志云江乘浦在縣西北晉有兩江乘浦哉考之在東北爲江乘浦故縣以江乘名在西南者爲江寧浦故縣以江寧名圖考誤齊時隨石勢鑿佛像千餘名千佛嶺下爲天開巖沈傳師徐鉉張稚圭祖無擇諸題名尚存嶺傍有白乳泉與山勝處陳慶之大破齊師擒蕭軌卽此江總碑明僧紹居士子仲璋爲臨沂令于西峰石壁與度禪師鐫造石佛齊文惠太子豫章竟陵諸王增飾之每一巖一佛或十餘者惟嶺下一巖五丈內坐釋伽旁立菩薩二皆四丈二尺明喬宇游攝山記出都城北經蔣山廟東行出姚坊門三十里入山後有田疇平野度石橋而東復入石山古檜長松連抱夾路至棲霞寺寺扁乃宋人書志云仁宗賜金寶牌額熙寧閒取寄華藏寺恐此額非也外叢篁

中一碑乃貞觀所刻字法右軍尚完寺殿宇皆古制殿後有石浮圖數丈極精巧所鐫石像於上寸許者眉髮皆具前有二石佛丈餘露立有吳道子筆法左人山嶺嶺之旁有泉縈廻其聲潄石泠泠可聽山千巖盤繞隨處皆鑿釋像於中飾以金碧頂上俱有火焰歲久剝落深隱者其飾猶存身皆有孔云當時有纓絡罝其上大者數丈小者盈尺望之如蜂房燕壘皆有徑可到名千佛嶺志云齊明僧紹故宅捨爲寺釋佛皆齊文惠太子所鑿盡工巧之妙今佛頭皆斷而復續巖中有沈傳師徐鉉張稚圭王雱題名由嶺而北登攝山山多藥草可以攝生故名山之頂極泉山之高下視江水如帶左龍江右龍潭前瓜步眞州金焦二山如塊石在江中江南登臨奇壯之勝叢林之古無踰於此乃題名而歸

〔陳〕后主同江總遊山詩

特宰蟠溪心非關狎竹林鷲岳青松繞雞峯白日沉天迥浮雲細山空明月深摧殘枯影樹零落古藤陰霜月夜烏去風露寒猿吟自可盡出俗詎是顧抽簪

〔唐〕權德輿詩

攝山標勝紀暇日諧想矚縈廻松路深繚繞雲巖曲重樓回樹杪古像作山腹人遠水木清地幽蘭桂馥層臺聳金碧絕頂摩淨綠下界誠可悲

南朝紛在目焚香入古殿待月出深竹稍覺天籟寂自傷人事促宗雷此相遇俯仰隨所欲清論月輪低閑吟茗花熟一生如土梗萬慮皆桎梏永願事潛師窮年此棲宿（顧況詩）明徵君舊宅陳後主題詩跡在人亡處山空月滿時寶瓶無破響道樹有低枝已是傷離客仍逢靳尚祠（劉長卿棲霞寺東峰尋明徵君故居詩）山人今不見山鳥自相從長嘯辭明主終身臥此峰泉源通石徑磵戶掩塵容古墓依寒草前朝寄老松片雲生斷壁萬壑遍蹤鐘惆悵空歸去猶疑林下逢（明王韋攝山道中詩）旭日晴光轉重城曙景迷稻荒寒蟬出竹暝曉禽啼古社棲危堞殘碑倚斷畦秋風振原野疲馬亦能嘶（余孟麟棲霞詩）靈區支短策巽草攝長生晝樹蒼巖戲春泉白鹿行三臺夌斗絕千佛歇雲平不管齊梁代晨昏磬自鳴（焦竑詩）古寺俯蒼茫東峰一磬長人天留色相臺殿自齊梁乳竇流泉滑風巖藥草香采柴心不薄吾欲問醫王（黃居中棲霞詩）江左誇靈勝開山自朗師烟霞棲古佛風雨護殘碑石室千身幻銖衣六代遺徵君不可迹何處結茅茨（攝山頂詩）鳥道鬱千盤彌天古木[illegible]蒼崖夌絕漢紺宇俯層巒大地浮杯小長江匹練[illegible]

從教雙屐倦隨喜一凭闌〔李流芳詩〕款段橋邊路欲岐龍潭驛口日將西揮鞭遥指山如織一路江帆亂馬蹄紫藤峰下麓公房松戶陰陰嶺月凉若到都門宜曉騎姚坊廿里稻花香〔孫國敉攝山詩〕地與人如待居隨岫勢緣磴砑非隔世灌莽别藏天庭滿初秋月江分未曙烟詩成妨定境蟄燕共幽偏　右遺谷是一門師手闢　肘書行件茗風尚夙斯存苔篆泉間月雲腴石畔根表章留後攬賞啜坐忘言不淺懷賢意香邊役夢魂　右試茶亭白乳泉夙世非金粟雙林詎若蓑路高將近月香溢未從風薰染心期睨行吟鼻觀空山情隨逝主開落總何功　右西林菴雙桂樹　織形高矗上數息化人宮茅蔣猶環暎烟濤豈定容　西氛天塹共南顧水師掌自昔中元夜千山佛火紅　右登攝山最高峯〔倪嘉慶棲霞六朝松詩〕童巔山木亦危哉信有神靈護此隈燒尾蒼龍猶攫霧停機老鶴漫遊材千年風物今誰在一望霜楸更可哀封禪不來棲隱處嬴秦名號莫相猜〔杜濬遊攝山詩〕攝山枕大江濼水出西谷滙於江乘浦高深合爲族織峰冠其巔千佛繪其腹應眞白乳泉徵君翠微屋又聞徐鉉居自昔饒松竹同遊諸賢人

鍥名向山麓忽驚巖岫外觻聲如轆轤無怪應潮井汲出赤烏木欲了丘壑緣扶僮衝霢霂施閏章攝山詩迢招提雲氣碧重重倦客尋山興不慵雙井細泉通衆壑六朝遺迹剩孤松巖前靜倚空江月枕上微聞半夜鐘記取晴冬風日好携壺曳杖最高峰

畫石山在攝山東巖下有石穴曰花洞

落星山在城東北攝山北周廻二里高十一丈西臨大江吳時建樓吳都賦曰亭戎旅乎落星之樓又別有落星洲在城西南三十里

木盧山在城東北二十里江乘記曰木盧山有鍾乳穴今里俗名牧盧

白山在城東北三十里周廻八里高八十丈南與鍾山接輿地志云山產白石可為碑礎南史梁散騎常[illegible]韋載有田十餘頃在江乘縣之白山築室屏居[illegible]入籬門者十載今城西南近幽棲山有小　亦名白山

竹堂山在城東南七十五里周一十六里高九十一丈北有水下注平陸輿地志云白山雁門山竹堂山並連帶建康縣北綿連三四十里

雲穴山在城東八十五里周二十里高九十七丈南有水流入石驢溪有洞穴甚幽邃天欲雨則雲氣蓊然

湯山在城東六十里山不甚高無大林木有湯泉出其下禽魚入輒爛草木灌之愈鮮有湯泉館久廢

督府郎公建治一新

大城山在東七十里周二十二里高八十二丈西與雁門接〔盛時泰城山詩〕禾黍平連遠陌牛羊半下重岡花影垂簾弄色茶烟隔屋吹香樵語深林若鼎泉聲隔樹如雷少婦機絲未罷老翁社飲初廻〔又城山訪隣叟詩〕獨是躬耕處相依亦有君山從千嶂遶

徑向一林分水滿漁竿覺茗香展齒聞從余深隱好莫使勒移文

雁門山在城東六十里周二十里志云有溫泉白山雁門竹堂連帶東北綿亘四十里山東北有溫泉可浴飲之能愈冷疾一名陽山〔明胡廣遊陽山記永樂三年秋冏建碑孝陵斲石於都城東北之陽山得良材焉其長十四丈有奇濶不及長者三之一厚丈二尺色黝澤如漆無疵璺越九月戊午特命翰林臣往觀於是學士解公縉紳侍講金公幼孜暨廣偕往已未由朝陽門出過十里鋪直抵滄波門門外隔平疇山蟬聯起伏即城中所見諸山也山下烟林村落耕夫餉婦横縱隴畝于三人觀其作勞徘徊久之見田塍畔繫二舟田水與大江相運故有舟然平疇曠野見此一舟亦自奇絕水之上有古石橋石半墮橋下橋西北有土溝問之溝傍人云國初取土築拒馬牆遂以疏牆內流水由拒馬牆折北而行至麒麟門折東行五六里漸多坡陀坳登與于乘肩輿上下山岡輒相與步行以息僕夫之力

解公騎行常先一二里許不見弓二人來輒下馬候又東過一長阪阪下路岐而二一依阪足折北一下田間折折而南弓方惑所從田間人曰南行遂遵田畔折入小村市東山麓度坳入谷行長棱十餘里始至陽山山下草芟數百間以舍趨事者周以樊通二門入門有井有石池出門上百步許有井井之外有深坑平山上土石塡之舉石者邪許之聲相應仰見碑石穹然城立三人相視驚嘆所未見詡詡天生此石以有待也山高數里其體皆石其旁巉巖不便登陟從碑石左攀躋而上一人引手一人下推又躋一級漸至山頂石如礬頭者窅窊者竅而通者高者下者險不可屐蠟緣而度漸過碑石右稍平可行余心悸目眩不能下視獨解公登石立久之余坐息定更踰山頂數十步望見長江數百里隱隱而來舟帆上下如豆江北諸山澹然於烟霏霧靄間杳不能辨近東北二峰峭拔如削即都城東門望見二峰青翠高聳者山南有葉丞相墓按葉祖洽熙寧三年廷對第一官至徽猷閣直學士終於眞州奉勅葬此金陵志亦以爲墓在宣義鄉即此而俗訛傳葉丞相也南望鍾山一峰秀立天際如玉筍都城萬雉紅光紫氣蔚蔚葱

葱結爲龍文散爲霞彩誠萬世帝王之都也日午下山回至小村市望見樹林陰翳中一徑沿澗上兩傍皆松栢有古寺甚犖落梁本業寺也剏於天監九年五代時碑刻尚存有古桂二株其本枯朽其旁枝復拱抱又將枯矣疑與寺同植者從旁入一小軒軒外多竹其南有古井汲以烹茶味甘冽復尋寺前小徑轉登寺後山山多石石罅多棘刺行則鉤衣以手褰衣去地尺餘行至一巨石上坐眺少頃從山脊下至寺地志云謝靈運墓在寺近叩僧不知其處庚申日離寺由故道入麒麟門緣鍾山麓而行午至靈谷寺觀當時善畫者圖雪景海水於壁寺僧出東坡詩翰有元諸名公品題并宋璲篆書金剛經觀之至暮而還

武岡山在東二十五里俗呼爲石佛子廟山有石佛十餘處舊傳武后造故名武岡一名墓山

青龍山在城東三十五里周二十里高九十丈山產石

質甚良都人多取爲碑礎前有蘼蕪澗南唐後主嘗校獵於此金陵故事云齊處士劉瓛居此爲儒林之宗年四十未婚其友爲娶王氏乃就澗折蘼蕪而去

附工科右給事中徐惺禁止挖煤疏畧云江南素稱沃壤盡屬

朝廷止供其山場隙地非室廬相接即墳墓相連故從古及今無挖煤之例曾經前督臣具題奉

旨嚴禁而邇來地棍私充牙行串引營兵各家盜挖如故遇有盤詰地棍躲閃以營兵爲護衛雖有司不敢問也伏乞

睿鑑勅部議覆　部覆查營兵賭博騙詐盜挖煤場深爲民害江寧省會之區督府司道府縣提鎮將領各官漫無禁治平日振飭者何事應請

勅下該督撫申飭地方文武各官嚴行禁約以後如有地棍勾引營兵局騙賭博盜挖煤場者即將地棍營兵一併嚴拏依律究治如敢因循縱容該督撫按即將該管道府將領題參一併議處等因奉

旨依擬嚴飭行隨該江寧分守道王紹隆奉巡按江寧察院衛貞元憲牌轉行府縣出示嚴禁

〔蔣山卿青龍山絕頂詩〕策杖尋高頂低看落日曛倚巖纔辨石入谷乍迷雲歲杪風塵異山椒氣象分共來題姓字誰解識叅軍

彭城山有彭城館在城東南四十五里周九里高二十七丈在青龍南〔顧璘彭城山詩〕竹杖逶迤躡紫霞羊腸山徑渺橫斜林深更隱彭城館寺古猶傳謝尚家陰洞閉雲飛石燕寒藤懸樹墜風花周顒去後移文在此地何人領物華

祈澤山在城東南三十五里周十里高五十丈東連彭城北連青龍 舊經云山有祈澤寺初法師嘗結茅於此有龍女來聽講神泉湧出講座下歲旱雩禱於此〔秣陵盛時泰纂祈澤山志〕祈澤泉外有龍堂宋景平元年建寺梁置龍堂方池甃以石級泉自龍口出雲日下射陰苔細藻迴文伏泡令環而坐者忘返焉又雙文杏在殿墀內傳爲初法師手植左則輪身桿腹枝葉隆茂右則枒槎上出龍拏虬攫反多偉觀云經雷燒故也南唐斷石舊埋殿角草莽擁

翳鋤視其首云晉永齊雲山釋無名后云秦正之月元年與德謙及保大維新諸字今多殘缺又白野碑全溧水興化寺住持伯元撰文巾順大夫秘書卿秦不華書又墮雲峯喬司馬題名石上亂石哈呀若飛雲欲墮公遊寺見而書之字大如斗形勢甚偉石礪未鐫今已爲雨瀝又檜徑寺前羣植可四十餘株前連平疇後映池水左右山環之客行其下時有賞如翠珠者落衣上又桐林散植山上下寺內外官物也每歲秋太常寺命人取實又栗蓋在山雲館後大數圍蔭可一畝又貯香室因褚偵詩有硯池滿貯落花香取以名室又待月亭顧橫溼命名又仙人巖其石起伏狀如仙人座故名也又翻經坪寺後山廣可盈畝平若掌上有流水痕環曲如鑒登則四山入望是山最佳處（王韋新澤寺詩）何處可題詩東林亦在玆蓮生初挺葉松偃復榮枝狐穴穿陰崖龍咽入古祠山僧指碑石云是大觀時（顧起元詩）坦逕平岡古磵分禪房修竹晝氤氳庭心影合千年樹碑首書殘六代文大似豹聲常吠月鶴巢鴟吻數盤雲龍堂水品由來勝挾茗時來對此君（盛時泰墮雲峯詩）彷佛晴雲氣墮影青林隈有日從雲去長空起迅雷（又仙

人巖名山多靈蹤古仙探仙迹曰鶴忽歸來疑是雙飛舄（又翻經坪）道人持經函坐向盤陀讀經罷寂無聲松風起巖谷

符堅山在東六十里周一十五里高六十丈北連大城山（謝元破秦歸安問其方畧元指此山曰此若符堅駐軍之山）

石跪山在城東南四十里周十五里高二十一丈在上元縣崇禮鄉一名竹山（祥符圖經有大壠悉是石故名石跪跪一名櫃每春夏水溢衆流匯北山横據秦淮之上以櫃遏水勢輿地志秦始皇時望氣者云江東有天子氣乃東遊厭之又鑿金陵以斷其勢今方山石跪是其所鑿處也）

土山一名小東山與石跪相望山無石晉謝安嘗遊陟於此以擬會稽東山即與謝玄圍棋賭墅處（唐李白詩不向

東山久薔薇幾度花白雲還自散明月落誰家戊仝
攜謝妓長嘯絕人羣欲報東山客開關掃白雲（明先[illegible]
竝東山詩）謝墅維青舫蕭臺接紫城到門雙樹立[illegible]
岸亂峰迎龍臥曾先達鴻冥愧獨行蒼生誰繫望[illegible]
古重含情（杜淶同劉覺岸鄧元昭遊東山詩）東山此
日荒已竟猶憶圍棊賭墅時王謝子弟各有致建業
風流今在茲羣阜四面宜秔稻大江兩岸飛鷺鷥君
能約我最高頂共誦李白薔薇詩

張山在城東南三十里淳化鎮北南史齊明敬皇后[illegible]江乘縣張山今城東北章橋復有張山亦古跡

丁山在城東南四十里周一十七里高二十七丈

方山一名天印山在城東南四十五里周二十七里高一百一十六丈四面方如城秦淮經其下輿地志湖熟西北有方山山頂方正上有池水丹陽記形如方

印故名天印山秦始皇鑿金陵山疏淮水此山乃鑿處吳大帝爲葛仙翁立觀方山宋何尚之致仕退居方山齊武帝嘗幸方山欲爲離宮期勝新林苑徐孝嗣曰繞黃山款牛首乃盛漢之事今江南未廣願少留神乃止徐嗣徽兵至秣陵故治齊人跨淮立水柵度兵夜至方山周文育等各引還齊兵自方山進及倪塘〔齊王融詩〕巡躅望登年張飲臨秩縣日羽鏡霜濤雲旗落風甸四瀛良在目八寓宛如見小臣竊自嘉頑奉栢梁讌〔南宋謝靈運隣里送至方山詩〕祇役出皇邑相期憩甌越解纜及流潮懷舊不能發析析就衰林皎皎明秋月含情易爲盈遇物難可歇積痾謝生慮寡欲罕所闕資此永幽棲豈伊年歲別各勉日新志音塵慰寂蔑〔梁何遜下方山詩〕寒鳥樹間響落星川際浮繁霜白曉岸苦霧黑晨流鱗鱗逆去水瀰瀰急還舟望鄉行復立瞻途近更修誰能百里地縈繞千端愁〔明許穀登方山絕頂詩〕天印山高四望遙振衣同上興飄蕭深巖藉草秋偏茂絕頂清池旱不消散睇青巒圍錦甸舉頭蒼藹接青霄洞中却愛棲真者不信人間有市朝〔顧起元方山詩〕瑶壇何代紫泥封知是方壺第幾重翠壁流雲

深薜荔丹泉秋露濕芙蓉金庭別搆仙人館玉杖難攀羽客蹤獨有龍池清可濯幾迴支策過東峰（張蘭方山定林用韻二首有序戊申春留都妖言有李王糾衆數萬於某日方山誓師大司馬孫公以爲憂命蘭往偵之疾馳入山絕無影響於方丈中得楊水部二詩和韻而歸次日返命以詩復大司馬笑而止

四際蒼淵亘古重圍曲徑遙孤踪無可覓鶴侶似相招梵行因僧覺閒情與世超山頭一長嘯蝶髻滿青霄

寒嶺雪不濕荒茅火盡然乾坤自寥落巖壑總鉤連鳥影雲霞外龍精水石邊攜來占色相幸得此攀援

獅子山在城北二十五里周一十二里高三十六丈東有水下注平陸晉元帝初渡江見山嶺綿延遠接石頭似北地盧龍故初名盧龍山明高祖嘗伏兵大破陳友諒於山下山巔欲造閱江樓預御製閱江樓記後不果樓宋學士濂亦有記石晚方山爲秦皇斷山斷金陵王氣之處不知

城西北盧龍馬鞍二山間亦爲秦鑿也此處正號金陵岡俗傳埋金事即此岡上有碑因開靖安路失之張鉉新志言其地有溝溝中有石脉見存以証鑿斷之跡（明高帝御製閱江樓記有序）朕聞昔聖君之作必詢於賢而後興噫聖人之心幽哉朕嘗存之於心雖萬千之學猶不能效今年欲役四者建閱江樓於獅子山自謀將興輒無入諫者抵期而上天垂象責朕以不急即日惶懼乃罷其工試令諸職事妄爲閱江樓記以試其人及至以記來獻節奏雖有不同大意比比皆然終無超者朕特假爲臣言而自尊不覺述而滿章故亭云洪武七年二月二十一日皇帝坐東黃閣詢臣某曰京城西北龍灣獅子山扼險而拒勢朕欲作樓以壯之雄伏遐邇名曰閱江樓雖樓未造爾先爲之記臣某謹拜手稽首而言曰臣聞古人之君天下作宮室以居之深高城隍以防之此王公設險之當爲非有益而不興土階三尺茅茨不剪誠可信也今皇上神謀妙算人固弗及乃有獅子山況險拒勢之詔將欲命工臣請較之而後舉且今人形勢豈不爲華夏之愳何以見之昔孫吳居此而有南土雖奸操忠亮卒不能擅取者一綫長江之天塹

次爲權德以沾民當是時宇內三分勁敵豈小小哉猶不能侵江左豈假閱江樓之拒勢乎今也呈上聲敎遠被遐荒守在四方道布天下民情效順險巳固矣又何假閱江樓之高扼險而拒勢者歟夫宮室之廣臺榭之興不急之務土木之工聖君之所不爲皇上撥亂返正新造之國爲民父母協和萬邦使愚夫愚婦無有謗者實臣之願也臣雖違命文不記樓安得不拜手稽首以歌陛下納忠款而歛與造息元元於市鄉乃爲歌歌曰天運循環百物頑頑眞人立命四海咸安臣歌聖德齒豁鬢斑億萬斯年君壽南山〔山南知府陳開虞建共賞亭於紫竹林後有共賞亭記

紫竹林者遐佛場也然以林名亦猶是旃檀林祇陀林之義林有竹萬竿寒暑一色鬱然蒼翠直接碧空屋後梅杏成林芙蕖盈沼林卉景物亦頗有足觀者第其地在得勝門內得勝門者昔之神策門也雖在會城內與郡落不殊野望蒼茫無名山巨壑可俯眺覽遊者率以是爲恨惟圓通殿後纍然一丘有一顗師塔院在焉塔院外寺僧復周以繚垣遂令登者一無所見余攝衣而上徘徊久之廼於塔院右搆一閣顏日攬勝凭闌縱目一望千里城外諸峰悉可指數下

郎觀音洞洞右稍轉有松數十株窈然以幽如迥在紫竹林之外與香幢寶刹絶不相蒙惟鐘磬鏜鞳與蕭蕭松籟遥相賡和而已余復構小亭於松林中亭背山面野稍剪翳薈豁然空曠遥望粉堞一抹如環而纍纍然環堞之上者則白兎峰也昔郭恕先作畫乘醉圖之一角作遠山數峰余亭所見庶幾似之自有斯亭與斯闊而城外之霧髻烟鬟與城内之平林曠野今皆一旦得之指顧之間而收之几席之上覺紫竹林從來所未經目觀者今始别闢一天地矣而今而後遊者亦可以無恨矣後之登眺于此者窮千里之目開萬古之胷無論緇流羽士墨客騷人莫不浩浩然落落然與余共有斯亭共有斯樂余又烏得而私之哉亭曰共賞有以也夫〔王韋盧龍山詩〕獅子山深草樹香丹丘近結赤城傍樓藏膚藻風濤壯溪帶仙苑水月蒼東渡地靈憐謝傳西來天塹憶周郎登臨莫謾誇名勝佳氣蘢葱識帝鄉

馬鞍山在城西北十里與盧龍山接以形似得名其山盤旋南行接四望清涼諸山坡陀歷歷林薄郵墟各

成野市喬松修竹香陰夾道二十里中藏小菴數十處鐘磬鏜鞳皆出松濤竹浪中登山則大江入裏不知身在城中也內若自在菴西方菴之萬竿烟雨煉魔菴之湧青滴翠幽倩尤引人以深山坳一瓢妙高和尚焚修處焦竑朱之蕃時過遊所留翰墨甚富其他精藍絡繹為闔城勝地皆寺觀志所不能備載者也

四望山在城西北一十里周三里高一十七丈與盧龍馬鞍相屬東至新安西臨大江南連石城北接盧龍蘊峻反温嶠築壘於此以逼賊

明學士余孟麟清凉山詩峥嵘藏佛窟迢遞俯神州僧磬銜雲出江帆挾郭浮一堂開雁字六代駐龍游依舊臙脂井桃花帶雨流顧起元詩翠微山倚石頭傍徑轉峰廻抱上方宮井轆轤滋蘚碧講壇甓甗

翳苔蒼牕明洞雪經春冷門掩厓松駐月長避暑漫
言河朔會茶瓜堪借已公房〔王思任清凉臺詩〕古寺
白門邊寒風逗石烟松篁無俗徑鐘磬有諸天歲晚
難爲客官閒易入禪燈殘僧別去清夢竹相憐〔萬時
華清凉臺詩〕高臺同一望人照夕陽多豐鎬餘亭榭
陳隋舊綺羅美人曾玉樹衰草失銅駝怪得當時鳥
城邊喚奈何〔陳開虞登清凉臺詩〕臺鏁層城虎踞雄
登臨長嘯快哉風濛濛岫影遙天北浩浩江聲一派
東拂去浮雲衣上白携來落日杖頭紅
蒼然秋色何方至無限鄉愁問塞鴻

石頭山在城西二里按輿地志環七里一百步即楚金
陵邑吳晉時江在石頭下爲險要必爭之地上築城
常以心腹大臣守之南北戰伐咸據此爲勝負江乘
地記云吳之石城猶楚之九疑也明初都城皆據岡
壠之脊下有龍洞又名桃源洞後有駐馬坡諸葛亮

嘗駐此以觀形勢（唐李白詩）石頭巉巖如虎踞凌波欲過滄江去鍾山龍蟠走勢來秀色横分溧陽樹四十餘帝三百秋功名事迹隨東流白馬小兒誰家子泰清之歲來關囚金陵昔時何壯哉席卷英豪天下來冠蓋散爲烟霧盡金輿玉座成寒灰扣劍悲鳴空咄嗟梁陳白骨亂如麻天子龍沉景陽井誰歌玉樹後庭花此地傷心不能道目下離離長春草遂爾長江萬里心他年來訪商山皓（明陶安詩）鍾璧巉巖阸要衝古來設險大江東半天虎踞山如舊萬壑鯨吞地更雄上國控臨吳楚郡西藩環護帝王宮當年駐馬坡前望想見金陵氣鬱葱（顧起元詩）虎踞巉巖四望遥高天雪霽轉岧嶤丹樓作憶霏初定粉堞還疑霰未銷朔吹千崖蹤落木江風萬里湖寒潮扁舟未返山陰夜横蓬聲隨玉樹飄（方其義石城初發值雨）雞鳴山下客三月出江干潮似去年信蘆生蒲暮寒野雲先雨散遠岸入烟殘花月明朝路前流或可安（范景文石頭山詩）荒荒憑故壘傳是石頭城照返三山影江流六代聲露華臨夜白天氣入秋清俯仰悲人代還看夕月明（陸師道石城曲題采蓮圖）秦淮水緑芙蓉明元武湖邊烟艇横香風

翠袖暮雲亂落日新妝紅淚驚城隅濠曲歌聲起却寄愁心棹謳裏恨不相携桃葉渡心知同在長干住須臾花冥鳳凰臺帝闕回看錦作堆明月各隨珠珮去白鷗獨送綵舟回蓮浦紅衣秋露溼桂林金粟秋風急相逢江上采蓮人回橈猶向花間立帝京曾憶看花行畫裏今瞻雲錦城十年漁舸滄州卧羞對紅渠白髮生（僧廷俊石頭城詩）袞袞長江去不休巖巖盤石踞城頭千峯日落淮南暝萬樹風高白下秋流水尚遺諸葛恨東風不與阿瞞留中原一髮青山外萬古終爲王謝羞

癸山舊志按十道四番志在東北四十七里碑石磑礎多出於此

金陵岡在縣西北龍灣路上相傳秦瘞金人於此昔有一碣刊其文曰不在山前不在山後不在山南不在山北有人獲得富了一國後因砌靖安路失之

白土岡北連蔣山其土色白隋賀若弼於此擒蕭摩訶

國朝順治十六年　制府郎公于此大破海九

武帳岡在幕府山東南㵎側有武帳堂宋文帝嘗以開宴於此勑諸子且勿食至會所賜饌日旰食不至有饑色乃戒之曰汝曹少長豐佚不見百姓艱難今使識饑苦知務節儉

謝公墩在半山寺今冶城北二里亦有謝公墩山勢自鍾山來起伏曲折實城西北隅勝地近鞫爲蔬圃止存一徑土色赤亦呼爲紅土山墩俗傳謝公所嘗登也事無據李白王安石皆有謝公墩詩白詩云冶城訪遺跡猶有謝公墩今永壽宮冶城山郎安與王義之所登悠然遐想之

地安石雖有我屋公墩之句而又有詩云問樵樵不知問牧牧不言亦自疑之矣豈元及其子孫所居後人因名之耶〔唐李白登金陵冶城西北謝公墩詩〕冶城訪古跡猶有謝公墩憑覽周地險高標絶人喧想像東山姿緬懷右軍言梧桐識嘉樹蕙草留芳根白鷺映春洲青龍見朝暾地古雲物在臺傾禾黍繁我來酌清波于此樹名園功成拂衣去歸入武陵源〔宋王安石謝公墩詩〕走馬白門下投鞭謝公墩昔人不可見故物尚或存問樵樵不知問牧牧不言摩挲蒼苔石點檢屐齒痕想此絓長檣想此倚短轅想此玩雲月狼籍盤與罇井逕亦已没漫然禾黍村摧藏羊曇骨放浪李白魂亦已同山丘緬懷蒔蘭蓀小草戲陳迹甘棠詠遺恩萬事付鬼籙耻榮何足論天機自開闔人理孰畔援公色無懼喜儻知禍福根涕淚對桓伊暮年無乃昏〔曹學佺謝公墩詩〕謝公墩上日聞行四野霜天一倍明亭館已空雲物麗寺門相近夕鐘清寒山又傍斜陽路江水終銷十月聲載妓如花不同賞風流應感古今情〔焦竑九日登謝公墩分得今字詩〕謝公臨眺處勝日一招尋我輩還時序荒臺自古今天空江影浄木脱雁聲沈不有茱萸酒其如

撫落心

以上上元

聚寶山在城南聚寶門外山產細石如碼碯故名其東巔為雨花臺詳載圖考山麓為梅岡晉豫章內史梅賾家於岡下又曰營于岡上舊多亭榭今廢自六朝訖今為都人遊覽勝地宋馬光祖雨花臺記雨花臺勝甲江南事詳郡乘余公餘一往則臺屹其崇萬象環集山川城郭江淮吞吐如拱如赴而顧瞻吾臺藩拔級平反若欹然有不足當者乃度材更繕不兩月告成既成率賓佐落之余撫欄作而言曰嗟乎地以山川勝山川以人勝而人之所以勝者何哉今吾與二三子登斯臺也仰而觀行闕奐如趙元鎮張德遠之所建請猶凜有生氣俯而觀長江渺如韓蘄國虞雍公戰勝之跡尚可一二數也子以是而觀之其亦有慨於心否歟向皆如晉元奕輩把酒

清譚脫落世事則雖茂弘新亭士行石城遺跡之丘墟久矣而況所謂雨花臺者然則吾與若從容無事相與遊于此也而可不知其所自耶知其所自則當監其所爲矣吾老矣何能爲惟聳誦北山移說東廬山故事則躍然有所契金盆石室諒不終寒我盟然前所爲元鎮諸賢之事其卒付之登臨一慨而已乎詩曰高山仰止景行行止又曰以似以續續古之人吾敢以是爲二三子勉二三子有不勉者耶乃相與離席而謝曰敢不勉因筆以爲之記

（唐李白登梅岡望金陵贈族姪高座寺僧中孚）鍾山抱金陵霸氣昔騰發天開帝王居海色照宮闕羣峯如逐鹿奔走相馳突江水九道來雲端遙明沒時遷大運去龍虎勢休歇我來屬天清登覽窮楚越吾宗挺禪伯特秀鸞鳳骨衆星羅青天明者獨有月冥居順生理草木不剪伐烟窻引薔薇石壁老野蕨吳風謝安屐白足傲履襪幾宿一下山蕭然忘干謁談經演金偈降鶴舞海雪時聞天樂來了與世事絕佳遊不可停春風惜遠別賦詩留岩屏千載庶不滅

（宋王安石詩）盤亙長干有絕陘并包佳麗入江亭新霜浦溆綿綿淨薄晚林巒往往青南上欲窮牛渚怯北尋難忘草堂靈篌使

輿卻走亚楊陌已載寒雲一兩星（明高啓登金陵雨花臺望大江）大江來從萬山中山勢盡與江流東鍾山如龍獨西上欲破巨浪乘長風江山相雄不相讓形勝爭誇天下壯秦王空此瘞黃金佳氣葱葱至今王我懷鬱塞何由開酒酣走上城南臺坐覺蒼茫萬古意遠自荒烟落日之中來石頭城下濤聲怒武騎千群誰敢渡黃旗入洛竟何祥鐵鎖橫江未爲固前三國後六朝草生宮闕何蕭蕭英雄乘時務割據幾度戰血流寒潮我生幸逢聖人起南國禍亂初平事休息從今四海永爲家不用長江限南北（張孟兼登聚寶山分韻得春字）蹤跡憐身拙登臨縱目頻江山如好客花鳥故餘春春落落行藏異悠悠歲月新數莖初白髮朝夕爲思親（顧璘雨花臺）古臺開士說金經傳道天花亂紫冥廣舌不來塵每變春風唯見草青青（金大車雨花臺觀月）高臺上與碧雲齊坐看氷輪出海西吳苑參差雙闕迥楚天高闊萬峯低燈懸村落昏初見帆出江烟遠欲迷疑向廣寒歸路晚滿身風露夜淒淒（湯顯祖雨花臺詩）冉冉春雲陰郁郁晴光瑩取次踏青行發越懷春興拚知天女後如逢雨花剩宜笑入香臺含嚬出幽徑徙倚極烟霄徘徊整

花勝態隨驚蝶起思逐流鶯凝美目乍延眄弱腰安
可凭朝日望猶鮮春風語難定拾翠豈無期芳華殊
有贈持向慧香前爲許心期証如何違玉纓沉情擊
金磬〔盛時泰登雨花臺詩〕紺殿珠宮結駟行登臺共
豁遠遊情林花雨霽雙峯出雲木凉生一鳥鳴禁苑
晡烟開樹色秦淮春水長潮聲却因楚使誇雲夢媿
作諸生賦帝京〔余孟麟雨花臺詩〕倚杖看雲靄焚香
坐夕曛花飛長作雨岫出不歸雲天遠低於幕江圖
窄似裙一峯臺殿外梵唄隔氤氳〔焦竑詩〕南郭高臺
迥乘春數散愁雨餘千嶂立樹杪一江流地擁鶯花
勝情兼水石幽角巾差自得端合老林丘〔陳開虞雨
花臺詩〕金陵城外雨花臺席草簪花鬪酒杯自是昇
平遊女至何妨豐樂醉翁來悠悠帆帶晴雲去對對
禽銜夕照回分付昏鴉與驛騎不須頻向使君催〔顧
夢游雨花臺詩〕佳麗長干道高臺近易登出城空翠
逼藉草細烟承落日搖江練叢林擁塔燈遊人清夜
盡消受
獨山僧

戚家山在城南聚寶門外景定志在天禧寺東即今報恩寺

梓桐山在城南十五里高三十八丈山下有謝氏詩樓及繙經臺基尚在

紫巖山在城南與梓桐山相近高三十八丈陳軒金陵集載李建勳春日紫巖山期客不至詩戚氏云前志即以此爲巖山誤

夏侯山在城南二十二里高三十五丈梁夏侯亶居此因名

韓府山在城南十五里舊名鳳凰山以韓憲王葬此因名

翠屏山與韓府山連明陳沂詩天外群山高且重西南更出兩三峯白雲青靄互相合激石亂流時自春行入飛蘿千尺磴坐臨幽徑萬株松一聲清響隔林杪如是頭陀寺裏鐘金大輿詩間情

依白社杖策入青山樹色經冬慘溪聲盡日閒巖高雲作幛寺古石爲關叢桂凌霜發狂歌醉亦攀

甑蔽山在城南二十三里周八里高二十五丈以形似名

牛首山在城南三十里舊名牛頭山週四十七里高一百四十丈雙峯秀起正對晉宣陽門王導指曰此天闕也故又名天闕山又名仙窟山歷代崇飾甚盛由山椒起石級百磴杉檜行列而上有白龜池（天王殿左）虎跑泉（白龜池右）兜率岩（一名捨身臺由山磴盤旋以上壘石爲浮圖）下爲文殊洞（僧構重樓覆其外名文殊閣）下爲含虛閣（明狀元羅洪先題額閣卑隘不足以曠覽康熙丙午太守陳開虞拓而新之凭闌縱目巒壑萬千睹牛首之勝公有記勒石閣上）又下爲

辟支洞不測深淺創梁時建寺處廣踰文殊之一高倍之中有石盂形甚古唐神龍中并誌公履取去長安右有安初洞路險僻知至者尠右有煤洞深淺入窈窅上聳巨壁傍戾一石遠望隆起近視則側如龜狀下有地湧泉自石坎中出深二尺許色味俱絕俗呼爲龍王泉山上兩峯間有昭明太子飲馬池冬夏不涸東峯巔有錫杖泉兠率岩下有太虛泉山南有芙蓉峯雪梅嶺大峯之下有石如臥鼓中虛可坐數十人呼爲石鼓天欲雨則石鼓自鳴舊有中峯庵在西風嶺半近庵有龍王泉其東南爲劉宋郊壇處建炎中岳飛設伏兵於此以拒兀朮太守陳開虞含虛閣記金陵山水最秀麗牛首其一也山向南距城可三十里許卯發辰至無輿徒跋踄勞又甚崢嶸非拳石玩兩山矗峙秀若削成出冠雲

表龍門敞乎雙闕晉司徒所稱天闕也故亦名天闕山六代來誌載家數稱之扶輿孕結錯彩鏤形歷千禩未之或改而崇飾則代變焉孕結自天崇飾自人天匪人曷以發厥靈異乎廬嶽奇天台秀華岱巍峩龍從其自雲物蒸變草樹鬱蔥外凡磴道亭臺館宇樓閣皆足點映高深俯仰之致而俾僉歎曰曷其邃曷其紆曷其曠杳乎無際浸假童然山也謀憩息無所諮眺覽莫駐山靈能不爲之氣索乎天闕茫宮踞乎山半由山椒稍上登石級級數百步從白雲冉冉升達平地下瞰樹杪與高鳥平眎稍轉緣石壁精舍與坡上下斂履迴步忽入深室戶牖外輙臨千仞每雪冬月午空濛澄澈衆山倒影窺之如畫矣行人數里外遥望之樓閣嵌空中飛檐複檻參差攢峯欹石間晴日相輝射如芙蓉高挿青旻縹緲不可梯接肆天闕之勝雖曰體絕凡阜更以構造工特著也而含虛閣尤占勝以其勢陡絕俯眎萬象從空凋中逼見林木蕭森離離蔚蔚共在霞氣之表因顔含虛含虛一山槩而閣領厥全故含虛名閣亦以紀山也遊人來此發澄心抒高嘯悟外身之眞宣神契之趣嘗于閣乎寄焉而可與之廢之修焉蕪焉是聽也哉噫甚

小歲久且荒圮余守金陵四載丙午偕中翰陳公同官李公造登此閣也不禁荆蓁湫隘之慨因與山僧集貲用材若干鳩工若干捐貲重建視舊高十三而廣倍焉越明年丁未工竣因再憩于此見夫東巖兜率西洞文殊未之有異也下洌泉通潮汐無殊禹錫云法融冥坐慧力感通者也至華嚴逕拱江光飛練異林之葉共色别樹之羽同聲一一具如疇昔自余增而飾之流連信宿不覺忘返以欣以適日所涉歷未嘗有也山水有靈詎不驚知已於千古哉一閣也曩以規模稍狹美弗彰余考金陵梵刹志接引華嚴藏經彌勒諸閣皆彰彰而含虚獨弗著于紀惜哉其自今以造必有廣諸傳稱充之文詠以擅勝將來者而余得附姓氏以存焉將晉唐前有斯閣無斯閣法公知公諸師暨王導劉禹錫之徒亦曾有遊而問之者乎所弗及深考也夫凡山之屬坦峻不同蜿蜒亦異而有拖乎要會者以總攬其奇無古今一也由天闕之含虚觸類求之攝山天印祈澤覆舟三山獅子燕磯雞鳴鍾阜清涼諸勝界非無一畸勝區或經見或未經見或有構或無所構或構之廣狹堅頹恨不徧窮其境俾幽巖籍棟牖以偕新且耳目習玩人跡

罕到之區亦有幸不幸焉幸而傳不幸遂湮沒無聞迭迭然也余獲有守土責焉殆將探輯舊聞搜訪遺軼一爲山川闢發乎幽光柳子游山之記酈元注水之書輿宮闕建制人物風華並傳無窮以成金陵盛紀方自茲閣始于是乎書之以爲記閣題額爲故狀元羅念菴先生筆茲仍其舊云

唐韋莊牛首山詩

牛首見鶴林樗徑繞幽岑春色浮山外天河宿殿陰傳鐙無白日布地有黃金休作狂歌態回看不住心

明太祖牛首山詩

逆峯峙立勢蒼然春聽鶯啼景物鮮叠嶂倚天江月外三山映帶石城邊

顧璘輿陳石亭雪後遊牛首山詩

窮冬季月歲云徂策馬牛山輿不孤削壁倚空雲點綴古松沿澗雪糢糊堂垂塔影傳靈怪人轉巖腰學畫圖形勝江南無可比武皇鑾駕合踟躕

柴惟道詩

岩嶢峙天闕飛閣凌層空峯巒莽迴互晚色遠冥濛磬聲落崖谷梵唄飄虛風景符九秋後影翳千樹紅靈寶自天設塔影疑神工碑板盡滅沒徑草披蒙茸至人徒徊邈曠世緲難從搴蘿挹幽爽穿林閱葱蘢是身忽若遺神理超無窮永懷謝公趣豈必安期逢

皇甫汸詩

出郭紆京覽尋山臨世緣雁垂珠戶塔龍起石巖泉法雨穿花外慈陰[illegible]

樹前寧知禪寂處曾是聖遊年〔金鑾牛首詩〕先皇曾此駐龍旂一夜空山擁六師春鳥尚思巡幸處野花不識樂遊時遥聞寺外江聲落倒見天邊塔影垂若問南朝昔年事廢原荒井有殘碑〔殷邁牛首山閱楞嚴詩〕一軸楞嚴閱未終四山風靜暮林空忽逢華屋身能入自得神珠道不窮樹影欲迷雲渡處經聲遥聽月明中共傳鹿鳥春深後猶向煙蘿禮法融〔焦竑牛首山詩〕龍藏烟蘿閟牛山般閣幽夜涼僧梵歇地迥佛燈流樹影兼雲合林香過雨收平生飛動意何幸得淹留〔錢琦遊牛首山詩〕青山高傍帝城隈結客相將命酒杯石路草香人獨往楓林葉暗鳥頻來江迴素練雲邊出岳獻名花雨後開臨眺莫言歸去晚放歌還上夕陽臺〔何湛之遊牛首山詩〕禪關窈窕萬峯幽寶地珠林愜勝遊烟瑣巒崖拱薜荔雲迴飛磴夾杉楸憑陵象緯排天闕控引山河拱帝州極目香臺翻自失茫茫身世一浮漚〔程嘉燧牛首詩〕城南遍蘭若茲山何穹窿鞍馬上幾盤迴察勢猶雄崖岌日半傾光射東南峯闕千倚峻壁毫末紛玲瓏路迴見塔寺到門羅杉松積翠扶層堦暝色帶遠江高殿夜突兀古木枝龍嵸尚駭仰瞬睇未覺俯歷崇細路

繞殿角欲上聞鳴鐘捫蘿嶒深影林幽徑難通悄然心神悽却顧來驚風下歸白雲梯微月光朧朧明當上絕頂冥搜恣所窮興劇耿無寐清宵殊未終（杜濬牛首山詩）遊歷後載籍風昔漫尋究牛首石城南芙蓉稱其篷段石岡在東南飈館乃右天闕破穹窿石鼓羅星宿淨綠剝陰崖金碧炫清晝芋葉儼新荷德實垂青豆危磴忽十尋直使白雲透我來叩融師諧晃不敢狃寥俯兆率巖始覺利名陋（陳寶鑰垂影塔詩）古塔挂峯腰聳出峯頭上隨樹入幽房塔垂樹則仰此理究不明終古費人想天地如碁盤日月如蓮掌物齊則觀同橫斜兩不爽猝彼印開文字轉而成象碎彼鏡中窩窩心則懸穎兩曜作是觀返照則迥朗室虛白常明閉日能貯鑿挂角於壁中形落在[illegible]決此理自然昭古人徒影響（陳開虞遊牛首山詩）[illegible]有令虛閣臨而且一坦余爲新之成巨觀焉雙闕公[illegible]是帝閽居然人到一天門巖應漸躡松杉頂衣巳金沾雲霧痕縹緲下臨千里曠崔嵬更上一峯尊小樓新搆層巖杪時有飛僊跨鶴論

祖堂山在牛首山南十里前爲花岩山周四十里高一

百二十七丈宋大明中於山建幽棲寺因名幽棲山唐僧法融得道於此爲南宗第一乃改爲祖堂山山南有石窟儼若堂宇融師居之有百鳥獻花之異因名獻花巖明翰林陳沂有獻花巖志大藏經云華巖山高千四百餘尺周四十里餘三十步上有芙蓉峯拱北峯天盤嶺西風嶺中峯伏虎洞神蛇洞象鼻洞息泉太白泉長庚池諸勝〔陳沂獻花巖志畧云獻花巖釋氏書爲唐釋法融居此雪中有奇花又有鳥啣花之異巖因以名而山亦以巖顯故金陵稱叢林必曰牛首獻花巖祖堂而地實相連舊刹惟牛首幽棲寺即今弘覺寺此巖惟僧庵耳明成化間山東僧古道師至巖下堅坐不動數年黔國宰何公飯僧於祖堂之山北望雲氣被彩陟岡而北氣自巖出何公愕然步至巖見古道危坐問

之不答而貌又古益怪異之是年郎州金爲佛宮別治堂與之居詩勅賜寺額曰花巖芟闢灌莽平衍碕砠因高爲臺緣曲爲梯懸虛以爲樓閣挹曠以爲軒楹凡幽潛秘密之所畢張大榜之於木刊之於石由是獻花巖之名大勝於牛首山（顧璘遊花巖詩）風林下馬叩龍宮雪磴扶笻踏虎蹤把酒峯頭看海月開門庭際俯雲松鐘聲夜傍諸天動巖翠寒交萬木濃古說移家身已老暫來猶自未從容（朱應登祖堂山詩）長廊卷幔得閒凭南國秋容望不勝香閣梵音傳遠磬石幢寒影護懸燈山深疑有長生藥寺古應多入定僧人語忽然飄下界始知身在白雲層（顧起元拱北峯詩）遙看絕嶠勢疑飛似引羣峯拱帝畿夜宿星光懸地鏡晝籠雲氣曳山衣陽邏四月花初發風輭三春草尚稀愛倚南天看北極五城樓閣望中歸（余孟麟獻花巖詩）攡錫依龍藏聳鐘度虎溪谷空[illegible]霽滿槎小宿星低巢樹僧初定啣花鳥不啼如何[illegible]去路常被嶺雲迷（王世懋詩）紫閣平臨百尺臺清[illegible]人卧碧崔嵬千峰忽遶江流出雙闕遥分曙色開[illegible]幔雲來窺伏枕隔山鐘動與銜盃扶笻亂拂蒼[illegible]縹緲諸天首重回（陳舜仁從牛首步至獻花巖

嶂層巒紫翠重杖藜還上最高峯亭虛正借江雲宿洞古常留石蘚封鳥解啣花緣底事石知說法竟誰宗直須忘佛兼忘我始信禪門有象龍（顧源獻花巖詩）綠髮異今朝酒青山舊日緣香雲連大地花雨冪諸天虎跡留深洞龍光映古禪尚平何日暇同爾奉金仙（黃居中獻花巖）牛山分別界鳥道入精藍寺杳深藏竹巖高翠結嵐花疑天女獻石向遠公參半榻猶堪借時來聽法譚

岩山在牛首東北吳王晧刻石于此以紀功德後因名段石岡後移置府學尊經閣內宋明帝泰始中建平王休佑于岩山射雉日欲暮帝遣左右壽寂之等逼休佑墜馬殺之即此

上公山在段石岡南其東北爲繭子山又東爲大山小山皆相連

青山在城南四十里建康實錄梁太清元年置幽巖寺永康公主造大毗曇師傳云承聖

二年法師入秣陵青山始創舍名幽巖亦不云永康造也

張山在尹山之東與尹山東西對峙橫山之水從中而出

禁龍山在葛塘西自吉山折而東亦名大山

吉山在上郡五峯聯峙宋建城侯吉翰葬山中故名

觀子山在城南三十里周四里一百步高八十三丈東有水下注新林浦

蔣碧山在牛首山西南

朱門山在縣南八十里盛時泰送僧入朱門山採春蘭詩朔風吹雪片洒落細于沙獨有春蘭葉于時吐玉芽玉芽滿谷君能採忽却空山歲年改歸來贈我幾多叢遍種茅堂對烟靄

牛跡山在朱門鄉其半爲太平府界

男山女山姑山在朱門鄉三山聯絡森秀挺拔蒼翠若芙蓉女山有石洞號爲仙靈遺蹟數十里外望秀入雲霄群山鮮匹又顏料山亦接此山（明）顧起元詩瑤篸兀聿冠雲鬟玉筍參差列御班日月中分龍虎地雌雄雙插斗牛間孤論大小依逼隱對擁兒孫媚客顏絕壁過雲垂瀑溼坐看歸鳥礙飛還

麻山在江寧鎮此山自太平東奔亘數百里

大青山在觀子山南十五里周三十五里高一百二十五丈西有水下至平陸

紫雲山一名大山與花巖接

鼓吹山在南八十里周一十七丈高八十丈四望孤絕宋孝武大明七年登此望甲子館奏鼓吹故名戚氏志云甲子乃記日非館名實則少帝景和元年九日幸湖熟始登此作鼓吹與此志異

銅山在東南七十里山產銅宋鮑照過銅山掘黃精詩土肪閟中經水芝韜內策寶餌緩童年命藥駐衰曆矧蓄終古情重拾烟霧迹羊角棲斷雲榼口流隘石銅溪晝森沉乳竇夜涓滴既類風門磴復像天井壁蹀蹀寒葉離灇灇秋水積松色隨野深月露依草白空守江海思豈媿梁鄭客得仁古無怨順道今何惜

橫山在東南一百二十里周八十里高二百丈屬金陵鎮接太平界四方望之皆橫故名山有十五峯丹陽記丹陽郡有橫山連亘數十里或云楚子重至[illegible]

橫山即此又名橫望山宋楊萬里詩迸再見橫山滴眼新山曾勸我脫官身燈籠簫鼓年年社酒盞鶯花處處人忽憶諸公牡丹會轉頭五柞去年春野雲墟月空荒寺兩袖寒風一帽塵

陰山在江寧西南一十二里臨大江晉王導至此山神見夢於導事聞于上爲立廟故名

湖山在南三十里周九里二百步高一百丈上有湖大旱不涸

龍戶山在西南七十二里戚氏誌有李琮墓三城湖

馬鞍山在城西南三十五里以形似名上元亦有馬鞍山見前

車府山在西南四十里周九里高一百二十丈六朝藏車乘甲器於此

落星山在板橋市臨大江山下有岡即王僧辯連營以拒侯景處近水者曰落星洲又曰落星磯陳顯達以數千人登落星岡新亭諸軍聞之奔還李白遇逢池隱者脫紫綺裘換酒爲歡皆在此（明余孟麟落星岡詩）綺裘曾換酒片石落岡頭路指林霏曉天涵水色秋風雲窺隱見河漢逐沉浮不作支機去歸然古堞樓（焦竑詩）樓堞新亭戍山川自昔多曾聞沽酒客一着綺裘過霞舉占龍氣風期叶鳳歌悠然登覽處遺跡賁巖阿（顧起元詩）紫裘高宴是何年星隕何時上碧天鞭石幾曾臨海曲支機誰復飲河邊鐙前酒味鸕鷀杓舷底歌聲翡翠鈿知是玉皇香案吏江湖身遠傍珠躔（朱之蕃詩）岡頭亂石散繁星歲歲連天草色青不見層樓戍旅盛秪堪環水棹歌停臨沂故址千林圯石步邨鐙數點□爲覓濁醪聊破悶催飛蘭槳繫柴扃

烈山在西七十里或曰山近烈洲故曰烈山其山四

面峭絕下臨大江風濤洶湧商旅嘗泊舟依山以避之絕頂叢棘中舊有侯將軍廟陳史永定初王琳聚兵窺臺城造黃龍舟千艘泊于荻港西南風急琳謂得天助張帆直下陳將侯瑱泊舟蕪湖逐後而發用拍竿撞琳船琳擲火炬焚之風逆自焚遂大敗奔齊士人以瑱功烈甚大故名烈山宋寶佑初有僧建庵其上自名爲江心護國寺晁无咎嘗以比潤之金山〔晁无咎詩〕山如浮玉一峯立江似海門千頃開我欲此中成小隱莫教山脚有船來

白都山在西南七十里白仲都居此上有仲都祠吳孫峻遣張承斬諸葛恪于白都即此

白蕩山近白都山蕩俗作盪

龍山在西南九十五里周二十四里高一百一十二丈

巖山覆舟山皆名龍山

上三山在江寧鎮西

下三山在江寧鎮東三峯拱峙大江從西來勢如建瓴而此山突出當其衝一名護國山晉王濬伐吳行師過三山卽此磯上舊有李溫叔祠今廢（宋鮑照詩）泉源安首流川末澄遠波晨光被水族嬈氣歇林阿兩江漠平迥三山鬱駢羅南帆望越嶠北榜指齊河關扃繞天邑襟帶導京華長城非壑險峻岨似荆芽攢樓貫白日摘堞隱丹霞征夫喜觀國遊子遲見家流連入京引躑躅望鄉歌彌前歎景促逾近勸路多偕萃猶如茲弘易將謂何（謝朓晚登三山望京邑詩）灞涘望長安河陽視京縣白日麗飛甍參差皆可見餘霞散成綺澄江淨如練喧鳥覆春洲雜英滿芳甸去矣方滯淫懷哉罷歡宴佳期悵何許淚下如流霰有情知望鄉誰能鬒不變（李白詩）三山懷謝朓水澹望長安蕪沒河

陽縣秋江正北看盧龍霜氣冷鳩鵲月光寒耿耿憶疊樹天涯寄一歡（明黃姬水宿三山聽江樓經落星岡李白換酒處詩）空岩香閣叩栖禪坐見歸禽没遠天鐘度寒潮鼉峽外帆移芳草鷺洲前春江半是巴山雪暮嶺全迷楚澤烟忽憶仙人換酒處飄零今古一悽然（王守仁詩）南望長沙杳靄中鵞羊只在暮雲東天高雙櫓哀明月江濶千帆舞逆風花暗漸驚春事晚水流應與客愁窮北飛亦有衡陽鴈上苑封書未易通（金大輿詩）白石三山路青春二仲過緣崖窮鳥道倚檻看鯨波夜靜潮聲急江空月色多酒酣雙樹下醉答榜人歌（俞彥登三山詩）艤棹蘼蕪麓蕭森水國秋千帆散天外一閣俯江流雨脚凌風至山身帶寺浮井泉聯用汲彷彿惠山遊

慈姥山在城西南一百一十里二百步周二里高三十丈積石臨江岸壁峻絕山産竹可爲簫管故俗亦呼爲鼓吹山（雪浪法師慈姥磯詩）蹤跡元蓬藁天涯自往迴秋風隨去棹夜色共登臺石面潮初

落江頭月正來最高思欲臥清磬一聲催

天竺山在慈姥山西十里周一十七里高十九丈東有水下注慈姥浦其北連岡十里本名多墅山唐上元間有天竺福興寺僧道融移寺于此山因名今碧峯寺後相傳亦名天竺山

土門岡在長干里即楊忠襄公死節處

鳳臺岡在鳳臺門

石子岡在梓桐山北又有小石子岡在安德門外

赤石磯在聚寶門外

鳳凰臺在花盝岡峙城內秦淮城外城河一水之間城

南下沙也與東周處臺相對作旗鼓萬曆壬辰年李公昭嘗于鳳凰臺傍掘地得斷碑二日晉賢阮籍之墓此事志所未載人猶疑之觀白詩晉代衣冠成古丘即指阮墓無疑故楊朗陵詩酒狎高賢臥一壞荒本此句也〔唐〕李白〔詩〕鳳凰臺上鳳凰遊鳳去臺空江自流吳宮花草埋幽徑晉代衣冠成古丘三山半落青天外二水中分白鷺洲總爲浮雲能蔽日長安不見使人愁〔宋〕周邦彥〔詩〕危臺飄盡碧梧花勝地淒涼屬楚家鳳入紫雲招不得木魚堂殿下饑鴉〔郭〕祥正〔詩〕高臺不見鳳凰遊浩浩長江入海流舞罷青蛾同去國戰殘白骨尚盈丘風搖落日催行棹潮擁新沙換故洲結綺臨春無處覓年年芳艸向人愁〔劉〕克莊〔詩〕經月疎行臺上路秣陵城郭忽秋風馬嘶衞霍空營裏螢起齊梁廢苑中野寺舊曾開玉帳翠華今不幸離宮小儒記得隆興事閒對山僧說魏公〔明〕焦竑〔詩〕鳳凰曾此處秋爽更登臺一望東南盡長天鴻雁來青林隨浦溆白石轉莓苔莫繼浮雲唱空傷蓋代才〔顧〕起元〔詩〕朱鳳藏幾碧漢遙荒臺題字尚前朝山連古寺秋圖樹江繞嚴城晚上潮狂客異時來置酒美人當日罷吹

簫春花秋月堪傳斷翠苑陳宮更寂寥（陳開虞鳳凰臺詩）臺在鳳遊寺後近爲取土者所殘日就圮矣余既禁止之將謀復故以存勝蹟不朽焉相傳臺爲晉阮籍墓云千年鳳去舊遊空遺蹟凄然枳棘叢寺破半封苔蘚碧臺荒猶賸夕陽紅却疑阮氏碑難問翻怪唐人句未工二水三山渾不改欲留名勝古今同

以上江寧

周處讀書臺在城東南蟒蛇倉後

茅山在縣東南四十五里周一百五十里初名句曲山又名巳山以山形似巳字也相傳漢永和間有茅氏兄弟學仙來止此山故名茅山三峰連峙最高者曰大茅峰次曰中茅峰又次曰小茅峰大峰之巔有泉

日天池大旱不涸禱雨即應南垂泉流作乳色曰饘飲泉其下爲栢枝壟壟之中曰華陽南洞又南爲茅洞其側曰衆眞巖又黄龍洞黑虎洞在九錫牌左右有水自峯左支流縈紆達于菖蒲潭潭生九節蒲食之可長生一名石墨池潭下九曲澗潭之上爲華蓋岩其北垂方池數尺客至水即湧沸名喜客泉峯之北相連爲抱朴峯有葛洪煉丹處東曰飈輪峯舊傳東海靑童君曾乘獨飈飛輪之車駐於此今有跡故名西垂有二泉冬日一氷一温曰玉蝶泉又有華蓋峯疊玉峯石色如玉昔宋眞宗嘗遣左璫詣茅山祈嗣遇異人言玉眞人即古燧人氏來生宋朝章懿皇后亦夢羽衣數百擁一仙官至及生宮中火光燭天學步時嘗持槐木以箸鑽之眞宗問故曰試鑽

火耳帝顧后曰異人言不虛也乃遂名元符宮峯之下舊爲崇壽觀觀後有碧巖洞候山居下爲霧豹巖曲水穴出焉大峯中峯間長阿連石曰積金峯故山有金壇金陵之號邑名由此起也梁時陶弘景居此東有橫壟石形甚瓌奇壁坼開成洞入數丈漸狹而颼颼有風所謂華陽西洞也由西洞而南又有玉柱洞中積石乳旁逕容人跡壟之東南有徑自竇出曰鶴臺澗折而西又有楚王澗亦自石壁出以楚威王嘗憩此故名峯之頂有靈泉曰天窗洞其陰曰道祖峯東南一峯傑然秀出與積金對峙曰五雲峯甚峭峻中峯之東又有華陽

洞小石穴僅容人有澗曰宜春有泉曰玉沙峯東北有拱辰峪峪中有百丈泉其西乃爲白雲峯水龍洞在其下自中峯至小峯長阿而西曰黑虎峪峯之北林壑幽邃春時花卉紛敷曰桃花塢西有朱砂泉上有小青龍洞又有岡在峯側長緩而隱障曰長隱岡又名伏龍岡東南近許長史宅山之中復以山名者曰金菌山在積金東凹小山獨出如菌西有羅姑洞高居洞華姥山在丁公山南艮常山在山北秦始皇東巡登此歎曰巡狩之樂自今以後艮爲常也遂名其山上有艮常洞山志直山嶺南行二百步有始皇埋藏白璧一雙上有小盤石以覆

嶧處李斯刻書璧上曰始皇聖德平章河巡狩蒼州勒銘山素壁方隅山在艮常東南三峯隅峙有燕尸洞方隅洞龍尾山自大峯一嶺直至山東金壇界宛如臥龍曰平山在大峯之西南有洞穴曰方臺海江山慶雲洞之上其東爲碧玉巖巖下曰丹谷泉鬱岡山在小峯東北林木蔥鬱故名又名大橫山山下有泉山東有古越翳王塚麻姑山在岡西青山在岡東三角山在華林峯北有皇甫峪海泉洞又北爲楂子谷三公山在燕尸洞東雲堆山在皇甫峪南仙韮山在大峯西山志姜叔茂種五辛菜以易丹砂令山產大韮遺種也又呼石龍山鱉足山在仙韮西大靈山小靈山并在鱉足西雷平山在[illegible]

龍之東（周時有雷氏豢龍於此）下有雷平泉又有柳汧泉（一名四八）

水以田公旨居此）伏龍山在柳汧之間與中峯近卽所謂伏

龍之地在柳谷之西金壇之右可以高居者也丁公

山積金山西麓（丁令威止此）丁山拱辰谷東虎爪山在丁

山西（宋禁樵採有碑）秦望山在艮常北衡珠山在雷平南獨

公山在小峯北小竹山在小峯東吳山在大峯南（陶隱

居云大茅峯南仙韮山竹山吳山方山從此疊嶂達于吳興天目諸山矣）以上山皆在茅

山左右上下故相緣以書（唐李德裕遊茅山詩何地最脩然華陽第八天松風

青有露蘿日靜無烟作響溪潭鶴時嘶玉樹蟬欲馳

千里思唯戀鳳門泉）（杜荀鶴詩）步步入山門仙家鳥

徑分漁樵不到處麋鹿自成羣石面迸出水松頭穿

破雲道人星月下相次禮茅君（宋王安石大茅峯詩

一峯高出衆峯巔疑隔塵沙路幾千俯視烟雲來不極仰攀蘿蔦去無前人間已換嘉平帝地上誰通句曲天陳跡是非今草莽紛紛流俗尚歸仙〔登中茅峯〕儵然杖履出塵囂雞犬無聲到泬寥欲見五芝莖葉老尚攀三鶴翮翰遥容溪路轉迷横行仙几風來得墮樵與罷日斜歸亦顧更磨碑蘚認前朝〔登小茅峯〕捫蘿路到半天窮下視淮州杳靄中物外眞游來几席人間榮願付麥通白雲坐處龍池杳明月歸時鶴馭空回首三三君誰更似予房家世有高風〔明顧璘茅山〕迢遞三峯得峻躋到宮唯見衆山低天池水碧蒼龍伏巖樹風高白鶴棲雲際瑶壇開日月林間丹井隱虹蜺仙人只在華陽境一松葉桃花咫尺迷〔王穉登遊茅山詩〕福地由來稱第一入門山閣暮鐘鳴三峯松鳥道青天上一雨龍池白霧生石蘚侵階埋玉篆松風吹墓酹銀罌金陵亦在虛無裏虎踞猶疑見石城

〔宋張商英華陽洞詩〕素虎班虬躋紫烟幾看滄海變桑田赤城玉笥尋眞後又到華陽第八天〔明王穉登[illegible]華陽洞詩〕百畝丹厓秀玉屏山深日暗晝冥冥峕[illegible]指路香先入蠟炬穿雲火半青仙家白鹿行千[illegible]上青天似一星安得眞人開石壁雲中雞犬洞[illegible]

〔唐〕王建菖蒲潭送人〔詩〕江城柳色海門烟欲到茅山始下船知道君家當瀑布菖蒲潭在草堂前〔明〕王樨登喜客泉〔詩〕靈泉喜客至依依石磴籃輿扣竹扉未躑青錢山影動乍窺明鏡髩雲飛珠浮巧學鮫人淚波細文如羽客衣日暮鶯啼山殿寂春寒休怪客來稀〔唐〕顧況桃花崦〔詩〕崦裏桃花逢女冠林間杏葉有仙壇老人方受上清籙夜聽步虛山月寒〔元〕趙孟頫羅姑洞〔詩〕九疑得道女受事易遷家詩贈金條脫人逢蕚綠華〔唐〕權德輿柳谷泉〔詩〕下馬荒郊日欲曛潺潺石溜靜中聞鳥啼花落無人處寂寞山囪掩白雲

絳巖山縣西南三十里周廻二十四里高一百二十五丈一名赭山地志云漢丹陽縣北有赭山其山色赤故名寰宇記唐天寶中改絳巖山頗險峻上有龍穴五季之亂及建炎時鄉人皆避兵於此又名丹山丹陽縣名義取此

華山縣北六十里梁武帝至此問華山何如蔣山高辥對曰華山高九里似與蔣山等泉水倍多秦淮源本此舊有寶公庵明萬曆三十二年李太后忽夢一山皆蓮因下部遍訪名山禮部以此山對后勅建銅殿一座供大士與武當金殿同其上麗宏峻焉賜額聖化昌隆寺上人紗峯后賜紫衣至今御筆緣冊及欽頒藏經具存〔鍾惺華山禮銅殿詩〕一路陰晴屢不分山中風候易紛紜村過數日無紅葉江近雙峯似白雲蛇虎夜深来懺度鼓鐘人定示聲聞可憐世外僧經濟金火須臾歷劫熏

竹里山北六十里道塗傾側號曰翻車峴郡國志山間有長澗高下深阻舊說似洛陽金谷晉王恭舉兵京口使劉牢之督顏延爲前鋒至竹里斬延以降還襲恭宋武帝起義兵破桓元將吳甫之於竹里即此〔鮑照詩〕高上絕雲霓深谷斷無光晝夜淪霧雨冬夏結寒霜淖坂既馬嶺蹟路又羊腸畏途疑旅人忌轍覆行箱升岑望原陸四眺極川梁游子思故居離客遲新鄉新知有

客慰追故游子傷

花礫山北五十里舊產礬

五基山北五十里下有石穴入丈許豁然中設石榻元元統元年崩於大水

戍山北六十里相傳宋沈慶之戍守於此

青龍山南七十里一名洞山上有石窟眞誥云與華陽洞相通其中堂臺簾竈及仙人掌之屬俱因石狀以名傍有峴曰牧門洞前怪石森列而流泉貫其中歷旱不渴

虎耳山東三十里舊名苦耳山山有井聞人聲則沸名沸井丹陽記曰沸龍潭上有尚書顏魯公墓

秦山南三里麓有明月灣通秦淮舊傳謝安月夜乘舟垂釣于此

甲山西南五十里峯巒競秀甲於左右諸山宋景定間僧行並愛其山奇秀故名

射烏山西北五十里湯水二泉皆源此

白和山北七十里相傳仙人白和居此見抱朴子篇

尾屋山南七十里李白曾登此山望長蕩湖

丫頭山東南七十五里麓有石埂與溧陽爲界

崙山東北六十里東連駒驪四十二福地也唐肅宗謁者伍達靈在此山得道卽於後頂石壁髣髴可辨山下有達靈潭

駒驪山東北六十里吳諸葛恪獵見一小兒衆莫識名曰引白澤圖曰兩山間其精如小兒係囊

土石山龍山東三十里驤首山四十里塗山四十五里

彭山南七里峯巒聳秀泉水環流白崖古刹佳木異卉差池掩映遊覽勝地也

周山南三十五里仇山四十里土壤種松極茂石麓山白馬山棠梨山白沙山石角山浮山俱七十里浮山上有朝陽洞洞有流泉灌溉利甚溥

姜石山西北二十五里上有梁南康簡王墓

蘘山西北五十里

亭山北三十里胄山三十五里

牛頭山七星山石幢山官峴山俱在縣西北鳳壇鄉

石鹿山南七十里有石形如鹿

空青山西連五基山

竈石山在艮常山東石壘如竈中生一木如曲蓋以上句容

金雞山東五里

雲泉山東南三十五里一名下山山上有泉嘗出雲氣下有雲泉寺唐貞觀舊蹟

鐵山東南五十里唐書地里志溧陽有鐵即此

新婦山東南五十里

銅官山東南六十里唐書云溧陽產銅是也今土中有屑瑩然如麩狀舊因產銅設官故名

三鶴山東南六十里舊經云潘氏兄弟三人得道於此皆化鶴去故名上有潘眞君祠

燕山南八里形如飛燕上有雲鶴菴南有駙馬芥數松高秀石路磷磷傳爲前朝王駙馬墓

錫華山南四十五里峯崖秀出流泉縈遶登臨勝地

石屋山南六十里圖經云吳王使歐冶子鑄劍於此今山西有鑄劍坑

雞籠山西南十二里以形似名

大石山西南十四里山麓有龍洞龍池雩禱輒應元蔣時中有大石龍洞詩

盤白山西南四十里下有太虛觀碑載盤白眞人事眞人姓李名盤桓隴西成紀人避魏武之役隱居高邃峯之西鬚髮皤然故名盤白

三王山西南五十里說苑云楚威王與眉間尺并一客同葬此烈士傳云眉間尺名赤鼻楚人干將子考伍員眉間一尺得非附會言乎吳越春秋三王塚在汝南宜春縣晉北征記又以爲魏惠王任敬均不可據也

伍牙山西南六十里輿地廣記云子胥伐楚還吳經此山故名建康志子胥齒美避楚慮人識以石擊折

神護之不毀故又名護牙山元阿刺罕攻破銀樹東壩至護牙山敗宋兵即此

鐵冶山西南七十里前代鑄錢處

青山西南七十里山孑然峻削上有雲岫庵幽閒絕塵明高帝曾駐蹕於此留題一詩青山頂上一茅屋僧舍半間雲半間夜半雲去作雷雨回頭不似老僧閒按此歸宗卷主之偈溧陽舊志以爲高帝作姑存之

𨗨山西南七十里

茭山西六里上有龍潭東畔石壁臨溪勢如削成宋丞相趙南仲父子宴遊於此子趙稟題石字徑四寸筆法似晦翁南仲書則水石剝落矣

巖山西十里晉李閎追張健韓晃即此

姥山與巖山接

平陵山西三十五里平陵城在其西晉王允之斬蘇逸於此

黃山西四十里建康志云黃鶴仙人得道於此山下有黃鶴池仙人吳赤烏間人

芝之山西八十里山產芝草上有十數洞或有沸泉或有石燕雨則飛晴則止或洞中天設石枰石子或洞中復見天宇或洞中滴水不沾衣大者容數千人梅仙洞前一觀音石尤異

分界山西北八十里與溧水分界

土山北三十五里一名獨秀有白龍道院

雷公山北三十七里泉石秀潔昔有雷公鑄劍於此

尨屋山北八十里以形似名（李白詩）朝登北湖亭遥望尨屋山天青白露下始覺秋風還

丫髻山北八十里兩峯如髻句容志作帢幘山蓋二邑相接孔道也

呂山東北二十五里洮湖之上周處風土記昔有呂姥得道於此因名山巔有優曇界北望湖光空明如洗有泉甘冽宋時設巡司柵廣韻云呂鳥后切音甌山名在溧陽集韻云在陽羨或作孤山漢建武中封蔣澄爲孤山亭侯故一名孤山亭山（朱晦翁送都巡舍人）古寨依山麓頹垣近水湄有

兵耕綠野無盜弄潢池歲稔郵邨樂官閒事事宜我來無所餽聊遺一聯詩（元仇遠詩）岳姥峯高翠倚天洮湖春水綠無邊不知楊柳兼葭外何處泊君書畫船邑人袁正有岳山曉雲歌汪藻有函亭山野步詩

大篛山小篛山洮湖之山山形如釜

落霞山東北四十里有聖塔院

張汲山東北三十五里

屏風山南十里山右新建法輪寺山有宋學士秦梓墓

按秦梓檜之兄也不同檜惡亦猶王氏之安國也

磨子山辰山城子山南十里神山泉山二十里峽山二十五里金山氳里山結都山懸鼓山銀方山五十里

松山七十里

石門山西南十五里茅尖山十九里朝山呂望山二十里桂林山二十三里山後有大盤石二一曰太古元貞一曰留雲宋汪藻挹秀堂記云南則翠巘晴嵐與人應接者桂林山也

大坏山東北四十五里一名大巫一名大浮在洮湖中周處風土記云洮湖中有大坏山地里志云溧陽有湖山陶隱居云石孤聳以獨絕峭垂天而似浮小坏山輿地志云延陵承世界有小坏山山有石室室有虎蹟謝天選有宿大坏山詩

龍潭山荆山四十里虎山五十里獨山六十里龍潭山有潭澄泓一碧荆山二柱峯石怪峻師志云山有靈氣出雲必降霖雨又二泉大旱不涸田穀賴之獨山形勢聳秀爲金陵發脉之宗

秀山西七里姥山投龍山十一里漁父山十五里烏山二十里谷山四十里

花山西北四十里翼山七十里曹山八十里

橫山北四十五里小山六十里黃金山七十里句容界真誥云金陵古伏龍地以句曲金山生黃金一名句金所謂金壇之地肺居者可以度世因號金陵云地紀謂始皇望秣陵有天子氣埋金寶以鎮之非也

落馬嶺南七十里茶曹嶺南十七里胡治嶺十九里頭陀嶺二十里高官嶺六十里

金牛嶺南七十里四面皆山一嶺長亘十五里與廣德界

駟馬嶺三十五里鵓鴣嶺三十七里鷺鷥嶺三十八里
艸𩌏嶺四十里金冶嶺出鐵山謙之丹陽記云今揚
州鼓鑄之嶺以冶名職此也白沙嶺五十五里仙人
嶺石𣢾嶺重九嶺六十里
釭𠯑嶺南六十里又一里有長岡嶺年荒嶺𠯑音邅高貌
鯉魚嶺南五十五里松嶺六十里碧嶺七十里
上湖嶺南三十里丁山嶺四十里
新婦嶺西二十里伏脊嶺西八十里
以上溧陽
中山東十里孤聳不與群山伍一名溷山輿地志云溧

水縣濁山有濁水流演不息舊志云濁山即獨山獨山又即中山謂獨立於中也而邑志又云舊志云中山即獨山者誤郡國志山出兔豪爲筆精妙唐史至德二載江寧郡宋史建炎三年建康府皆貢筆時溧水隸二郡製筆之說所由來也

東廬山以形名東二十里相傳嚴子陵曾結廬于此有水源三一入秦淮一入馬沉港一入丹陽湖隋史設縣只名廬山山謙之丹陽記云縣東有廬山故又名東廬山邑人袁艮有詩

官山東二十五里一名官塘山有大塘築堰以資灌溉

分界山詳見溧陽

馬鞍山東南十二里一名溧陽山

石城山東南二十五里舊有石城書院泠水亭今廢

回峯山東南四十里渟滀一泓曰龍池濡縷一流曰龍泉東有水注平陸

仙杏山東南四十三里一統志云巔有杏林又有三仙壇及丹井清泉流入丹陽湖又名仙壇山

芝山東南七十里此山跨溧陽溧水二邑境詳載溧陽志

荆塘山南十里

甗船山南十二里一名感泉山陰有青絲洞泉脈澄泓四時不竭有張沈二士讀書堂不知其人井曰尚存甗音感船泉又同韻甗船無字義似即感泉之譌也

杜城山南十二里隋大業間杜伏威屯兵於此築石城故名有戰場近有僧結廬其巔名巢雲庵泉木幽勝

無想山南十五里上有南唐韓熙載讀書堂古檜古銀杏皆唐宋間植有元謝瑛招雲亭碑記山頂有泉下注成瀑布

澳洞山西南二十五里上有龍潭

石羊山西南三十七里舊志云金華山即黄初平起石羊處有牧羊仙洞

銅山西南四十里昔産銅縣志不載

李墅山東三十里浮山三十七里烏龍山二十五里落步山二十五里

蘆墟山東南二十三里清洪山二十五里邑人韋炳持形家言此山爲縣治來脉不宜斬鑿請示嚴禁馬占山東南三十五里豬山五十里東破山五十五里縣志又有靈嶽山方山荆山雲鶴山大山俱在六七十里外據縣疆東南至溧陽分界山五十里則諸山不得書又高淳志亦有荆山大山俱在疆域外似與縣分隸然志云在東南何也土山南五十里紫雲山六十里東壘山邑志壘作疊六十五里玉泉山一百一十里丁公山西十二里山頂石有宋潘并刻乙亥三年潘并過旺竹巖看山望馬十六字琛山十五里稟丘山三十里左仙山四十里琛山產玉稟丘山上有泉及唐太和古寺石龕方丈尚存

岐山西北十五里靈龜山二十里縣志二山不載梅山上義山四十里

愛景山烏山北二十五里雞籠山麻山三十里

鸞山東南二十五里巔有育德泉渟渟一窟味甚甘冽中有蜥蜴歲旱取水祈雨輒沛下建龍霖庵山影倒潭兩翼飛舞狀如青鸞

朧山西南六十里跨石臼湖東接鳳棲西朝雀壘一望烟波萬頃西北諸峯皆成遠黛可並芝山諸洞稱溧水兩勝

鳳棲山西南七十里昔有鳳止山巔故名雀壘山西二十里

遊子山南六十里舊志云　孔子適楚曾經此山故名山有石壇海內山名秦望甚多皆以始皇曾登故名況大聖先師乎當改遊子爲聖遊山

閔家山南六十里上有仙壇名石南社
小茅山西南三里一名玦山璚山一名竹山
雹山東十五里南頂有天池四面天然石嵌
荆山東二十里東南亦有荆山
觀山東南五十里山形陡峻有石屋可容數十人有泉不竭
西山南三十里平安山半山南十二里箬帽山大山東南四十五里
圓山北一十里白石山北二十里卧龍山二十三里錢山南山烏山北二十五里雞籠山秀山六姑山北三

十里赤龍山三十五里

乳山西三十里巖石甕削山下有玉乳泉渟注澄澈味極佳處士林古度曾隱居於此

大人山夾山北三十里軍山塔子山馬頭山望湖山俱石臼湖中嶢山北二十五里陡峻因名

華山塔山西十五里石山冶山麗山西三十里

橫山西三十里高百丈周百里跨上元界葛山西北二十五里白蓮山茅蓮山西三十里唐家山三十五里

以上溧水

鎮山東北一里縣原爲高淳鎮因以名山從石臼湖逸

運而來濵於固城今縣治在下

學山東一里儒學在山麓

馬鞍山東二十里鳳棲山二十五里縣志鳳凰山　橫山三十

里大游山三十七里南有石牛古蹟

遊子山東三十五里一名小游山即溧水游子山中有介子推墓　遮軍

山五十里城門山五十里大山六十里有水入固城

湖經五堰東入溧陽三塔港

荊山六十里舊志云即卞和獲玉處界溧水即溧水志荊山朱之蕃有碑記

秀山東南三十里舊名秀山舊志云有仙過此以鞭畫路形如之字今見存

譚林山南二十五里

木城山東六十里突起平地甚奇峻昔紅巾之亂民樹柵其上守之故名

花山東南四十里高出諸山上產白牡丹舊有看花臺

龍山東六十里山勢聳秀下有天泉秀水也天旱遠近皆取汲於此

象山東五十里明崇禎九年三月風雨起一龍土裂路分首尾鬚爪遺跡成範有醫士汪姓者掘其首下之土覓出冰片數斤

以上高淳

鳳凰山在縣治後一名曠口山

陸家山西一里歲旱則禱雨其上

馬鞍山西十里端凝秀峙若屏邑人石淮有詩

福龍山北十二里孤峯揷漢群嶂連雲大江帶前長河繞後中饒巖洞爲江北大觀萬曆間建眞武行宮於其巔前有獅山象山羅華皂纛七星巖香爐峯諸勝兩澗夾天門有杏花邨桃源洞東有靈泉邑學博陳廷策有記

西華山西十五里矗起平地

龍洞山西二十五里上有泉泉中有小青蛇稱爲神龍之種禱雨得立應見秦觀游湯泉記

天井山西三十里上石罅深不可測

峨眉山西三十里孟澤山五十里翠雲山一名北大山

陰陵山西四十五里即項羽失道處

赭落山西南六十里四潰山七十里項羽敗走至東城漢兵追之羽依山

爲陣卽此一名四馬山

東龍山西龍山南四十五里白子山南四十八里

定山東北二十里跨六合境卽六合之六合山屬縣者曰獅子峯西南麓有卓錫泉達摩宴坐石山陰有平遠樓爲浦人李嗣瑚隱居耕讀處

珠泉 一泓寒玉藻荇如浮鏡中中吐珠連貫而起樹掌則愈多一名喜客泉樓臺松竹甚佳今皆廢孫國敉舊有定山志珠泉志邑人定山先生莊泉在此泉建七亭於山首賦百

詩六首 湖西不了曹溪約江北扁舟未肯閒多謝先生眞好夢果然此會不人間紫金丹好神仙過太極九空日月還但得晦翁同老此定山須作武夷山蓬萊人自到蓬萊此老眞堪此地來眼底風光拈筆有空中樓閣接天開敢拚千古留公醉却有雙泉是我醅何處江門開老子題詩到此亦忘同萬事人間一隔喚醒數椽我屋傍秋藤醉眠老石三千丈知在青八第幾層望外虛名何我敢眼前門戶是君撐十年面

暫收心坐祇好平生去一衿乾坤契合有吾山公馬來時便一擧老眼不隨塵俗亂此心元共白雲門石逢古色看何厭水愛源頭坐不還只我相留貧草屋洞雲溪月也三間杖屨頻過活水灣我山眞果是何山烟霞豈斷千巖路天地誰偷萬古閒明月高梧無俗照桃花流水有仙寰時人識否公休問此樂予心自孔顏萬里風光散遠林晚峯羸馬正千尋手中日月九天地眼底風雲變古今幾筆畫工山水迹五經尼父聖賢心可堪白首猶多病鳳鳥河圖感慨深又陳獻章婁謙司馬亜皆有唱和詩曹學佺珠泉詩祇入巖巒逥誰知泉水生在淵猶自媚出潤始成聲好鳥入涯映繁花徹底明石家金谷妓見此倍盈盈孫國[illegible]十四日同錢文父珠泉坐月詩澤國秋能潤幽期獨往便千峯藏畫舫萬斛迸寒泉魚留聞歌起蘢宮借客眠笑看今夜月猶讓此珠圓一定山也南畿志於江浦稱定山於六合則稱六合山蓋以定山有六峯拱合故六合名山即以六合山名邑一統志又謂六合七十里又有六合山誤

金家山東二十里壁立數百尺望江南諸峯如畫下有金賢

文漪樓湯賓尹題額有記

象山北五里獅子山北七里七宂山北十里

石洞山北十二里山頂有龍池南有香巖極幽勝莊杲詩肩偶橫擔拄杖斜一頭山月一溪霞閒隨夢覺人間者未醉天樵洞主家禪自西來多栢樹詩非衆透在梅花夜來堪笑盧陵米又向山翁酒伴誇

黃悅嶺北十五里明初鑿通江淮東葛驛路爲南北孔道

駱駝嶺東北二十五里

龍洞嶺西三十里

臼篠嶺東華山北一十五里

以上江浦

六合山即江浦定山在縣南六十里有六峯拱合曰寒山獅子石人雙雞芙蓉妙高高二百六十丈屹巑拱合邑所由名也張和志云眞州六峯元時縣屬眞州明初又割六合地置江浦故山南西屬江浦有達摩崖宴坐石珠光峽卓錫泉虎跑泉一人泉白鼉泉珍珠泉皆勝地晉置秦郡南朝王元初僭號齊伯生獲壓宋崔皐擊敗金人皆於此山

靈巖山東十里高二百二十一丈郟溺叙巖峻常有靈氣故名靈巖有偃月巖磨盤石兩石相疊懸立欲落龍王泉鹿跑泉蔡老人洞白龍池瑪瑙磵產五色文石有雲霞艸木人物鳥獸狀甚

至篆楷字畫工好天然一石亭數金邑人以山爲市山靈乃自珍秘之近不易見知縣張啓宗建塔湯賓尹孫國敉各撰碑記

石帆山東南四十里矗起江中通體皆石若張帆然舊志云山北有出佛洞唐會昌中因汰浮屠教曾藏僧神建肉身於此宋鮑照有石帆山銘孫國敉有石帆山記

瓜步山東南二十里表裏江河爲六合五十三道水重鎮廬州滁陽水皆出山下宋鮑照稱其因迥爲高據絕作雄魏主燾侵宋鑿井與蟠道址尚存揚州志瓜步城在儀真縣陳宣帝大建五年置蓋因地利當水陸之衝當守也今但有巡檢司（唐獨孤及詩蕪城西眺極蒼流漠漠春烟暗戍樓瓜步寒潮建業蒜山晴日照揚州

冶山北五十里巑岏九十九峯峯迴障合聳青曳翠餘六合天長江都三邑界相傳吳王濞鑄錢所故名上有天井白龍池鐵牛洞通臂泉

赤岸山一名紅山東三十五里南兖州記赤岸山南臨江中濤水自海入江衝激六七百里至赤岸其勢始衰〔羅含詩〕赤岸若朝霞一郭璞江賦鼓洪濤於赤岸〔杜甫山水圖歌〕赤岸水與銀河通〔王維送封太守詩〕忽解羊頭削聊馳熊首轓揚舲發夏口按節向吳門帆映丹陽郭楓攢赤岸邨石城多候吏露冕一何尊告指此彔沂如曰南兖州記云海潮至赤岸始衰南徐州記云京江禹貢北江也春秋朔望輙有大濤聲勢駭伏極爲奇觀濤至江北激赤岸猶爲迅猛衰猛二說相反則眞州東有三赤岸也

方山東三十里舊志云秦文周置方州隋合置方山府皆于此山梁建寺其上曰興宗後更名

曰楼天古樂府云聞歡遠行去相送方山亭即此

横山東三十里拓跋魏置横山縣宋建炎間劉綱常保聚咸淳中施忠等立功俱在此上有禪證寺梁天監中建郎昭明太子讀書堂

馬頭山東北三十五里絶頂一石高丈餘嵬然矗起中一穴方徑尺渟水清旨不竭里人懸綆篗石投之莫量其淺深

啓公山北四十五里一山突起作金星伏田五里南起爲屏山而結縣治

牛頭山東北五十里蛾眉山東北四十里埨山唐貞觀間勅改埨子山栈子山東北三十里桂子山四十里吳沛山三十里尖山五十里黄董山三十五里西[illegible]

山二十五里

東龍山西北四十五里綿亙入來安界烏石山上有烏石寺寺有古桂奇極

練山西北二十里

熨斗山西北四十里地龍山三十里盤石山四十五里

巴山西北四十五里黃宏字巴山家此天啓間秋山庵僧夢堂所奉地藏菩薩右趺下生蓮花一莖凡四十餘瓣如栗玉色逾月又生一枝孫國敉繪圖爲記以誌其事

桃葉山西北七十里隋開皇間置六合鎮於此山見嘉定志

盤城山西南四十里傍有郭汾陽玉帶樓

平山西南六十里立江滸颯颯大觀也祝世祿平山閣詩一尊相向碧山頭俯瞰長江萬里流城闕南標龍虎氣水雲中泛杜蘅洲婆娑地盡三千界縹緲天垂十二樓飛鳥夕

陽低遠樹從人署我醉鄉侯〔太泌山人李維楨平山閣詩〕虛閣凌空控上游東南名勝望中收征帆遠影飛青雀坐釣閒情對白鷗十里深山猶負郭半江遺堞已爲洲年華逝水滄桑變有酒那能解客愁〔公安袁宏道詩〕石路穿寒松柔嵐破遠封白波千里船青靉六朝鐘雲老蛟還窟窗晴雨洗峯文心喻烟水吞吐幾重重

宣化山西南六十里〔嘉定志晉安帝隆安初置秦令於六合之宣化鎮六合之名始此〕

晉王山西南六十里沿江蜿蜒〔隋煬帝嘗爲晉王總兵伐陳兵出六合駐於此故名今山造塔〕

馬鞍山北二十里以形名

屏山北三十五里盤旋若屏頂皆作阡陌多泉實〔中有實勝古刹銅佛皆唐像昔有盜銅佛以石擊佛使碎佛大呼如雷〔孫國敉飲屏山新泉詩〕爾時得意事非但讀

奇篇養疾不廢醉買山兼得泉苔花連枕石柿葉寫詩箋閉戶逢時忌常辭賣賦錢

牟尼峯南二十五里達磨初祖折蘆渡江止長蘆寺今佛齒貝葉經尚存前有鐵參沙神牟尼峯菴乃寺之下院也

符融山東北三十五里嘉定志云秦符融嘗城此因名

蜀岡東北三十里南接儀眞東連江都綿亘數十里一名崑崙岡鮑照蕪城賦云軸以崑岡卽此蓋六合為蜀岡之首而蕪城其尾也唐右衛將軍陸孟俊自常州將兵萬餘趨泰州進攻揚州屯兵蜀岡卽此

以上六合

江寧府志卷之六

山川下

大江發源岷山合湘漢豫章諸水繞郡城之西南經西北過鎮江東流入海隸府境者江之南上自慈姥浦下至下蜀港江北上自浮沙口下至東溝南二百里而遥北不及二百里卽禹貢所謂中江亦名楊子江又名宣化江江之支流旁出其大者曰河小者曰港曰溝曰渡石激水曰磯水中可居處曰洲兩水之間曰夾縈廻者曰套水所注曰浦昔時江泊石頭後漸徙而北今又漸南長老相傳南岸民居今當在北岸

然尚去石頭十餘里也以此知陵谷變遷典籍難據茲特志其可知者慈姥浦在城西南慈姥山下與太平當塗縣接舊志云慈姥港洩慈湖以東水入於江近港又有慈姥磯今曰和尚港東下爲鐮刀灣又東爲烈山乾道志云吳舊津所也四面峭絕下瞰大江商旅泊舟於此以避風山之下洲爲烈山洲港曰烈山港伏滔北征賦謂之栗洲以山形似栗因名又謂之溧洲世說云桓宣武在南洲與會稽王會於溧洲有磯突出于湍間名曰亂石磯洲之東北是爲白鷺洲丹陽記云白鷺洲在縣西三里大江中多聚白鷺因名據今西關外街水環遶處當爲白鷺洲此特蒙其名耳非李白所詠也犢兒磯在南岸合板橋浦新林浦一流吐納

大江自大勝河以東有水數曲達於秣陵曰響水

燈蓋溝上新河次曰中新河次曰下新河明朝所謂
皆瀕江要地江北一帶稱險要者曰芝蘇河曰穴子
河曰王家套曰八字溝皆列墩瞭望又有長洲白沙
洲梅子洲句容洲秀才洲火藥洲皆江浦境自下新
河而東分爲三股一引石城橋一引江東橋一自草
鞋夾以達於江名曰三汊河夾之外爲道士洲上有
屯駐處曰江心營近南爲護國洲中口洲自道士洲
直抵北岸爲浦子口左右二水環抱縈廻名東西溝
自東溝而下以達於瓜埠濱江之地以洲名者曰攔
江洲工部洲官洲老洲柳洲趙家洲蘆櫓洲洲之東

曰匾檐河其北曰滁河沿瓜埠鎮東南流以達於江江之名曰宣化漾有洲亦名新洲自是而下爲石帆山山屹立中流如揚帆然故名又數里爲西溝近黄天蕩者爲東溝二水自江出皆折而西與儀真縣接六合江境盡於此焉自中口洲而下有山踞江而出者曰焦家觜又其下爲觀音山水曰觀音港有石臨瞰江水形如飛燕名曰燕子磯丹岩翠壁遠望如画江山勝處也磯上有漢壽亭侯關羽廟觀音閣俯江亭大觀亭水雲亭多名賢題詠由弘濟寺歷燾山[illegible]家渡袁家河東陽港遂接黄天蕩中有洲屬上元[illegible]

上爲草塲自龍潭而東洲渚限隔有斜腐洲洲太子洲洲之外有老鴉夾又東爲天寧洲皆句容界其諸水分流有曰白家溝楊家港雙溝港羅四港而邪溝尤爲津要自此而下遂與鎮江接江之中可紀者若此稽諸舊志多有不合其今昔殊稱名存實亡者據舊志亦附入焉碙沙夾在西南七十里馬家渡合興洲西南九十五里龍潭洲西南九十五里馬昂洲西北晉元帝渡江牧馬處梁南康王會理率兵二萬至馬昂洲即此概洲東北七十五里茄子洲西南十三里蔡洲西二十五里宋高祖破盧循即此鷄距洲西南三十五里烏沙洲西南三十五里楊林洲西南二十五里木瓜洲西南二十八里浮洲西南八十里鰻鰲洲西南七十里重雲洲

[illegible]南十五里西小江名澧江丁翁洲西南二十五里籮槍洲西南三十五里落星洲見落星山魚袋洲西南八十里形如佩魚因名烏江洲西南六十里與烏江縣接張公洲西南五里長命洲石頭城前梁武帝放生之所查浦石頭城南上十里蚵蛂磯石頭城下唐書江台符上書陳民間利病十餘條顯祖愛其才宋齊丘疾之使所親誘之痛飲沈蚵蛂磯下蟹浦西北十六里齊崔慧景軍敗走蟹浦即此新洲一名薛家洲與幕府山相對即宋高祖微時伐荻處迷子洲西南四十里投書浦石頭城北晉殷羨爲豫章太守赴郡人多附書至石頭渚以書擲水中祝曰沉者自沉浮者自浮殷洪喬不能作致書郵唐李白金陵望江詩漢江迴萬里派作九龍盤橫潰豁中國崔嵬扸迅湍六帝淪亡後三吳不足觀我君混區宇垂拱衆流安今日任公[illegible]滄波罷釣竿權德輿晚渡楊子江詩返照滿寒流[illegible]舟任搖漾支順見千里烟景非一狀遠岫有無中片帆風水上天青去鳥滅浦迴寒沙漲樹遠疊秋風江

空翻宿浪胷中千萬慮對此一清曠廻首碧雲深佳人不可望明姚福白鷺洲詩十里芳洲一水吞香風兩岸起蘭蓀蜃樓遠映朝暾出漁浦深添夜雨渾野鷺野鷗閑寂歷江花江草自黃昏何人得似扁舟侶款乃一聲烟水村邢昉大勝河看落日詩片帆來別浦落日忽啣山水色浮遙岫秋風臬臬故關浪低孤鶩過月出斷雲還成報何勞急淒清岸草間

秦淮始皇用望氣者言鑿方山斷長壟以泄王氣其源二一出句容華山一出溧水東廬山合流入方山埭自通濟水門入于郡城北經大中橋與城濠合西接淮青橋與青溪合南經武定橋而西又歷鎮淮飲虹上下浮橋自三山水門沿石城西北流以達於江或云本龍藏浦也支流屈曲不類人功惟方山西瀆屬

土山三十里許是秦開六朝建都咸倚之爲固

唐杜牧詩

烟籠寒水月籠沙夜泊秦淮近酒家商女不知亡國恨隔江猶唱後庭花

羅隱詩

今烟輕淡傍衰叢此夕秦淮駐斷蓬櫓雁遠驚沽酒火亂雅高避落帆風地銷王氣波聲急山帶秋陰樹影空六代英靈人不見思量應在月明中

明楊希淳秦淮曲

誰家樓閣隱修篁門對清溪一水長細雨捲簾還日暮數聲欸乃送漁郎

何湛之午日秦淮泛舟行

秦淮十里波搖空鏡中魚鳥荷花紅飛梁橫亘玉虬舞鐘山水際浮從籠米艷夾岸鬪奇靡凝日含風衍蹤迹驚鴻飛燕簾櫳下香霧空濛錦繡叢江東逸士誇孫楚銜杯覓息吹霓虹老了勝情殊不淺霍然起色隨羣公射黍共泛青絲笮蕩漾雲日變蒼穹人歌人哭不可辨洒船鬧尾如游龍巨艑鳴鑼載傀儡小刀鼓柑喧兒童哭歡門擂秦青調移舟靜聽迴天風曲終小技更迭奏[illegible]鐃螺梵諧商宮江南游冶自共俗况乃佳節逢天[illegible]歌聲漸稀景將夕空留烟月浸孤蓬繁華變幻亦[illegible]此悲喜合離俱轉蓬曾史長貧躡蹻橫禍福視人[illegible]夢夢上官讒成左徒溺千載誰分佞與忠汨羅之[illegible]

不可飽國狗之嚙何其雄險矣人心真叵測傷哉豈能離爲工但願五絲能續命年年勝賞故人同于慎行

秦淮詩

秋月秦淮岸江聲轉畫橋市樓臨綺陌商女駐蘭橈雲裡青絲騎花間碧玉簫不知桃葉水流恨幾時消馬世奇

秦淮曲

淮水潮來不起波江天芳樹暮烟多殘花落盡空秋色到處西風惜芰荷六朝金粉一樽愁手掩雙蛾勸客留別後相思都不見旗亭羌笛幾聲秋萬騎南巡正德年內家前隊鐵連錢白衣舞罷乘鸞去應有霓裳曲未傳周亮工

秦淮詩

紅兒家近古青溪作意相尋路已迷渡口桃花新燕語門前楊柳舊烏啼畫船人過湘簾緩翠幕歌輕紈扇低明月欲隨流水去簫聲只在板橋西曲曲銀河蕩晚霞蘭叢玉瑟間琵琶牆潮夜濕依欄石細雨朝開隔岸花薌茜無心臨翠蓋芙容有意映窗紗雲鬟月底分明盡妬殺垂楊一半遮不分合歡夜不開吹笙無力自徘徊鐘聲漸遠隨波去花氣將眠過渡來曲曲鴛鴦流艷夢垂垂楊柳繼深杯一生明月秦淮好到眼烟雲第幾回拂水殘鴉弱自持輕寒簾外影離離風吹香動花無骨露逼歌聲月有絲漁笛暗隨細雨落酒壚閒受綠陰支鍾山松老雲霞漫近日金

陵客不宜

青溪發源鍾山吳赤烏中鑿東渠名青溪通城北塹以洩後湖水其流九曲達於秦淮後楊吳築城斷其流今自太平門城由潮溝南流入舊內西出竹橋入濠而絕又自舊內傍周遶出淮青橋乃所謂青溪一曲也懷古者每多題咏〔宋〕馬光祖青溪詩人道青溪有九曲如今一曲僅能存江家宅畔成花圃東府門前作菜園登閣自堪觀疊嶂汎舟猶可醉芳樽料應當日皆無恙茗雪瀟湘不足言〔明〕宋濂晚步青溪上詩溪色涵膏綠溶漾正堪餐十步九還碎清芬襲肺肝渚牙既戢戢岸花亦戔戔潔鷗近宜狎貫魴清可捫流念梁陳際甲第繞其壖南鄰綺錢結北津銅網[illegible]倒景浸寥曠蒸氣濕鉛丹有時作清游肅舲艅軒泛爵溢朱組蓮筵到蟬冠荊偈逞妍曲秦豔發[illegible]

雖恐懸象墮不憂芳年單繁華隨逝水崇替起哀歎黄鳥背人飛響入華林園（高啟晚過青溪詩）王謝池臺兩岸空水禽爭哭夕陽中麗華妖血流難盡化作荷花別樣紅（顧起元詩）溪流如帶引青羅睨日輕移画舫過石熒雲花搖樹晚風香水葉蕩蘋多漁人尚指江淹宅商女猶傳子夜歌漫向檣橋倚欄望蒼茫宫月下江波（柳應芳青溪詩）泛雨還乘月扁舟中夜景芳就橋尋酒從開岸閉魚梁細荇搖風帶低荷假露房林疎恒覺曙溪淨好追凉鳥宿驚柔櫓流螢觸短檣只愁行欲盡歸路轉思長

御河明初開在舊内東出青龍橋西出白虎橋至百尉

橋入城濠

運瀆吳鑿引秦淮抵倉城以通運道今自斗門橋南引秦淮北流至北乾道橋東經太平景定至内橋與青溪合北經閃新崇道橋又西連武衛橋從鐵窗欞出

城

桃葉渡秦淮上今文德橋北 渡新設石橋以通往來按此渡自東晉以來歷代久遠未有設橋者良以通濟水關來水天門欲敞故也明萬曆壬子築壩應天脫科今順治太守李公惟設木橋固有深意以宜木不宜石耳康熙癸卯易木爲石以垂永遠意非不善然識者謂天門來水因橋閉塞非歷代設渡之意公議留此說以待後之君子酌而行之〔晉王獻之詩〕桃葉復桃葉渡江不用楫但渡無所苦我自來迎接〔明史謹桃葉渡詩〕重經古渡立斜曛愁見桃花雨岸春欲向東風唱桃葉江邊尚有別離人〔沈愚過桃葉渡詩〕江花含笑欲爭春江水籠烟柳色新商女停舟唱桃葉東風愁煞渡江人〔施閏章桃葉渡詩〕芳事東流去爭傳桃葉名當年曾照影終古尚含情画舫停歌扇悲笳動治城祇留一片月猶是六朝明

麾扇渡古朱雀航南今秦淮上

長樂渡秦淮上古朱雀航在今武定橋西

桐樹灣秦淮上今鎮淮橋東

楊吳城濠楊溥城金陵時所開自北門橋東流歷珍珠橋折而南截於通濟城支流與秦淮合又自通濟門外納重驛澗子諸橋水遂從西北至三山門復與秦淮合以達於江

珍珠河宋行宮後今成賢街南金陵志云陳後主泛舟遇雨水生浮漚宮人指爲珍珠故名通護龍河至太平橋西分兩派一出欄寨門一出秦淮戚氏云前志及史傳不見所起疑即運瀆也今自元武湖繞國子監號房後達珍珠橋者爲是大抵潮溝珍珠河二水皆引元武湖合於秦淮後南唐築城遂絶其流今惟存西北一帶云

御溝古御道兩傍實錄云朱雀門北對宣德門相去六里名爲御道夾開御溝歲久湮塞唐吳融詩一水終南下何年流作溝穿城初北注過苑却東流遶岸清波溢連宮瑞氣浮去應涵鳳沼來必滲龍湫激石珠爭碎縈堤練不收照花長樂曙泛葉建章秋影炫金莖表光搖綺陌頭旁沾画眉府斜入教簫樓有雨難澄鏡無萍易擲鈎鼓宜堯女瑟盪必蔡姬舟阜著通鳴鶴津應接斗牛迴風還灩灩和月更悠悠淺憶觴堪泛深思杖可投祇懷涇念慮不帶隴分愁自有朝宗樂曾無潰穴憂不勞誇昔勝清渭在神州宋王安石詩渺渺金河漲欲平數支分綠報清明常穿輦路漂花去更飲流杯送泝行靜見金輿穿樹影清含玉漏過墻聲衰顏一照自多感回首江南春水生

潮溝吳鑿以引江潮東接青溪南抵秦淮西通運瀆北連元武湖按建康實錄云潮溝東發青溪西行經古

承明廣莫大夏等門則今十八衛處也西極都城埒對歸善寺西南角則今雞籠山東也經閶闔西明門接運瀆則今笪橋西北也據後湖水經舊內城下流入竹橋者殆其故跡

護龍河宋鑿即舊子城外三面濠也今自昇平橋達於上元縣後至虹橋南出大市橋而止

新開河宋元鑿自三山橋歷石城橋定淮諸門由草鞋夾以達於江又自三汊河而南過江東橋與元運道合韓世忠碑記云建炎四年開

元運道在陰山下至元間以通粮運由大成港入江

明城壕朝陽門外自西折于北

古漕河一名靖安河自靖安鎮下鈌口取道入儀眞新河八十餘里宋吳聿靖安河記略曰江出岷山道峽與荆湘沅澧至洞庭積爲巨浸合沔水經潯陽東連彭澤別爲九道會爲中江東北至南徐州爲北江入于海惟中江自湖口合流而下奔放蕩潏吐呑日月山或磯之則其勢悍怒觸舞大艑兀若轉梗至其廣處曠數百里斷岸相望僅若一髮而艑艫上下中流遇風則四顧茫然亡所隱避自金陵抵白砂其尤者爲樂官山李家漾至急流濁港口凡十有八處稱號老風波而坑險阻者至是鮮不袖手東南漕計歲失於此者什一二宣和六年發運使盧[illegible]訪其利病得古漕河于靖安鎮之下鈌口謂其取道于青沙之夾河趨北岸穿坍月港縣港尾越北江入儀眞新河以抵新城下往來之人高枕安流十餘里以易大江百有五十里之險實爲萬世之役之始興楊子六合上元分治之云

蘆門河在上元縣六十里

竹篠港西至靖安東至石步南至直瀆北臨大江屬縣金陵長寧兩鄉張羽竹篠潭詩東雨不成雪客行[illegible]新晴迥睇三山外殘陽靄餘明江[illegible]不揚波歸流淡且平使者誠寡德國家有威靈笳[illegible]發中州櫂歌悲且清釃酒凌長風篇翰倏已成常讀皇華章征夫任匪輕愧無容詢効何以荅聖情

後湖在太平門外周四十里一名元武湖又名蔣陵湖湖本桑泊吳赤烏四年鑿青溪洩湖水寶鼎二年開城北渠引後湖水入新宮湖名始著晉元帝時名北湖宋明帝改名習武湖元嘉中黑龍見又名元武湖至明五年大閱水軍又號昆明池唐乾元中爲放生

池顏眞卿爲記宋熙寧廢爲田元大德中僅爲一池明初復爲湖貯天下圖籍于湖中洲上遂爲禁地燈火不入湖中洲凡五舊洲新洲龍引洲蓮萼洲郭璞墓天語亭歷代傳爲勝地［宋張敦頤六朝事蹟云元武湖吳後主皓寶鼎元年開城北渠引後湖水流入新宮巡遶殿堂窮極伎巧本朝天禧四年改爲放生池今城北十三里有古池俗呼爲後湖見作大軍教場處是也］［明計宗道過後湖記略云］天下版籍盡貯後湖南京戶部官率歲一往磨勘正德中壬申秋予叨職斯役過湖必出太平門命舟行可七八里許開立四顧其崖巘霄漢之表王氣鬱葱而峙乎東南者鍾山也疊連如屏如幃在西北者幕府山也巒嶺偃蹇盤伏於地而松森其上者覆舟山也挺拔而凸出城頭殿閣參差浮屠聳上者雞鳴山也山東西一帶列如懸榜者世傳臺城也峻嶒肙水而出者島嶼也傍視三法司隱隱錯[illegible][illegible]水之湄重崗疊阜遥連於其外巋然而鸞鳳峙[illegible][illegible]

而蛟龍走矣其中遠近芳洲如聚如五星紅紫綱錯
華綺如匹錦鷗鷺鳧鴻載飛載鳴鱗鱨鰋鯉以游以
泳則已目飫而心怡矣忽驚風暴作洪濤舂撞篙工
惶懼挐舟艤岸而行經敗荷間香氣猶襲人浮靄亂
荇牽舟綴楫已乃引人出渚兩岸薈蔚須臾抵小洲
遂舍舟以陟焉命隸剪荆分莽排霧穿雲逶迤而進
見數處頹垣廢址意前朝遺跡令人慨嘆復進望一
高丘隸指曰此相傳郭仙墩也衆徂我以上四圍樹
林蔽日復下故道向新建籍庫過石橋延佇其上見
日光射水晚霞相蕩回視湖上諸宇在蒼烟杳靄間
不啻蓬萊閬苑然豈不信爲勝地哉〔顏延年觀北湖
田詩〕周御窮轍迹夏載歷山川蓄軫豈明懋善游皆
聖仙帝暉膺順動清蹕巡廣廛樓觀眺豐穎金駕映
松山飛奔互流綴緹轂代迴環神行埒浮景爭光溢
中天開冬眷徂物殘悴迎化先陽陛團精氣陰谷曳
寒烟攢素既森藹積翠亦葱芊息饗報嘉歲通急戒
無年温渥浹輿隸和惠屬後筵觀風久有作陳詩愧
未妍疲弱謝凌遽取累非纓牽〔陳張正見詩〕上苑奢
行樂滄池聊薄游泛荷分蘭棹沈槎觸桂舟殘紅初
度雨缺岸上新流欲知有高趣長楊送來秋〔明蔡汝

惝元武湖供事解説澄湖上高齋擬石渠九州分職
貢萬戶入圖書常侍傳符後郎官對草餘緗緗隨處
滿人事此中疎積水神龍澤青蓮太一居烏帝喧靜
院雲煖護幽墟式重思周典先收憶漢初不知供事
日仰止意何如〔程嘉燧〕雨中出太平隄〔詩〕元武湖隄
似掌平澄湖淼淼淡微明水邊榔色浮官舍雨外松
聲違禁城佳氣忽連鍾阜變輕陰欲傍繖山晴春衣
一一從沾濕故拂林花並馬行〔文翔鳳〕後湖行日中
有瓊池月下有藥淵其精墮爲朱雀元武之二水鍾
陵疑郎須彌巔遂就前湖作殿闕五風攝處駐行天
滄滇操築又桑田自是水輪扶地軸不比羲仲御虞
泉簪石豈仗神鰲戴銜木非還恐精衛塡琉璃推現天
人界香水捧浮帝釋蓮獨留後湖照嬋娟金銀氣已
貯秋烟中有羣玉爲策府由來曲洛是書淵靈沼未
聞還宴鎬昆池何況本學滇鍾阜如龍下飲之島嶼
眞橫過海船鷄籠龍舟碧相揖雙蛾對鏡画春妍君
出太平門試拂堤邊榔天絲樹樹堪垂手錦水綉嶺
低回否長生新館立烟波萬頃明月萬頃荷荷柄[illegible]
花香入帯風來湖上竟如何〔王野〕後湖看荷花詩〔[illegible]
檢瀟湖[illegible]燁燁朝霞綺朱顏笑倚風分影與秋[illegible]

燕雀湖一名前湖或云白蕩湖即此窮神秘苑云梁昭明太子在東宮有一琉璃盌紫玉杯乃武帝所賜既薨置梓宮後更葬開墳爲閹人攜入大舶有燕雀數萬擊之爲有司所縛乃獲二寶梁帝聞之驚異詔賜太孫封墳之際復有燕雀數萬銜土以增其上故名湖

太子湖一名西池又名樂遊池在城北六里吳宣明太子創晉明帝爲太子時修西池養武士於內時人呼爲太子西池又太子東湖在丹陽鄉太子臺下梁昭明太子植蓮於此晉謝朓詩回阡被陵闕高臺眺飛霞惠風蕩繁囿白雲生層阿景昃鳴禽集水木湛清華褰裳順蘭沚徙倚引芳花

迎擔湖在石城後五里晉南渡時衣冠南遷客主相迎負擔於此今廢

張陣湖在石頭城相傳蘇峻與晉軍戰處

穩船湖在金川門外明初開引江水瀦以泊舟

蘇峻湖在迎擔湖北本名白石陂即李陽斬蘇峻處

夏駕湖在丹陽鄉即晉惠時石浮來處今廢

半陽湖一名半湯湖在城東北四十里週廻十五里水同一壑而冷熱相半考舊志即湯泉

攝湖在攝山之側

白米湖在城東與句容下塘村接

三岡湖烏意湖西干湖俱在東白社湖劉陽湖在東南

瓚石溪在東南四十八里源發白石岩經攝湖六十

里達于大江

長溪在東南六十里丹陽記云湖熟前有長溪受句容赤山湖水入秦淮〔謝靈運賦〕潭結綠而澄清瀨揚白而載華飛急聲之瑟汩散輕文之漣羅始鏡底以如玉終積岸而成沙

鐵冶溝在鍾山鄉馬鞍山之下有地三畝餘皆鐵滓時作三壩堰淮水灌壽州融江南之鐵載往築之

烏龍潭近清涼門相傳有烏龍見故名潭傍有唐時妙意菴〔明〕顧起元詩〕澄潭百頃靜含風虎踞西臨隔瀼東客路半穿紅樹外人家多在綠蒲中蘋交不礙看魚戲蓮密惟堪倩鳥通共說波心龍臥穩每驚雲霧接虛空〔吳兆烏龍潭詩〕潭光與月色清徹一團中陰過臨城樹涼當隔岸風窓虛涵若水亭廠坐如空幽極不成寐高懷有客同

天淵池在華林園一名天泉池宋元嘉中開江總池銘曉川漾碧似日馭之在河宿夜景流金疑月輪之馳水府景定志云今宮城後法寶寺西南荒池尚餘一畝即此池也晉孝武太元七年大旱井瀆皆竭供膳皆資天泉池明帝太始二年天泉池白魚躍入帝舟梁武帝詩薄游朱明節泛漾天淵池舟楫互容與藻蘋相推移碧沚紅菡萏白沙青漣漪新枝拂舊石殘花落故池葉歎風易出草密路難披

善泉池在臺城東一名九曲池梁昭明太子所鑿嘗泛舟池中或謂此中宜奏女樂太子乃徐詠左思招隱詩曰何必絲與竹山水有清音

覆杯池在臺城晉元帝以酒廢政王導諫之帝因覆杯池中以爲戒

飲馬池宋大明中立於上林苑中

濛汜池在臺城內〔晉張載賦〕挹華池之湛淡開重壤以停源激通渠於千金承瀍洛之長川挹洪流之汪濊包素瀨之寒泉既乃北通醴泉東人紫宮左面九市右帶閶闔風門墉建乎其表洋波迴乎其中幽瀆傍集潛流獨注仰承河漢吐納雲霧緣以采石殖以嘉樹水禽育而萬品珍魚產而無數蒼苔汎濫修條垂榦綠葉覆水芳蔭布岸紅蓮煒而秀出繁葩艳以煥爛游龍躍翼而上征翔鳳因儀而下覯想白日之納光覩洪暉之皓旰於是天子乘玉輦時遨遊排金門出千秋造綠池鏡清流覽華蘂以逍遙攬魚釣之所收纖緒挂而鱣鮪來芳餌沉而鰋鯉浮豊夥踰於巨壑信可樂以忘憂

鍾山水李衛公浮槎山水記云孝侯以鎮東留後出守廬州因遊金陵蔣山飲其水既又登浮槎至其上有石池涓涓可愛蓋陸羽所謂乳泉漫流者飲之甘則

鍾山水與浮槎之水其味同也

石頭城下水中朝故事云李德裕居廊廟有親知奉使京口李云還日揚子江中冷泉水取一壺來其人醉而忘之泛舟至石頭下方憶乃汲一瓶歸李公飲後訝嘆非常曰江水味異于頃歲矣此頗似建業石城下水其人謝過不隱

梅花水在觀音門內與善寺源自石罅中出明顧源梅花水詩獨樹依山脚寒泉浸石根潤通滄海脉雲沁玉池痕勝品標茶譜清寒逼酒樽冷然發真性巳見滌塵昏顧起元梅花水詩翠壁參天秀可掬靈泉清淺浸雲根波香自合花千影光滿惟涵月一痕闢茗好從烹石鼎漱流應許注山樽何人把取蘋蘩味為薦孤山處士魂

曲水晉海西公於鍾山立流杯曲水延百僚水經注云舊樂遊苑宋元嘉中以其地爲曲水晉庾闡臨曲水詩暮春濯清汜游鱗泳一壑高泉吐東岑迴瀾自淨臯臨川疊曲流豐林映綠薄輕舟泛飛觴鼓枻觀魚樂梁簡文帝三日侍皇太子曲水宴詩震德協靈年芳節淑濯伊臨灞蕩心愉目驟騎晨野縱金曉陸蕙風卷旌神飈舉轂層岑偃蹇聳觀岧嶢烟生翠嶂日照綺寮銀華晨散金芝之暮搖綠水動葉丹距映條

醴泉在神樂觀明永樂初醴泉湧出勅右庶子胡廣撰文

玉兔泉在儒學二門內秦檜見白兔入地掘之得泉劉基疑檜僞爲之乃作銘嗚乎泉乎夫何辜爲檜所汚世無吳隱之孰昭其誣嗚乎泉乎尼父大聖猶言其主瘠瘝與癰疽白兔之傳夫何傷於爾歟檜死爲蛆泉潔自如我作銘詩衆惑斯袪嗚乎泉乎終古弗渝

白騎泉北十五里石邁古跡篇云吳大帝時蔣帝乘白馬執白羽扇見形於此馬跑地成泉故名

玉泉在張山下味極甘冽濆出如倒斛珠舊名張山大泉

景陽井在臺城內陳後主避隋兵處一名臙脂井有石欄題十八字曾南豐集云辱井有篆文云辱井在斯可不戒乎不知誰為陸龜蒙詩古堞烟埋宮井樹陳主吳姬墮泉處舜沒蒼梧萬里雲都不聞將二姬去

龍天王井在臺城前舊傳梁武為帝郗夫人未及冊立因忿投井化毒龍帝立祠井上號龍天王井歷[illegible][illegible]

享祀

汝南灣東八里當秦淮曲折處晉汝南王渡江家於此有東冶亭在灣東南乃晉太元中餞送之所齊陸慧曉清介自立張緒目爲江東裴樂家於灣前張融自稱天地逸民牽船駐岸劉瓛弟璡并居其間水有異味至今取以釀酒極佳事見覽古詩註

開善塘　銅塘　王塘　水門塘　赤山塘　長塘俱東南　蠡湖塘　劉塘在西北　義溝瀆臨賀塘在東以上舊志溉田畝數因大旱小旱不同未可定論故不載

圩岸建康縣志一百三十五處

以上上元

上新河在江東門外由大江至江東門壩上爲商賈百貨所聚上新河壩係郡城外護昔人設此恐江水逼近郡城寇盗直行出入且郡城來水西流直瀉與本郡官民大不利前此有人網利誑詞通便甫開數月便有海寇近城之變又鄉會科名脫落城外商賈竄逃其明驗矣萬曆間鄉紳貴必選力阻其議順治丁酉紳士劉思敬吳樹聲白夢鼎等公請永塞奉督撫司道府縣各上臺允詳勒石永不許開眞一郡萬世之利也

新河在江東門外一名中新河又名直江口流通大江

官舟馬快船所泊處

古新河一名新開河在白鷺洲西南入大江

陰山河在陰山元浚上至官庄鋪下至毛公渡

大城港今名大勝關納大江東流又東有瓦屑壩其東
南會聚寶門城濠納重譯橋落馬澗諸水西南北與
秦淮合又北爲三汊河至龍江關外入江
莫愁湖三山門外相傳舊有伎盧莫愁居此因名明爲
中山王園對莫愁湖有五顆亭臨河水檻明以南柳爲途人小歇腳極幽勝縣志云楚有石城莫愁居之故因古樂府而誤爾起元又引唐賢今詩云莫愁家住石城西今湖甚通石城故縣志辯其仍在金陵是也但梁武帝詩云雒陽女兒名莫愁十五嫁爲盧家婦未知即此莫愁否古樂府莫愁樂莫愁在何處家在石城西艇子打兩槳催送莫愁來唐吳融詩莫愁家住石城西月墜星沉家到迷一院無人春寂寂九原何處草萋萋香魂未散烟籠水舞袖休翻柳拂堤蘭棹一溪風雨急流鶯千萬莫長啼余孟麟詩名湖今復作名園鷗楊依然向下門兩槳歌聲通酒舍綠雲樓閣傍花源風廻珠幕鳴絲出日映簾

題陽[illegible]將更是幾人[illegible][illegible][illegible]年年春南長芳[illegible]集茲

莫愁湖詩水[illegible][illegible][illegible][illegible]開[illegible]觀[illegible][illegible]人倚[illegible][illegible]落

華見苹抄眉[illegible][illegible]山色[illegible]金但野花徘徊湖上月一

借[illegible]芳[illegible][illegible][illegible][illegible][illegible][illegible]澄湖玉鏡光搴[illegible][illegible]帶畫

螺長酒人[illegible][illegible][illegible][illegible][illegible][illegible]女[illegible][illegible]一水香[illegible][illegible]不離

[illegible][illegible][illegible][illegible][illegible][illegible]上[illegible]金堂石城人去遺芳在誰憶雙

[illegible]向

[illegible]陽

三城湖龍口山下在今江寧鎮湖中舊有三小城因名

河湖在西南石[illegible][illegible][illegible]湖銀湖俱在南白都湖在白都山下

婁湖在東南十五里水流入[illegible]瀆輿地志婁湖吳張昭所創宋時築爲苑張昭封婁侯故名

梁墟湖高亭湖葛塘湖俱東南丹陽記王仲祖墓東南亦有高亭湖

艑澳在南十里梁武帝開以藏船水出婁湖

慈湖在南五十里連慈姥山今爲田石季龍入寇歷陽趙胤屯慈湖蘇峻敗司馬流于慈湖當此南北通衢也

白貳湖縣東南二十里其浸甚廣相傳有九灣十八汊名未詳

和尚港在江寧鎮西

板橋浦在南二十里闊三丈深一丈下入大江李白秋夜板橋浦泛月詩天上何所有迢迢白玉繩斜低建章月耿耿對金陵漢水舊如練霜江夜淸澄長川瀉落月洲渚曉寒凝獨酌板橋浦古人誰可徵元暉難再得灑酒淚塡膺范汭板橋詩板橋斷後無復春蒲荒柳禿波粼粼依稀一片昔時月來照鴛鴦不照人

江寧浦南七十五里源出當塗界梁書徐嗣徽任約領齊兵據石頭陳高祖遣兵往江寧要險斷賊路賊水步不敢進卽此

秣陵浦南五十里輿地志浦以舊縣得名

牧馬浦西南三十九里晉永和中置南朝放牧于此

查浦在石城南上十里盧循犯建業宋武柵石頭斷查浦卽此

新林浦西南二十里宋開寶中曹彬破南唐兵于新林浦卽此（宋謝朓出新林詩）江路西南永歸流東北騖天際識歸舟雲中辨江樹旅思倦遙遙孤游昔已屢既懽懷祿情復協滄洲趣囂塵自茲隔賞心于此遇雖無元豹姿終隱南山霧（又發新林詩）大江流日夜客心悲未央徒念關山近終知返路長秋河曙耿耿寒渚夜蒼蒼引領見京室宮雉正相望金波麗鳷鵲玉繩低建章驅車鼎門外思見

丘陽馳暉不可接何况隔兩鄉風雲有鳥路江漢限無梁常恐鷹隼擊時菊委秋霜寄言罻羅者寥廓已高翔（梁何遜初發新林詩）伊昔負薪暇慕義游梁楚敘歡忘連翩追飛散容與優游沐道教漸漬淹寒暑大德本無酬輕生竊自許舟歸屬海運風積如鵬舉浮水暗舟艫合岸豈徒侶凛凛窮秋暮初寒入洲渚鐃吹響清江懸旗出長嶼危檣迴不進沓浪高難拒回首泣親賓中天望宛許帝城猶隱約家園無處所去矣方悠悠含意將何語

九里汀東南五十里 戚氏志云城南大路過郭公橋長堤一道凡九里直達秣陵鎮吳永安山賊施但及丁固諸葛靚逆于九里汀今俗呼九里埂

落馬澗南五里一名南澗 宋孝武討元兇劭劭軍敗人馬墜澗中故名戚氏志南史有南澗寺慶元志南澗即今落馬澗宋有南澗樓題其榜曰躍馬澗見荆公詩今澗子就灣等橋所跨是也

柵塘在秦淮上通古運瀆王隱晉書王敦反沈充自吳至與之合司馬顧颺說充決柵塘灌京邑即此

橫塘在淮水南吳大帝自江口築堤謂之橫塘吳都賦橫塘查下邑屋隆夸樓臺之盛天下莫比

倪塘東南二十五里晉書王敦自湖陰使王含等逼京師帝親率六軍大破之于越城含率餘黨自倪塘西置五城如却月勢即此處也南史劉毅當之荊州東還辭墓去都數十里不過拜闕宋武帝出倪塘會之胡藩請殺毅不許其後北討謂藩曰若從卿倪塘之謀無今舉也

義井二一在石子岡唐保大間置一在報恩寺側李[illegible]

鑿唐李廸有義井記

鳳皇泉井在鐵作坊內

響井在陶吳鎮西北以紗帛蒙其上擊之作鼓聲投以瓦礫則作鐘磬響闌上有元祐五年四字

保寧古井舊在保寧寺卽今驍騎右衛倉門內深數十丈大旱不涸味甘美與鳳皇泉俱爲郡城第一闌上有四缺人相傳爲怪蓋緣下空濶恐易圮故以此承之無可怪也

三井在瓦官寺後金陵故事瓦官寺後有三井汲一井則二井俱沸

金沙井在鳳泉稍東

忠孝泉近忠孝亭

雷山義井在德恩寺內闌上刻雷山義井篆畫甚古

永豐等圩二百八十七處〈韓無咎永豐行〉丹陽湖中圩風邑晴日波光漾南北湖岸

人家榆柳行風颭低昂似迎客繫舩並峙聊一呼老農指視官田圩長衫紫領數百輩見我羅拜長嗟吁政和回顧五十載官築長圩宛然在東西相望五百圩有秋由來得無害官圩民圩奚所拘此地無田但有湖圍湖作田事應爾底用徹地還龜魚民圩不堅自招水水潦何嘗鎮如此官圩六十里如城削平爲湖定何理請看今來禾上場七百頃地雲堆黃縣官糴米三萬斛度僧給牒能商量我聞此語汗生面千聞不如目一見吾君神聖坐九重輕易獻言誰復辯却憶吳中初夏時舂揷去決湖田圍鷄鶩上籬犬上屋水至不得攜妻兒無田赴水均一死善政養民那得爾寄言父老且深耕爲汝馳書報天子

附明南京工部尚書丁賓題准開濬河道疏略云留都形勝鍾山雄峙盤踞大江以水爲脉城中舊有正支等河自水西門筏渡橋起進水西水城門西水關[illegible]下浮橋上浮橋新橋南門橋鎮淮橋武定橋文[illegible][illegible]濟至通濟水城門內東水關西水關內大中橋[illegible]成[illegible]橋延津橋竹橋珍珠橋新浮橋通賢橋北門橋[illegible]西潭止此爲正河又由陡門橋紅土橋乾道橋[illegible]淮清橋四象橋內橋會同橋笪橋二水會合俱[illegible]

新橋倉巷橋望仙橋周家橋鐵窓櫺水關出城是爲大支河又由東西長安門下流水至白虎橋會同舘橋烏蠻橋柏川橋出正河是爲小支河又由從湖水閘從土橋浴賢橋珍珠橋出正河亦爲小小支河又由十廟西門舊名進香河內新建橋西倉橋大石橋嚴家橋蓮華橋出正河亦爲小支河其陡門橋淮清橋二水總至鐵窓櫺之大支河包藏于正河之內其柏川橋出口者珍珠橋出口者蓮花橋出口者三小支河環于大河之外用以吐納靈潮疏流穢惡通利舟楫故居不病涉小民生業有資譬如人身臓腑居內有血脉榮衛以周流也若使血脉一淤則元氣底滯而身必受其病故河道之開塞所係良非輕也考自萬曆四十三年十一月內允公請開濬下次年五月疏濬告成計支官費四千六百有奇以故明季水道安瀾人文蔚起

本朝以來正河淺狹極矣支河壅塞更不可問如康熙二年八月間河水泛濫瀰漫闤闠覩湍流而追往績能忘前事之師乎但今昔時移勢異昔有存留經費今則餉用爲亟不能爲無米之炊昔有都水專官今則裁汰不復亦誰爲任勞之人然經費固不可支

而令各戸以門面計濬河之工都水雖無專官而以街道兼水利之政事尚可行伏惟加意地方幸甚

顧文莊云與化李君思聰嘗建議自南都抵京口至江水險惡往來舟楫嘗有風波傾覆之苦謂大勝關至燕子磯一帶有內河故數十里無長江之險今燕子磯以下抵京口一帶舊有河形宜加開濬則一百八十里江險可以引避此漕運與士商往來之永利也余甚韙其論因考舊志古漕河一名靖安河在龍灣市上元金陵鄉宋吳聿靖安河記略云自金陵抵白砂江險其尤者爲樂官山李家漾至急流濁港口凡十有八處號稱老風波而玩險阻者至是鮮不袖手東南漕計歲失于此者什一二宣和六年發運使盧公訪其利病得古漕河于靖安鎮之下鈌口詢其取逕道于青沙之夾趍北岸穿坍月港由港尾越北小江入儀真新河高枕安流八十餘里抵揚州新城下可易大江百有五十里之險按此論正與李君意同特彼在逕趍北岸此則專傍兩岸抵京口耳此岸之河今亦壅塞蓋江水東西衝決不常松江洲地時有坍卸入江者今上新河舊傳自江東門可數里至江岸今不過里餘矣陵谷變遷江上尤迷李君之意[illegible]

兵俟荆與習江上地形者籌之

顧文莊城內外諸水考曰江寧自秦淮通舟外惟運瀆與青溪古城濠可容舴艋然青溪自淮青橋入至四象橋而阻運瀆自陡門橋入西至鐵窗櫺東亦至四象橋而阻以河身原狹又民居侵占者多易爲湮塞也頃工部開濬青溪運瀆其意甚韙然此河之開僅城中利搬運耳若郊外諸湖淤塞既多秦淮源遠而受水復衆湖秦淮之發源一自黃堰壩而東上抵句容之南門一自方山東南上抵溧水其諸水相灌注一支繞方山東面上抵彭城山一支自張山上湖金陵鎮過馬家橋抵橫山一支西抵後乾橋一支西抵陳墟橋一支自上方門外小河東歷高橋門抵滄波門郭內一支自潤子橋南上至天界寺此皆可以行舟而爲田地侵蝕遂多狹窄且易淤墊伏秋水漲處處梗咽葢溧水溧陽句曲諸水惟一秦淮爲之尾閭夏秋江潮盛大上壅下泛無支流分洩所以近年江寧時苦水而鄉間尤甚正坐此耳若當事者肯議爲挑濬或令傍河有田者計其畝數幇出工值委兩縣官分程督濬功成之後不但支流分派水無汎濫之憂而往來搬運舟航所至省財力無限關係國賦

民食者非輕此當首宜講求者
又續考曰余前會言城內外水利因考金陵新志載東南利便書曰建康古城向北秦淮既遠其漕運必資舟楫而濠塹必須水灌注故孫權時引秦淮名運瀆以入倉城〔今斗門橋以北一帶河至鐵窗欞者是〕開潮溝以引江水〔今北門橋至珍珠河一帶是〕又開瀆以引後湖又鑿東渠名青溪皆入城中由城北塹而入後湖此其大略也自楊溥夾淮立城〔今自通濟門起西至石城門皆是〕其城之東塹皆通淮水〔今通濟門外上至南門一帶是〕其西南邊江以爲險然春夏積雨淮水泛溢城中皆被其害及盛冬水涸河流乾淺在今日正與宋無異宋隆興二年張孝祥知府事奏秦淮流經府治正河自鎮淮〔今南門橋〕新橋入江其分派爲青溪〔今淵神宮後一段經四象橋一帶入是〕自天津橋〔今內橋〕出柵寨門〔今鐵窗欞〕入江宋時水西旱西二門外未有土也石城下即臨江柵寨門近地屬有力者因築斷青溪水口創爲花圃每久雨水暴至則正河不能急洩水勢于是泛濫城內居民被害今古潮溝青溪運瀆河身皆爲住民日久侵占堙塞不通故水患正與此類今欲復通柵寨門使青

溪徑直入江則城內永無水患及汪徹纘孝祥知詔敕皆定以聞徹言開西園古河道通柵寨門尤[illegible]從之戚氏志云秦淮水源甚遠小川流入者衆又來貯水湖衍後世築爲圩田日多每夏雨暑至江潮復涌水即泛濫皆經流城內一河入江自源及委所過不計幾橋凡遇一橋皆爲水石岸堰東扼及居民築土侵狹河道故水失其常横流弗順是以必脊柵寨門河（今內橋以西至鐵窗欞）及長干橋下河（今南門外大橋）分洩其勢其關於國賦民食者非輕如云通便舟楫特是小事自前如壽祥所言止謂城內被水然多不過數日即退其害亦輕若觀鄉外圩田始見其害可畏耳上元江寧溧水多賴圩田每遇水至則舉村闔社日夜并力守圩辛苦狼狽於淤泥之中如遇大寇幸而雨不連降風不涌浪可以苟全一歲之計其爲壞決則水注圩中平陸艮田頃刻變爲江湖哭聲滿野挐舟結筏走避他處國賦民食兩皆失之是皆水不安流之故耳其言城內外水患最爲明切痛快與余前言郊外水患合節今諸湖既難議復惟濬支流一節稍可舉行是在

有地方之責者亟議求利爾

論曰顧文莊諸水考謂城內支河淤塞久雨泛溢民間受害宜從天津橋出寨柵門則直瀉易退不知青溪必與秦淮合襟繞南出三山門水關方環抱有情故內橋以南得環抱力大中橋以東得合襟力乃富貴輻輳而各衙門峙焉明高帝經營大內集天下明堪輿者共謀卜築經營豈猶未善再考古建鐵窗櫺時水固易退而秦淮一帶不過洲渚相瀠黃蘆白蔣之鄉其明驗矣然則今城內支河當濬鐵窗櫺必不可開或非無據也愚不揣妄言莫若於鐵窗櫺三山門水門各設壩一道若久雨城中湮没暫開鐵窗櫺

分泄水勢少退即閉以固其氣三山水門貼城牆築壩一道立禮樂射御書數六版以觀水信水及禮樂版則枯涸矣水及射則低田沾足矣水及御則高田亦可桔槔矣水及書則低田澇矣水及數則高田亦澇矣立十尺之地而四方數百里水勢如在目前視其高下之準以為遠近疏通開鑿之功不亦善乎若冬日水落即閉壩蓄水以通商民販載往來之事則城中血脉流通而諸病或可不作矣宋蔡君謨引水繞壺宮山後菁中人物遂盛近常州鄒之麟築文成壩遂科第蟬聯甲天下由斯觀之水何可無情直出

哉

以上江寧

古漕河北七十里西入江官塘河東五十里東北流入延陵新河東四十里其源出駒驪山由丁角入長塘湖注太湖黃堰河西十五里流入絳巖湖崛河縣東絳巖湖一名赤山湖西南三十里周百二十里下通秦淮上元句容兩縣溉田二十四圩南去百步有盤石爲水疏閉之節吳赤烏中創宋明帝復使沈瑀築赤山塘即此唐麟德中令楊延嘉因梁故堤置後廢大曆十三年令王聽復置周百里立二斗門以節旱

明萬曆二十九年縣令茅一桂欲咨訪水利以圖民生永賴議得高鄉以地之凸凹爲水之盈涸相地置閘謹啟閉時畜洩灌溉之利不勞餘力低鄉自秦淮河以西蘇培橋以東相距數里若濬爲一河自可直達仍東西置閘防其壅涸從中經紀其陂池鱗次其塍隴不失前代築堤建二斗門之意上諸臺不報

江城湖西北六十里周家湖南五十里今爲圩

白李溪東南四十里

上容溪南三十里源出中茅峰經蘆江橋赤山湖入秦淮

斗溪南七十里源出瓦屋入蒲里溪龍淵溪南四十里

源出仇山入絳巖湖

高平溪后白溪南四十里出浮山入絳巖湖石溪北五

十里出胄山入絳巖湖

楚王東西二澗大茅峰下冷水澗茅山玉晨觀北即蒼

龍溪水漱石出其色如玉即今茅山石也

破岡瀆東南二十里吳鑿上下十四埭上七埭入延陵

界下七埭入江寧界晉宋齊如故梁湮之更開上容

瀆陳高祖復修破岡瀆至隋乃廢

九曲溝東一里泉水清泠縈迴九曲土不崩湮中有一埼形如龜雖大水不沒茂林修竹掩映

恭和上人觴詠竟日忘歸

龍潭北八十里臨大江今設巡檢司蔣主忠經龍潭故居詩不到故園久寧辭歸路遥山光自今昔人物嘆蕭條古鎮東西市長江旦暮潮何當尋舊業來此伴漁樵

菖蒲潭茅山許長史學道處

下蜀港北六十里

葛公煉丹井陶隱居井茅山華陽宮前歲久湮沒政和初道士莊慎修家而得之瓦井闌雖破合之尚全環刻大字云先生丹陽人仕齊奉朝請壬申歲來山自號隱居

沸井東三十里虎耳山週十二丈聞人聲則沸

甪里丹井在譚家橋澗底甪里先生煉丹處井方圓十餘處昔有西域胡人飲木因取其土囊之去

梁昭明太子福鄉井在茅山鴻禧院東

市曹義井在坊郭東南隅唐李衛公屯兵于此所鑿飲之益人壽

喜客泉撫掌泉在茅山二泉客至撫掌則有珠連貫而起

田公泉茅山玉晨觀真誥言華陽田公泉飲之除腹中三蟲

玉蝶泉茅山飈輪峰西至冬一冷一熱又名陰陽泉

朱砂泉小茅峰西泉色赤西山記云司命君埋西湖玉門丹砂於中茅峰之巔泉水赤

石龍泉在仁信鄉石龍岡南有石山自西轉北若龍自天而下有洞如口深數十丈泉自洞中淙淙下味比錫山惠泉句曲最勝境也

湯泉湯山之麓東南皆有泉噴而出熱不可手探

放生池宋紹定間建邑令張偘記

拗月灣池縣西葛仙菴每中秋月圓則水中月影方半相傳葛稚川幻術也

洗心池茅山乾元觀西池上石壁陡立下石坡斜衍池在其中相傳爲魏元君洗心處石壁上有洗心池三字筆法遒勁隱而不見必以池水洗之方見真奇蹟也

郭干塘水常滿鄉人涸之必有震雷

圩岸舊志九十六處今惟存六十三處餘已廢不知所在

以上何睿

間史載溧陽水記曰溧陽諸水於東於東之南於南皆去之道於西於西之南於西之北於北皆來之道其西由固城踰五堰而下經昇平三塔諸溪至南渡橋又由溧水曹姥山過舊縣來會直注雙橋至城下繞城之東南出秦公橋過戈旗壩折而西入荆溪戈旗壩之未築也可一帆以西水類以折爲秀壩築而城之氣靈其由雙橋分流者三其一南渡以來之水也其一曰中河逦入瀨溪重洲小渚楊椰如堡人家相接舟行若窮忽又得路而水之由舊縣橋分流至謝達滄來會亦名前馬蕩其一則由胥渚橋北行由崑

嵜橋東流直注楊巷入荆溪則正東之流也其向正北歷沙漲涳至甓橋則大江之水由金壇行六十里潮汐往來正與之合中折而東則由坟橋至長蕩湖水畢滙焉方言湖水上下無恒流經此輒會曰坟義若有取於交聚云蘆葦魚族之利濵湖者得有之而未嘗多辱賢者之幽棲於此也豈其氣未深與湖之港隷於金壇者又不知其幾也而稍南則由石塘橋直注荆溪又稍東則仍會於楊巷焉其西北髻峰瓦屋諸山之水則北下甓橋而注長蕩湖其東南銅官諸山之水則由戴埠支折分入黄墟白雲諸蕩而注

荆溪水之源流如此則凡啟閉修廢之故庸可忽諸或曰溧陽東南多山西北多水而水直注則無奇蓄不深則難久故氣之靈常遜於義興金沙雖然依渚結茀力諸田者有以自食則又水利之通而可久者乎故詳列諸水俾知所考焉

溧水一名瀨水西北四十里前漢地里志云溧水出南湖水北曰陽今宣城南湖正在固城湖北故曰溧陽

中江西北三十五里相傳古三江之一桑欽水經云中江出蕪湖縣西南東至陽羨入海符志誤引禹貢注之淞江婁江東江爲三江似非

投金瀨西北四十里源出曹姥山入長蕩湖伍子胥避難溧陽道中有女子擊綿瀨上子胥乞食曰掩爾壺漿女子投瀨死以明不洩後子胥欲報德不知其家投金瀨水而去

五堰西八十里堰即廣通鎮春秋時吳王闔閭伐楚用伍員計開河以運糧今尚名胥溪河及傍有伍牙山云左氏襄三年楚伐吳克鳩茲今蕪湖至於衡山今在烏程哀十五年楚子西子期伐吳至桐汭今建平蓋由此道自是河流相通東南連兩浙西入大江後不知何時漸湮景福三年楊行密據宣州孫儒圍之五月不解密將臺濛作魯陽五堰拖輕舸饋糧故軍

得不困卒破儒爵陽者銀淋分水等五堰壩左右是也壩西北有吳漕水言吳王行客所漕也至宋時不廢故高淳水易泄民多墾湖爲田者而蘇常湖三州承此下流水患特甚宜興人進士單鍔採錢公輔議著吳中水利書以爲築五堰使宣歙金陵九陽江之水不入荆溪太湖則蘇常水勢十可殺其七八元祐中蘇軾稱其有水學并其書薦于朝時未及行元阿剌罕敗宋兵實出此道久之河流亦塞至明初定鼎金陵以蘇浙糧運自東壩入可避江險洪武二十五年復浚胥溪河建石閘啟閉命曰廣通鎮又於湖中

閘河一道鑿溧水臙脂岡引湖水會秦淮河入於江于是蘇浙經東壩直達金陵後遷都北京運道廢希入震澤餘見高淳固城湖下按東壩之築相沿已久東坡奏議畧云溧陽西有五堰者古所以節宣歙金陵九陽江之水直趨太平府蕪湖縣後之商人販賣簰木東入二浙以五堰爲阻因詒官中廢去五堰既廢則衆水暴漲皆入宜興之荆溪明初雖通運道隨鑿溧水石河引而北注而于五堰築城壂壩矣

謝公滄在城北下傳爲謝眺洗硯池宋盧多遜詩園郷可待謝公吟研池香墨今餘幾欲與君家寫四箴鳴禽春色深江山

謝婆涂在南城下卽齊宣城太守謝朓故宅

長蕩湖北二十里舊名洮湖其水東連震澤酈道元水經注以此爲五湖之一一作長塘湖與金壇宜興界張籍詩一斛水中半斛魚言鮮食之廣也中有山望之若浮名浮山亦名大坯山周處風土記云洮湖中有大坏山地理志云溧陽有湖山陶隱居云石孤聳以獨絕岸垂天而似浮又有小坏山祥符圖經云湖周廻一百二十里晉咸和四年蘇逸以萬餘人自延陵湖將入吳興又王恭兵潰走至長蕩湖卽此明朱多炡泊長蕩詩蒹葭一望暮蒼蒼長蕩湖頭雁水長堤道今朝楓葉盡夜來七十二橋霜

黄山湖西三十七里黄山下周五十里

三塔湖西七十里周四十里一名梁成湖西南與昇平湖接俗名三塔滁

昇平湖西七十里水自五滁東流入湖又有溪水南自建平梅渚來會

瀨陽滁西北四十里卽瀨溪也

朱湖東南八里郭璞江賦云其旁則有具區洮滆朱滻丹瀁水經注云朱湖在溧陽或云卽曹蕩圩是

千里湖東南十五里一名千里滁陸機云千里蓴羮未下鹽豉沈文季云千里蓴羮豈關魯衛皆指此今湖已淤蓴不復生

百丈溝南三里一名百步溝源入燕山東流入白雲溪舊有壩三十四儲水以灌高田歲久淤塞明弘治初知縣楊榮開濬餘八百丈中存九壩民賴其利

黄墟蕩南十里周五里東北流入白雲溪

綠車涇南十里連黄墟蕩下屬白雲溪歲久淤塞明成化間知縣熊達疏濬

高友溪南二十里源出廣德下經黄墟蕩合白雲溪

舉善溪南三十里源出廣德東北入高友溪

白雲溪東南十里一名白雲涇溪流清澈雲色輝映南流入荆溪

香苗塘西南六里宋塘二十里廣三十五畝丁家塘西六十里廣一百五十畝

葛溶滄西十五里周四十五里西連西昌滄今成圩僅存一派可以通舟楫

新昌滄西三十里

舊縣江西北四十五里水自分界入上與埠東流至南渡滄會

涇瀆北三十里

沙漲滄北十里宋謝朓詩緩步遵蒴渚披襟帶蕙風芙蕖舞輕帶包筍出芳叢浮雲自西北江海思無窮鳥去能傳響見我綠琴中

溧水東南九十里在溧陽境內分於溧水以上溧陽

吳王漕水東南四十里源出東廬山南流入吳漕馬沉港入丹陽湖

大山水南六十里源出固城湖圖經云經五堰東入歷陽三塔港

橫山水西三十五里兩源東會於望湖山下至石湫壩入秦淮大河

秦淮河詳載上元

臙脂河西十里明初定鼎金陵欲通蘇浙粮運乃命崇山侯李新焚石鑿河引石臼湖水會秦

淮以入於江口永樂遷都運道廢

丹陽湖西七十里春秋左氏傳哀公十九年楚子西二十朝伐及桐汭杜預註廣德州有桐水出白石山入丹陽湖

石臼湖西南四十里湖中有軍山塔子山馬頭山雀壘山處士邢昉隱居處

沙湖南六十里今開堰周五十畝

龍潭西南二十里南通石臼湖北連臙脂河歲旱雩禱有應

石龍潭南九里源出青洪山北流入秦淮河

蒲塘港南二十里還步港東南三十五里縣志云二源出自方山西

流入石臼據金陵志方山在六十五里之外似爲未確

馬沉港東南三十七里源出分界山西流入石臼湖

花溪西南四十里源出左山入石臼

丁公澗南二十五里自丁公山流入臙脂河

泠水澗東南二十五里源出荆山塘西流入石臼湖

稟丘泉稟丘山頂　長山泉　育德泉鸞山頂　鳳泉無想山知縣王從善鑿　龍泉廻峰山下　玉乳泉乳山石巖下

官塘上原鄉　草塘仙壇鄉　土塘上原鄉　兩重塘白鹿鄉　尚書塘周數十畝淵深莫測大旱不涸

薪縣堰南與高淳連界內有羅城等九圩六埠四堰[illegible]有土壩數爲洪水衝沒明末請造石閘春閉秋開永無水患

上方井西二十里上方寺中井上刻字云唐貞元記相傳即孫鍾種瓜井

以上溧水

官溪河自縣南西環四門即淳水與固城湖相連北入石臼湖

漆橋河東三十里

胥河縣東南四十里春秋時伍員伐楚鑿河由鄧埠抵廣通鎮故名

澄溝河縣西三十五里宣水由此入蕪湖太平近宣岸

水濁近此岸水清

石臼湖詳見溧水

丹陽湖西南三十里中流與當塗縣分界東連石臼固城二湖其源有三出䣕縣者爲舒泉出廣德白石山者爲桐水出溧水東廬山者爲吳漕水三湖匯合其流分二一西出蕪湖一北出當塗姑孰出江唐李白嘗游此湖愛其風景毎張帆載酒任意往來有詩湖與元氣運風波浩難止天外賈客歸雲間片帆起龜游蓮葉上鳥入蘆花裏少婦棹輕舟歌聲逐流水

固城湖縣西南五里北通石臼丹陽二湖與當塗宣城分界縣志云與宣城慈溪相界府志載與當塗界謬湖東有廣通鎮壩壩[illegible]

有河築五堰設閘啟閉導湖水由常州宜興入太湖後因蘇常水患乃以石窒五堰浴鐵以錮石明洪武間復疏通之以便蘇常松浙糧運永樂元年蘇常被水乃築壩設官管理湖水遂不入太湖

舊志論曰廣通鎮壩者所以障宣歙金陵姑孰廣德及大江之水使不入震澤也前代若蘇軾單鍔及明朝吳相伍周文襄皆議築五堰以成蘇常陸海之饒其爲壩下諸郡者善矣第堤防一築水勢日壅淳之田將圯爲湖者未有紀極也嘉靖戊戌覈田致虛懸米八千夫田日淪沒而賦額不減淳民之困可不思所

以蘇之哉

横溪在東牛兒港於家港東溪俱南蘆溪煉溪俱西北

官溪河龍潭灣月潭灣俱西王母澗在東

白龍潭縣南十五里秦家圩内毎白龍見則有水變以上高淳

大江在縣治東三里上曰揚子江抵浦子口曰宣化江

其中流爲鰻鱺洲與江寧界

王家套河在縣南三十五里上通三山下通八字溝爲

往來要渡

三汊河治北三十里滁河與黄山水合流於此經六合

瓜步口入江

浦子口河東二十里源出定山阜錫珍珠二泉由浦子口城西入江

新開河東二十里自三汊河由六合出瓜步口入江

沙河東三十里宋天禧間開引江水支流下至瓜埠入江舊志云范仲淹領漕時以大江風濤之險乃開此河通瓜步入江明初新開路建沙河橋

穴子河南四十里白馬鄉界南自大江通芝麻河石蹟橋河水合流至西江口入江

脂麻河南六十里由大江入遵教崇德鄉合白馬河入江

白馬河在白馬鄉通石蹟橋出西江口

後河西北三十五里源出廬州舊梁縣至境內茅塘橋出瓜步

八字溝渡東八里濵江

虎跑泉　白龜泉俱在定山獅子峰下　卓錫泉在定山寺內樓下暗流出池世傳梁時初祖達磨宴坐石崖思西域水以錫杖卓地遂得泉

珍珠泉詳定山下

湯溝泉北三十里北流入三汊河

湯泉西南三十五里水溫有香氣昭明太子嘗浴此呼

爲太子泉明高祖賜名香泉泉上有松二株昭明太子手植極攫拏之勢〈秦觀詩〉溫井霜寒碧甃成飛塋不動玉奩清老翁仙去贏驂共太子東歸廢治平據石聊爲跛陀觀決渠還落偃溪聲浣腸灌頂雖殊事一洗勞生病腦輕

東龍塘西龍塘俱遵教鄉

孤塘在狄家坪

義井西南六十里宋張某爲觀察司其家析後族人漸貧乏復同居聚飲於一井鐫其上曰義井事聞旌表今井尚在

以上江浦

大江自唐家渡至瓜步就清一帶皆屬縣境巡哨江界

滁河在西南自廬州府巢縣發源經滁和界會五十四

流入縣境東南三十餘里至瓜步入江水經註云滁水出俊縣唐六典淮南道大川有淝滁吳涂塘晉涂中宋時金元屢犯滁口即此

冶浦河縣東二里源冶山水北通天長自縣東關帝廟前與滁水合襟出瓜步知縣顧高嘉因縣民貧瘠用形家言欲於二水反出處河東西築石爲基堆土瀕河以作捍門之勢已捐買石百丈後以位置異議不果行邑人因唐獨孤及清風亭之舊重建亭于河畔顏曰秀水顧公清風亭吳偉業撰碑記

皂河縣西北三十里濁河四十里皆自北合滁河

馬昌河在南五十里南與滁河合

西河在長蘆鎮即今九家灣范文正領東南漕討始開又名

沙河

河子溝東南二十五里古稱急流江今稱急水溝宋淳熙間開新河即此

岳子河在河子溝北昔岳飛遣子雲鑿此以襲金人俗呼鴨子河

東溝在瓜步山東二十里宋紹興間淮南運判沈調開以艤舟今爲防江口岸衝要處

程篤港西二十里入滁河米穀帆檣往來處

芳草澗東北三里通沈家湖橫塘入冶浦河〔唐韋應物詩〕靑靑滿地鋪顏色曲曲一溪流水聲總爲游人逞風景亂雲初捲碧天晴

汵泛澗近屏山瑪瑙澗靈巖山中產五色文石

石脚灘在滁河東岸以河底有石故名宋紹興間嘗造浮橋於此以達瓦梁今呼爲張果灘以張果曾灌園於此

惜水灣在東南十五里縈廻曲折三繞靈巖即今大小長灣也宋隆興間鑿其灣曰過盤洋

葫蘆套西五里地形如葫蘆浮水東處相望僅數十步河身則遠數里此滁水來處亦如去水之大小長灣也

龍池南五里水清可鑑淵邃莫測相傳神龍居之靈巖塔影臥其中大中丞佟國鼐佃爲放生池翰林鄧旭捐金五十兩勸募建大悲閣放生菴知縣顧高嘉刻碑立菴永禁盜竊歲活生命以數百萬

胡敬德洗馬池在冶浦橋西相傳爲尉遲敬德洗馬處

瀕池草木涸冬榮

石梁溪寰宇記曰在六合縣西北自滁州清流界流入

宋元嘉中於溪中得古銅鍾九口如人行列引次向

南刺史臨川王以獻

瓦梁堰西南五十里北齊嘗置郡金元屯兵於此

劉城堰東五里南接祟岡中築城

鄧城堰在岡上與劉城堰相對

草塘西五里天旱無水必產一物以濟人

冶山井在大聖寺有章武二年字

屏山泉山北嶺下沙石瀠流五六里澳中藥苗四時皆

春

寶勝寺泉山坳泓然味甘冽冠諸泉之上

以上六合

諭曰嘗讀禮經名山大澤不以分封而諸侯得祀其境內山林川谷有不舉者爲不敬何若是慎以重哉凡以堪輿淸淑之氣結爲山川而山川淸淑之氣凝爲形勝發爲人物幽爲仙靈神異之所鍾而顯爲動植飛潛貨財寶藏之所自出助廣生大生於乾坤而供財成輔相于古帝故足貴也金陵山川險絕不及

秦晉峭側不及巴峽幽邃不及閩越瑰奇不及滇粵瀦澤廣衍不及洞庭飛瀑奔渾不及台宕驚濤巨積不及瞿塘灧澦然而廬蔣衡茆作鎮南國金陵實有其二江淮河漢灌輸九州金陵實滙其全顧文莊嘗云在外諸山逆江而上以收江水為蔣山護其在內則逆諸山內局之水直奔而南以收淮流山川迴環垣局固密固宜宋臣請回臨安之駕呉見不食武昌之魚也若夫豪傑之士搤險要以立功名仁知之英發幽抉以光典策巖居川觀之侶愛其靜深火耕水耨之夫享其生植取不禁而用不竭古帝重之有以

耳乃有鑿山埋金謂王氣之可斷臨江繫鏁矜地利之足憑者非愚則妄徒玷山水之高深而已

江寧府志卷之六終

江寧府志卷之七

建置

維茲名邦四方所瞻城以設險署以涖官上尊

王命下裨民業

一代宏規與天無斁作建置志

周元王四年越築城於長干城江寧有城自此始

顯王三十七年楚子熊滅越始置金陵邑于石頭

秦始皇三十七年東巡過丹陽用望氣者之言鑿鍾阜

斷長隴以泄王氣後人因名曰秦淮顧文莊云今人築知方山至石垝山爲秦皇鑿斷王氣之處不知今城西北盧龍馬鞍二山間亦爲秦所鑿也此處正號金陵岡俗傳埋

金之讖正在此處岡上有碑因開靖安路失之金陵新志言其地有溝溝中有石脉見存以證鑿斷之跡

漢獻帝建安十七年七月孫權徙治秣陵城楚金陵邑地號石頭

帝禪延熙三年吳使左臺侍御郗儉鑿運瀆引秦淮水北抵倉城通運于苑倉又自江口沿淮築堤謂之橫塘夾淮之栅自石頭迄東冶謂之栅塘後二事年無考姑附于此

四年正月吳鑿青溪自城北塹洩元武湖水九曲西南入秦淮康僧會至建業始剏建初寺居之江南佛寺自此日盛

八年八月吳遣陳勳發屯兵三萬鑿句容中道至雲陽

西城以通吳會船艦又鑿破岡瀆立方山埭

十三年十一月遣軍十萬作棠邑涂塘以淹北道

景耀三年吳作浦里塘開丹陽湖田

晉武帝太康二年初築郡城以秦淮南爲秣陵北爲建業

元帝大興三年創北湖築長堤以壅北山水東自覆舟山西至宣武城六里餘

成帝咸和元年朝議又作涂塘以遏寇

咸康二年更作朱雀門新立朱雀浮航南渡淮水亦名朱雀橋

三年正月國子祭酒袁瓌太常馮懷以江左寖安請興
　學校帝從之立太學於丹陽城東南
哀帝興寧二年二月移陶官于淮水北以南岸地施僧
　慧力造瓦官寺
孝武帝太元十一年八月立宣尼廟于丹陽郡城
安帝義熙十年城東府
宋文帝元嘉十五年召處士雷次宗至建康開舘于雞
　籠山聚徒教授立四學
二十二年正月於臺城東西開萬春千秋二門
二十二年十月浚淮起湖熟廢田千餘頃

二十三年六月築北堤立元武湖

二十五年四月新作閶闔廣莫二門改先廣莫曰承明開陽曰津陽

孝武帝大明六年四月新作大航門

齊高帝建元二年五月立建康都牆建康自晉以來外城唯設竹籬而有六門至是改立都牆

梁武帝天監七年二月新作國門于越城南

九年正月新作緣淮塘北岸起石頭迄東冶南岸起後渚籬門迄三橋

大同三年八月修長干寺阿育王塔

陳文帝天嘉五年九月城西城

六年九月新作大航

隋煬帝大業元年開邗溝自揚子達六合

六年置丹陽郡城

唐德宗建中四年浙江東西節度使韓滉聞朱泚亂築

石頭城穿井近百所繕館第數十修塢壁起建業抵

京峴樓堞相望以備帝渡江

吳楊溥乾貞四年八月廣金陵城周二十里

周世宗顯德六年六月唐主修治金陵城郭

宋眞宗大中祥符四年五月詔葺江寧太平興國寺及

實誌塔殿

天禧二年范仲淹開長蘆西河以避江險

徽宗崇寧元年十二月詔江南開遇明河自宣化江口

至泗州淮河口

宣和三年五月詔江寧守臣修府城壁

六年發運使盧宗原開靖安河八十里通於江以避黄

天蕩之險六合上元分治之

高宗紹興七年正月築宣化渡城四月命守臣增修楊

邦乂廟修濬建康城池

九年知府事葉夢得重修府學闢門南向以面秦淮又

作小學于大門之東
三十二年二月詔建康立統領姚興廟賜額旌忠十二
月修築建康府城
孝宗隆興元年立統領王珙廟于建康賜額忠節
乾道元年修築建康府城時青溪湮塞建康多水患命
汪澈指定以聞澈欲依舊時河道通柵門入江從之
三年十二月增修六合城安撫胡昉奏與毛粱堰入和
州以不便六合遂已
四年七月移放生池于青溪
五年知府事史正志重修鎮淮飲虹二橋上爲大屋數

十楹

淳熙三年劉珙立程明道祠十月詔開六合新河

光宗紹熙二年正月修六合城

寧宗嘉泰四年十一月修六合城

開禧三年正月葉適度沿江地創三大堡石跋則屏蔽

采石定山則屏蔽靖安瓜步則屏蔽東陽下蜀西護

溧陽東連儀眞緩急應援首尾聯絡東西三百里南

北三四十里

嘉定四年增置養濟院二所養貧民以五百人爲額

五年建冶城樓忠孝堂于卞壼墓側復作晉元帝廟并

祀其臣王導而下三十六人

八年七月開東門外新河

九年九月轉運使眞德秀創漕司貢院于清溪之西

十年知府事李珏浚珍珠河

十五年知府事余嶸請于朝建平止倉于廣濟倉左秋冬糴米貯之春夏乃糶取價平則止之義

理宗端平三年十二月知府事陳韡立義塚于覆舟山

寶祐五年重建府治

度宗咸淳元年初建郭門又創靜菴于清溪上及平糴倉助糴庫

二年創制司倉於廣儲倉左
三年重建貢院於清溪南
四年十二月詔建南軒書院于古長干里祠張栻
元成宗大德五年十一月開後湖河道
順帝至元四年浚臺治後溝故道東接清溪西通栅寨
至清凉寺下會秦淮河
五年設常平倉於舊廣儲倉所上元挑浚龍光河自笋
子橋經石頭城下至馬鞍山
至正二年監察御史許儒朴建言重建卞忠貞公祠
三年十二月浚後湖并陰山河道後湖上至鍾山鄉珍

珠橋下接金陵龍灣大江通一十七里陰山則上至

官莊鋪下至毛公渡中分新舊兩河

二十一年二月築溧陽州城

二十六年八月明太祖拓金陵城命劉基卜新宫于鍾

山陽在舊城東白下門外二里許增築新城東北盡

山址延亘五十餘里據山川之勝

明太祖洪武二年正月乙巳立功臣廟於鷄籠山是年

令府縣立學

四年築浦子口城

六年正月置上元縣巡檢司

七年十二月鑿石灰山河

八年命諸縣立社學

九年二月設棠邑驛

十四年十月以國學爲府學上元江寧二學省入

十九年十二月造通濟聚寶三山洪武等門新築後湖城并廊房街道

二十年十月徙建歷代忠臣漢蔣子文晉卞壺南唐劉仁贍宋曹彬元福壽等廟于雞鳴山之陽

二十五年九月鑿溧陽銀墅東壩河

二十六年八月命崇山侯李新往溧水縣督視有司開

臙脂河

二十七年正月建漢壽亭侯關羽廟于雞鳴山之陽二月置溧水稅課局批驗鹽引所東壩巡檢司八月新建京都酒樓成時以海內太平思欲與民偕樂乃命工部作十樓于江東門之外令民設酒肆其間以接四方賓旅其樓有醉仙重譯等名既而又增作五樓至是皆成

三十年八月命工部建牧馬草塲于六合

成祖永樂元年四月設溧水廣通鎮閘初溧水民言溧陽溧水田地窪下數罹水患乞於廣通鎮置閘以備

瀦滙命工部遣人視之還言二縣水由固城湖上納寧國廣德諸水每遇霖潦即注縣境且臙脂河與石臼湖諸水不入大江而奔注蕪舩皆被其患宜於臙脂山廣通鎮及固城湖口二處築閘壩爲便從之

三年三月浚溧陽臙脂河五月修蔣子文廟

憲宗成化二十三年設雲亭驛

世宗嘉靖五年十二月高淳始築城

三十三年句容始築磚城

三十六年溧水築石城

神宗萬曆元年江浦始築土城

四年詔建表忠祠于治城之東

二十六年改造文德石橋

四十年府尹姚思仁重修都城隍廟

四十四年南工部尚書丁賓濬秦淮河

國朝

世祖章皇帝順治三年九月內院洪承疇操院陳錦守道林天擎知府李正茂重修上方橋于八年二月橋成

順治三年十二月知府李正茂造木橋于桃葉渡名利涉橋後改用石形家皆以爲不利宜復舊制

順治四年重修都城隍廟知府李正茂撥給香火田四

十一畝六分
順治六年始造滿城
順治八年二月報恩寺造萬佛樓
順治八年十一月國子監　題改江寧府學
順治十七年正月郡人沈豹重造報恩寺大殿
順治十七年二月重造滿城起太平門東至通濟門東
止長九百三十丈連女墻高二丈五尺五寸
今上皇帝康熙四年十月知府陳開虞倡修中和橋
康熙四年知府陳開虞鄉官胥庭清生員白夢鼎等重
修都城隍廟大殿後殿堂廡門墻朞年功成

康熙五年七月知府陳開虞倡修報恩寺藏經殿

康熙五年十月知府陳開虞倡修鎮淮橋

康熙六年布政金鋐糧道周亮工知府陳開虞重修府學議改學大門周繚圍牆添建啓聖鄉賢名宦祠

康熙六年知府陳開虞推官謝銓脩程明道書院

城郭

江寧之有城郭始於越范蠡築城於長干楚置金陵邑於石頭漢乃有丹陽郡城在淮水之南孫吳東晉宋齊梁陳爲都置宮城於淮水之北而郡城猶是也隋置蔣州城於石頭唐上元縣城因之後置昇州即其

城楊吳始跨秦淮大建城郭宋元仍其舊明開拓而建今制焉上元江寧二縣在郡城内

本朝因之

六朝舊城近北去秦淮五里至楊吳時改築跨秦淮南北周廻二十里近南聚寶山明定都金陵大建城闕城之域惟南門大西水西三門因舊更名聚寶石城三山自舊東門處截濠爲城開拓八里增建南門二曰通濟曰正陽自正陽而北建東門一曰朝陽自鍾山之麓圍繞而西抵覆舟山建北門一曰太平又西據覆舟雞鳴山緣湖水以北至直瀆山而西八里

建北門二曰神策金川西北括獅子山於內雉堞東西相向建門二曰鍾阜儀鳳今鍾阜閉自儀鳳迤邐而南建定淮清涼二門以接舊西門今俱閉

本朝順治十六年改神策爲得勝以旌功城四至周九十六里

外郭門

西北據山帶江東南阻山控野闢十有六門東南北六曰姚坊仙鶴麒麟滄波高橋上方西南六曰夾岡雙橋鳳臺馴象大安德小安德西一曰江東北三曰佛寧上元觀音周一百八十里西又有柵欄門二一在

儀鳳門西一在江東門北共十八門今多圯

附顧文莊五城攷曰五城東晉所築今有五城渡是後讀前志知唐韓滉又築石頭五城自京口至上山修塢壁起建業抵京峴是有二五城矣因悉考金陵前代城郭一古越城一名范蠡城蠡所築在長干里俗呼爲越臺一楚金陵邑城楚威王置在石頭清涼寺吳石頭城大帝因舊城修理也吳丹陽郡城晉加築在長樂橋東一里今桐樹灣處六朝古都城吳大帝所築周廻二十里在淮水北五里晉過江不改其舊宋齊梁陳因之臺城一名苑城本吳後苑城晉成帝咸和中新宮成名建康宮即臺城也在青溪西東府城晉安帝義熙十年冬城東府在溪東南臨淮水西州城即古揚州城晉永嘉中置也則冶城東則運瀆在今下街口西冶城即今朝天宮琅琊城在江乘南岸金陵鄉金城吳築後主寶鼎元年置亦在上元金陵鄉秣陵城在小長干巷内建業城淮水北吳冶城東蔣州城隋置於石城檀城在清風鄉謝元別墅宋屬檀道濟故名白下城在江乘之白石壘靖安鎮唐龍金陵縣築此城因名貞觀七年廢東宮城宋

元嘉中修永安宮爲東宮城在臺城東門外金陵府城隋大業六年置湖熟城古縣名宋元嘉中徙越城流人于此在今湖熟鎭白馬城在江寧縣三十里梁同夏縣城在上元縣長樂鄉臨沂城晉僑置今在上元城之白常村懷德縣城晉置後改曰費縣在古宮城西北者闍寺西今鼓樓之西是其地

句容

縣城吳赤烏二年築子城周三百九十丈唐天祐八年縣令邵全邁修築有東西南北白羊上羊六門宋淳祐六年張槼重築後廢明景泰間浦洪劉義建門樓弘治三年王儔砌以石嘉靖三十三年樊垣始築磚城周七里有五門萬曆三年移建南門於舊門之左

本朝仍舊

溧陽

縣城在燕山之北五里許南唐昇元二年築土城周四里餘河貫城中濠深五尺濶十倍之宋建炎中西拓青安草市加廣二里建陸門五水門二元因爲州城明初命將士築之仍南唐舊址而界草市青安於外越七年又命部使郭景祥加築之周九百丈有奇濬濠深丈餘四門外復築甕城改名[illegible]平[illegible]西成南安北固學士宋濂爲之記弘治元年符觀以南城逼泮宮增修河堧以廣之嘉靖中增修敵屋女墻月城等開躍龍壩于學宮左而閉下水關

本朝仍舊

溧水

縣城隋始築城周五里有奇宋紹定中知縣史彌鞏修之明初鄧鑑更築周七百餘丈有六門洪武間郭雲重建正德中陳銘甃以磚尋毀陳寔因址築土城嘉靖初王從善展東隅砌石橋以瀉水十年水敗東南隅張問行修十七年水復潰三十六年曾震造石城

本朝因之

高淳

縣城在淳溪河上明嘉靖五年劉啓東築土城東北因

岡阜西南藉淳溪爲濠甃七門

本朝仍舊制

江浦

明洪武四年八月始築浦子口城設應天衞於城内九年始析六合孝義鄉和州遵教褒德任豐白馬四鄉滁州豐城鄉置江浦縣屬應天府治浦子口城内後遷治曠口山萬曆元年始築土墻六百九十餘丈下甃以石三年增築重垣八年春知縣余乾貞築城秋九月城成

本朝仍舊

六合

縣城漢爲堂邑縣始築城至南北朝築秦郡城葢跨河爲一宋紹興二年步帥閻仲請就舊濠築城在河北有四門隆興初郭振城北又築一城二城俱砌以磚又數年築河南土城乾道紹熙嘉泰相繼修之元仍故明初城廢成化十年唐詔剏門四後每隅增一門嘉靖三十四年鑿濠治北三十九年築堡圍縣署崇禎九年六月流賊破六合中書舍人孫國敉上城六合議蘇州巡撫張國維按院陳起龍疏請於朝以蘇松四府節省銀四萬餘兩并義助建城河北抱縣治

聞韶董其事皆義民分丈領造凡四閱月告成周城計一千三百二十三丈二尺高二丈五尺北二門東二門西一門南一門南街一帶皆商賈水陸出入處又開便易小門七門

本朝因之

府治

府治明初自集慶路徙古大軍庫西錦繡坊地在內橋西南其制大門之內爲儀門儀門內爲蒞事堂東爲廣積庫左右設經歷司照磨所翼以吏胥諸房科後爲忠愛堂堂西爲冊庫爲待考官房後爲俸給倉官

廨列於堂北西爲廳幕廨東西並達儀門知府宅有雅亭祭酒程文德記云凡稱名園者必泉石之瑰奇也亭榭之脩麗也花木之珍異也又恒在都會焉是故遊者衆之而園日有名應天京兆尹公署之後有亭一區面方池環蔬畦而已其諸泉石花木無一焉況瑰奇脩麗乎松溪程子謙于斯顧而喜曰園亭之靡麗者衆矣若斯亭者不亦雅乎夫雅之時義大矣夫雅也者正也常也惟正斯可常也道本正而已矣常而已矣政者正也政有小大故詩有小雅焉有大雅焉正斯可常故孔子以詩書執禮爲雅言是故由夫正也在詩爲雅歌焉在音爲雅樂焉在行爲雅德焉在名物有爾雅焉在詞章爲文雅焉先王之道斯爲美不可廢也其反是不可繼也故曰正斯可常也斯亭也其正而可常乎哉彼其瑰奇者脩麗而珍異者遊乎其中或有靡心焉固已詭於正矣矧物不可常盛也而墮北傾剥必將繼之異時虺蜴狐兎之交灌莽荆棘之翳孰與斯亭之泊然而常存乎是故大雅亡而天下無善俗君子有餘慨矣抑或猶有相也夫菽粟布帛民之雅也節用愛人政之雅也政先於雅斯民安於

雅矣民安於雅斯吾可以止於雅矣此敬事後食之義也此先憂後樂之心也而居之無倦而綏之思成而惇大以用晦必將於斯乎有契焉則斯亭也豈直燕遊之地乎可以養性情焉可以比物我焉天下皆斯亭而大雅與矣

公衙門在滿城內

總督部院衙門在府治東北沐府東門

將軍府在滿城內

織造府在督院前

總兵府在四條巷大街

安徽布政司衙門在府治南舊大功坊內

江蘇布政司衙門在本司左

按察司衙門在府治東淮清橋大街

江鎮道衙門

督粮道衙門俱在府治南舊大功坊內

驛傳道衙門在府治西板巷口

督學道衙門在府治南武定橋旁

都使司衙門在府治南聚寶門大街

三司公館在府治南舊大功坊內

公衙門理事廳在府治東中正街

管粮廳在府治東淮清橋

北捕廳在府治北北門橋

□察司司獄司在府治東北

本府司獄司在府治前　都稅司在大中橋西南　常平倉在斗門橋南　江東宣課司在江東門外　聚寶門宣課司在聚寶橋西南　龍江宣課司在龍江關內　朝陽門分司在上方橋西　江東巡檢司在新江關外　秣陵鎮巡檢司在上元東南四十里通溧水高淳　江淮巡檢司在江浦縣江淮關　龍江關在龍江宣課司旁　江東馬驛在新江關內出中新河渡江達江浦　龍江水馬驛在金川門外十五里大江邊南北要津　批驗茶引所在都稅司東

龍江裏外河泊所在儀鳳門外　陰陽學在府治西

醫學在陰陽學南

上元

縣治在府治東北昇平橋西唐始置於永壽宮光啟中徙鳳臺山下宋徙白下橋建炎間始遷今所明仍舊正廳左爲典史廳東西列房科後爲牧愛堂北折而西爲官廨東西達于儀門儀門之外爲大門旌善申明二亭在門左右今廢各縣規制畧同正德中姜龍政修國子祭酒陳敬宗爲之記　淳化鎮巡檢司在縣東四十五里

公館在淳化鎮
預備倉在馴象門賽工橋北　水次倉在觀音門近
大江　養濟院舊在通江橋柳林中明洪武間建後
毀爲民居所侵今煢獨特給衣糧而無棲止所　急
遞鋪在縣前東達句容曰城東曰磨石曰麒麟曰洛
家曰張橋東南曰高橋曰淳化鎮曰索墅曰土橋西
南曰府前總鋪曰三山濵大江曰江東
長安街在大中橋東　大通街在大中橋東南接通
濟門北通竹橋横亘長安舊四面立綽楔曰四牌樓
今廢
里仁街在大中橋西宋程明道張南軒書院故基

存義街在里仁街西宋上元縣學故基　時雍街在存義街西即縣舊治處　和寧街在時雍街西中正街在和寧街西　廣藝街在縣西舊名細柳坊一名武勝坊縣志以細柳坊爲非是　務公街在善政坊西舊名清溪坊　致和街在務公街西舊清平橋街　大市街在縣治西故天界寺門外舊名來道街　大中街在針工坊北舊狀元坊　習藝東街在習藝西街東

習藝西街在皮作坊東舊土街　洪武街在北門橋東明初開拓北城始闢此路因名成賢街在國學前　太平街在太平門南舊有御賜廊　三山街大

中街西南直抵三山門與江寧界　古御街内橋南直抵聚寶門亦界江寧南唐時街前臺省相列東西有錦繡坊今府治前街卽西錦繡坊也北新街元津街西　十三丈街習藝街西北

評事街南通三山街北抵笪橋圖志名皮作坊奇望街一名針工坊東接狀元境

裕民坊在太平門北街舊與武街　建安坊在鼎新橋北俗呼下街　善政坊在大中橋西舊名九曲

全節坊在朝天宮西舊名忠孝坊晉卞壼死節處

英靈坊在十廟西　大功坊東抵秦淮西通古御街

今廢善和坊在武定橋東

淳化鎮在鳳城鄉宋淳化年置故名東達句容至丹陽常州　石步鎮在長寧鄉古爲羅落橋鎮劉裕斬皇甫敷陳覇先會徐度等即此　土橋鎮在丹陽鄉與句容界　靖安鎮在金陵鄉龍灣一名靜安岳忠武於此敗敵人宋汪藻詩橋竿歷歷表中流暝宿河堤古驛頭天遣山川渾着月人將榆柳共驚秋張羽龍灣詩迥高天無烈風江水日夜清馳波激東注廻流抱神京至哉鍾水德乃以龍爲名舟檣萬方合雉麗殊百城昔云天塹險今作衣帶縈山川跡不改人理有代更下馬入官船茲焉始孤征祀事有常期中心念王程俯視萬仞淵不啻蕩滄平涉川古所戒事重軀命輕　湖熟鎮在丹陽鄉

烏蠻橋在大通街　栢川橋烏蠻橋西北皇甫汸過百川橋舊寓詩迥客舍依然禁籞西女墻淮月古青溪春風爲笑堂前燕門外何曾識馬跡以上跨舊御河　大中

橋舊名白下一名長春南唐東門橋也徐渭十六踏燈飲大橋西樓詩樹枝畫月千條絃十五不圓十六圓柱酒樓簷外邊南市好燈値底錢大中橋上遊人坐不飲空教今夜過紅脂在口香在樓那能一箇到爐頭青衫白馬無聊甚望斷黃金小鈿鞦　復成橋

大中橋北　元津橋復成橋北西華門之前　通賢橋成賢街前　北門橋通賢街西當南唐之北門宋名武勝以上俱跨古城濠　珍珠橋北門橋東跨古珍珠河　淮青橋大中橋西以接秦淮青溪二水故名舊名東水閘　竹橋元津橋北通舊內　淸平橋內橋東以上跨青溪　鎭淮橋聚寶門內即古朱雀航吳名元津　武定橋織錦三坊內舊名嘉瑞　通濟橋通濟門外

中和橋通濟橋東南　上方橋中和橋東南以上跨秦淮　正陽橋正陽門外跨都城濠　斗門橋三山門內卽古禪靈寺橋秦淮合運瀆處　南北乾道二橋斗門橋北　鼎新橋乾道橋西北舊名小新宋馬光祖重建　笪橋評事街北舊名欽化宋改名太平〈宋楊萬里過笪橋詩〉春風欲動没人知早被垂楊報酒旗行到笪橋中半處鍾山飛入轎窓籬　景定橋笪橋東舊名閃駕宋景定間重建　崇道橋鼎新橋西近全節坊　武衛橋朝天宮西卽古西州橋以上跨運瀆　內橋縣治西宋行宮前舊名天津橋運瀆合青溪處　昇平橋內橋東宋名東虹　大市橋內橋西宋名西虹以上跨

龍河獅子橋鼓樓北與獅子山相望故名　彭城橋在彭城山　石步橋在長寧鄉古名羅落橋　回龍橋定淮門內　高橋通濟門外康熙七年重造太守銅陳開虞題爲東觀橋　橋上方橋東　滄波橋滄波門外　秦淮橋上淮關北　金川橋金川門內　亭子橋清風鄉徐鉉記建高亭於路周跨重橋於川上即此　韓橋觀音門外

江寧

縣治在府治南銀作坊即宋東南佳麗樓故址晉臨江寧浦唐武德徙白下村貞觀再徙傍冶城宋移城西北有尉司在古越臺前元即司改建縣治明洪武初

從建于此其制大都與上元同永樂中災宣德五年陳孜重建正統七年周原慶修成化間劉偕新之正德十六年重修

大勝驛在西南三十里大城港口　江寧驛在江寧鎮古驛址達釆石至太平唐錢起詩花院日扶疎江雲自卷舒主人熊軾任歸客雉門東曙月稀星裏春帆紫禁餘行看石頭成記得是南徐

存留倉在安德門外臨河　預備倉在賽工橋南

養濟院在聚寶門外正統中府尹李敏行縣修葺後漸傾圯嘉靖四十三年重修　義阡在鳳臺門外三塔庵側宋嘉定八年轉運副使眞德秀置兩阡於南

門外成化十年鎮撫王瑛增置今所

公館在板橋

急遞鋪南曰萊園分句容溧水二路曰河定橋曰殷巷曰元武曰秣陵曰茅亭曰烏刹西南曰七里店曰五里牌曰鍾家堽曰馬塘山曰木龍亭曰葛家堽達當塗

草鞋街自斗門橋東向抵顏料坊　馬道街鎮淮橋東南　周處街善和坊南　沙河街秦淮南即古承安坊　保寧街在飲虹橋東南　磨盤街在飲馬巷西　聚寶街在聚寶門外即古長干里金陵新志長干是秣陵縣

末里巷名又有大長干小長干東長干並是地名不獨聚寶門外爲長干里也（周天球長干曲）內橋南走是長干十里平鋪白玉寒踏盡馬蹄塵不動半窗明月此中看（于慎行長干詩）白門過市裏傳是古長干陌柳藏鴉曙秋潮帶雨寒横塘歸客斷子夜舊歌闌別是繁華地休將六代看　中街南街北街並在三山門外　馴象街在來賓橋西又名宰相街相傳明初平章王溥居此今經廠是其宅

鞍轡坊在雜役三坊北　銀作坊在鞍轡坊北舊金陵坊　鐵作坊弓匠坊東舊小木頭街　弓匠坊鐵作坊西　氈匠坊弓匠坊西舊水道巷　銅作坊[illegible]顏料坊接古東市　顏料坊氈匠坊東　箭匠坊[illegible]作坊東

江寧鎮縣西南六十里、金陵鎮南六十里本陶吳鋪宋改爲鎮元設稅務於此　秣陵鎮東南五十里元設稅務今置巡檢司　大城港鎮西南沙洲鄉鎮通大江爲要地有大勝關及水馬驛

新橋在雜役一坊本名萬歲又改飲虹新橋乃吳時名今呼爲新襲其舊也宋史正志重建　文德橋舊木橋萬曆中郡人錢弘業倡首易以石　上浮橋新橋西正德間重修　下浮橋上浮西北康熙丁未年重修以上跨秦淮　聚寶橋聚寶門外古長干橋康熙甲辰年重修　賽工橋馴象門外康熙甲辰年重修　三

山橋三山門外康熙丁未年重修　石城橋石城門外　通江橋金川門外康熙丁未年重修　江東橋江東門外以上跨楊吳城濠　重譯橋長干橋東即古烏衣巷口謂朱雀橋者非是　澗子橋長干橋西南　來賓橋在澗子橋南以近來賓樓故名　善世橋來賓橋西　就灣橋在安德街善世橋西以上跨躍馬澗并跨城濠　板橋城西南三十里吳張悌沈瑩等屯兵於此以拒晉師李白詩天上何所有迢迢白玉繩低斜建章闕耿耿對金陵漢水舊如練霜江夜清澄長川瀉落月洲渚曉寒凝獨酌板橋浦古人誰可徵元暉難再得灑酒氣填膺　曹學佺板橋詩兩岸人家傍柳條謝郎遺跡自蕭蕭曾爲一夜青山客未得無情過板橋　新林橋城西南十五里即梁

武帝敗齊師處　白板橋縣南梁武次江寧呂僧珍與王茂進軍守白板橋即此　牧馬橋在東南南朝牧地有浦水　烏刹橋東南界溧水一名烏鴉橋　杜橋城東南三十里　善橋城西南十八里　令橋烏鴉橋西北臨令水　秣陵橋縣南五十里　江寧橋縣南六十里臨江寧浦
　到駕橋夾岡門外洪武初明高帝駐蹕於此因名

句容

縣治在城北唐天祐六年令邵全邁建宋葉表王通吳淇張棨相繼修之咸淳六年王彥清爲明清堂趙子寅爲之記元田郁趙靖更建後毀明洪武二十年黃守

正因舊基重建陳俊德浦洪周仕重修

稅課局在三思橋東洪武二十五年建弘治四年徙建東門內　龍潭巡檢司在龍潭鎮正統十三年改建舊址之西　雲亭驛與預備倉對舊在治西後革成化二十三年奏復　龍潭水馬驛盤龍山北成化十一年自龍潭鎮徙今處　陰陽學京兆館東　醫學館西　僧會司　道會司

縣倉在治明清堂西　預備倉在西門一里正統十年建　東西南北四倉在茅山瑯琊上容移風四鄉洪武二十五年建　歲積倉龍潭鎮正統二年建萬

曆三年增糧長官房　社倉共一十七處隆慶三年立　官鹽倉近江河口　惠民局察院西　養濟院在西南隅　漏澤園東西南北坊郭五十六鄉各一所

巡撫都察院在縣治東

提學道衙門在縣治東北

察院在治西萬曆初建

府館在治西弘治初即句曲書院建

白土公館白土鎭西丹陽句容中路

急遞鋪總鋪北曰潤西曰鮑亭西北曰東陽北曰龍

潭曰鳳壇曰廟林曰仁信曰坎壇東曰上蘭曰謝培西曰土橋南曰時清曰南寧

常寧鎮在東南四十里天禧初以鎮置寨有巡司稅務今廢　下蜀鎮北六十里仁信鄉唐劉展襲東陽下蜀即此鎮西北六十里瑯琊鄉宋葉適創瓜步堡屛蔽東陽下蜀郡國志改秣陵爲東陽郡因名　土橋鎮西二十里與上元界

集仙橋在縣東南一里許　赭渚橋東一里　白鶴橋東南三里　西溝橋南四十里劉巷村宋乾道四年建　永安橋南七里下小港歸秦淮　降眞橋茅山玉晨觀西　歸善橋南一里昔有兵殺人至此義姑不忍殺因名

懸[illegible]橋西十五里周瑜嘗駐軍於此一名沿陸　周郎橋西二十里亦以瑜名　八字橋在治北路分兩岐　官橋城隍廟衖其渠合流坊市水　句曲橋近崇明寺　沈公橋南二十五里以慶之名

溧水

縣治在城西北隅秦置溧水之北漢在溧水固城唐徙西北舊縣村天復三年徙今治宋紹興知縣事施佑重建乾道喩安中爲無倦堂〔程迥記〕桐廬喩君安中宰溧陽扁其廳事曰無倦開其說曰易曰天行健君子以自強不息夫天之度三百六十有五度四分度之一日行一度故改歲而周天月行十三度畸故改朔而周天惟天也一日之行已周乎日月之度以歲月致者可謂健矣然四

府以之行百物以之生千歲之日至皆可預期何則天之運不息也歐陽文忠公對客多談吏事曰文學止於潤身政事可以及物蘇東坡亦以吏能自任且謂學於歐陽公夫後生視二公爲何如耶元爲州爲府爲路治更不一明吳元年王琳仍建州治洪武二年改縣顧思邈修之天順初燬李溥重建

陰陽學　醫學俱在治東　僧會司　道會司

存留倉在西北　水次倉在東南　義積倉治南

養濟院東隅　惠民藥局養濟院左　漏澤園西門外弘治八年符觀又立義阡於南門外

按察院在縣治北

察院都察院右

府館在縣治東

陶庄公館縣北丫髻山東乃溧陽句容通道

急遞舖總舖西曰十里曰小山西北曰中橋曰六里曰黄連曰牌岡南曰長巷曰戚家曰曇圓

聚善鎮在縣南三十里元設稅務　杜渚鎮西南六十里宋初有稅額　高友埠南二十五里　週城埠西南四十五里宋末民結寨築城以守週圍壕迹尚存一作周城　上與埠西北六十里舊有巡檢司今革　黄連埠西北六十里

上沛埠西六十三里

春雨橋縣治東舊曰春市嘉定間知縣陸子遹重建

時旱得雨因名　上水關橋治北弘治間符觀重建橋上舊有清暉堂後廢　下水關橋治東南舊有挹秀堂廢嘉靖間改徙學左名躍龍關　硯濆橋治東北通謝公渰　東平橋東門外　泰公橋東南一里近泰梓第俗名下橋　南安橋南門外　西成橋西門外　鳳凰橋縣西北　北固橋北門外　仙人橋南十里咸志云西北有釣魚臺仙人跡　盤白橋西南四十二里橋西有大地百畝世傳爲盤白觀基　泓口橋西北三里　塩港橋九里水通古瀆　袁溪橋十四里水通泓口　官圩橋二十里　李家渡橋三十里俱水通前馬　嘉定橋四十里

凌□中江又名中江橋　烏金橋北五十五里有出烏金　檀石橋六十里前有蟠龍堰　藏舟橋存留倉西官船出入處

溧水

縣治在城內淮水北唐末和撤縣立城隍廟移縣西數十武宋仍舊元陞爲州明洪武元年顧登創今所二年復爲縣郭雲建

稅課局在縣治北　陰陽學　醫學俱治東南　僧會司　道會司

存留倉在表孝坊北　預備倉縣東南　新倉舊名

永豐在水陽鎮隆慶初徙縣西南二十里梅家渡

先斯倉俸給倉右　養濟院小西門內即河泊所故

址　漏澤園東門外　義阡三所東門南門大西門

外

察院二一在通濟街北洪武間建成化中甯賢移置今

所一在望京街嘉靖間包桐建

府館通濟街北景泰間建

急遞鋪總鋪西北曰勝水曰烏山曰柘塘東曰尚書

曰菱塘曰段家曰楊塘南曰廟塘曰石堆曰三角曰

孔鎮曰土山曰毛公西曰塘西曰埭東東北曰新安

曰上店
官塘鎮縣東二十五里白鹿鄉　蒲塘鎮南二十五
里贊賢鄉　孔家鎮西南四十五里仙壇鄉　蒲干
鎮北三十里歸政鄉
通濟橋縣大北門外今名東橋　南門橋宋皇祐重
建　巫家橋鎮南門外　望京橋西北　秦淮橋小
西門外其下即秦淮水　利涉橋北三里　天生橋
西十里洪武二十五年崇山侯李新焚石鑿之　段
亭橋東六里　獨山橋十里　五里牌橋南五里
尚義橋二十五里舊名蒲塘　土山橋五十里　神

靖橋東南四十三里舊名神龍宋知縣李朝正易今名

高淳

縣治在鎮山明弘治五年始即鎮爲縣宋澄建嘉靖四年劉啟東修

廣通鎮巡檢司在治東南六十里洪武間建　陰陽學　醫學俱在治左

預備倉在治東南弘治中建嘉靖四年劉啟東復修

常豐倉舊名永豐嘉靖初重建在水陽去縣三十里萬曆元年遷治西　養濟院在治左嘉靖間增建

察院

府學俱在治西正義街

廣通鎮公館在巡檢司南嘉靖初修

急遞鋪總鋪東曰南塘曰尋真曰舊鎮曰遊山曰湯

師曰松兒南曰永豐曰永寧曰駝頭

廣通鎮在東南五十里洪武三十年建設石閘永樂

初去閘改築土壩設官吏溧陽溧水各僉夫四十名

守之欽降板榜禁走泄水利淹沒蘇松田禾今與官

及溧陽夫俱革

集賢橋學門右正德十二年重建　育英橋學門右

嘉靖五年重建　與仁橋　東新橋俱在東　正義橋　西新橋俱在西　永濟橋治西嘉靖劉啟東建名浮橋隆慶五年重建更今名　仙人橋南十五里　諸家橋東二十里　張沛橋三十五里　漆橋東南三十里嘉靖二十三年重建　大對橋東北十里　水遏橋南三十里近宣城界　驛橋廣通鎮下埧

江浦

縣治在曠口山之陽明洪武九年創置於浦子口城二十四年移今治仇存仁建景泰中羅信修

稅課局在北門外後革隸於縣今復設　江淮驛治

南二里　陰陽學　醫學俱治東　僧會司　道會
司
俸給倉　存留倉　預備倉　社倉上四倉俱治東
北一里　養濟院治東一里
察院二一在治東三里一在治西二里
府館縣治東
西門館浦子口城萬峯門外
東葛館西北三十五里即舊東葛驛址
急遞鋪總鋪達六合曰浦子口達和州曰尾廟曰高
望曰蛇冲曰橫路曰號岡達滁州曰石山曰黃岩曰

東葛城曰西葛城

烏江鎮在西南七十里遵教鄉本秦烏江亭晉始置縣南北朝改郡隋復縣宋紹興中廢爲鎮　香泉鎮西三十里任豐鄉近湯泉　高望鎮西南二十里

淳化橋在治西一里洪武初開新路甃石建正統間重修　騰蛟橋　起鳳橋二橋學左右　育英橋青雲樓下　阜安橋西街口　石磧橋南三十五里茅塘橋北三十里洪武三年建　橫橋四十里洪武十三年建通浦子口驛路　沙河橋浦子口城滄波門外　通江橋萬峯門外

六合

縣治在滁河北岸舊爲郡治河南有御書鼓角二樓宋紹興三十一年燬寓城北尋復故址嘉定七年知縣劉昌詩重建明洪武元年胡有源遷今治林至萬廷珵李楚周薇修之

稅課局舊在東南正統間華景泰三年奏復建治西南　瓜埠廵檢司瓜埠山下初去河半里許後徙今處　棠邑驛縣治東　瓜埠三汊河泊所在治東一里　陰陽學　醫學俱治前　僧會司　道會司

縣倉在稅課局西正德八年萬廷珵建嘉靖三十九

年移建旌善亭後　預備倉有東西南北四倉洪武二十三年建今廢嘉靖三十九年併縣倉　養濟院洪武八年建于縣西後廢成化初唐詔重建治東北

漏澤園宋紹興二年置於東門外今四門俱有義阡

察院在治東北洪武十一年李仲美建

府館在察院東弘治中建

急遞鋪總鋪東曰馬橋曰堠子南曰林家曰梁塘江浦適中處曰駱家西曰程家橋

宣化鎮在六合山東濱宣化江宋有巡司稅務紹興十一

年張俊敗績走此（唐韓翃詩）江聲六合暮楚色萬家春白苧歌西曲黃苞寄北人　長蘆鎮南二十五里濱長蘆江今名水家灣宋設沿江巡檢官監稅渡今廢（唐李白詩）維舟至長蘆目送烟雲高搖扇對酒樓把袂持蟹螯仙尉趙家玉英風淩四豪前途倚相思登嶽一長謠（宋梅堯臣詩）帶月出寒浦殘星浸水濱帆開風色正舟急浪花分霧氣橫江白鷄聲隔岸聞天晴建業近鍾岫起孤雲（張以寧長蘆渡江往金陵詩）春日三竿上翠屏曉風五雨下蘆汀水兼天去無邊白山過江來不斷青沙嘴潮廻平鴈跡海門雨至帶龍腥昇平不復後庭曲畫起漁歌爛熳聽　瓜步鎮在瓜步山下（宋劉長卿詩）瓜步寒潮送客楊柳暮雨沾衣故山南望何處秋草連天獨歸（宋蘇軾詩）吳塞蒹葭空碧海隋宮楊柳只金堤春風自恨無情水吹得東流竟日西　竹鎮治西北五十里宋設巡司稅務今爲市　龍津橋治南滁河上舊疊石爲十八衕後黃巢犯境

燬之僅置渡往來宋紹興知縣龔相重建尋廢洪武
元年胡有源置船濟渡永樂元年胡銘惠仍造浮橋
成化五年唐詔修嘉靖二十三年重建　冶浦橋治
東跨冶浦河唐天寶十二年築以土紹興二十九年
孫永復建嘉定十年劉昌詩永樂二年胡銘惠更建
木橋宣德中史思古始疊石為衖覆以屋十八楹崇
禎丁丑寇破六合將窺真州維揚邑人焚其橋以斷
渡邑士厲振嶽倡首再建木橋尋毀
國朝康熙五年知縣顧高嘉改造石橋易名和清（顧高嘉㪅）
建和清橋碑記邑之東冶浦橋者乃四達之衢而師
行之要道也向來以木為梁因循既久歲必傾圮修

葺爲繁予承乏茲土耿耿於衷擬欲改木爲石以利
永遠會咨紳士鄉耆僉曰可聞之驛憲羅公業首發
俸金助予鳩工役申本道劉公本府陳公俱奉俞允
予遂徧勸樂善諸君子任其喜捨共作慈航而誓禁
派索今且告成矣是工也始於康熙肆年拾月而成
於伍年玖月所費僅一千貳百餘金可歷數百數千
年而不敝更名清和仰見我
大清御極布中和之政而庶民子來不日成之之義云
爾

追人橋來春門外宋太祖兵禦南唐至此故名

嘉會橋　仁和橋俱在治東　鍾秀橋治西以上跨城河

永定橋宋建洪武中重建　蘆門橋　青竹橋宋建

八伯橋唐開元五年建以上跨冶浦支流　馬家橋治東十里　善家橋在瓜步與儀眞分岐處　瓜埠石橋善家西北下入匠人河　成家橋西二十五里　楊都

橋西北十五里　茅家橋南二十五里通陳里港

論曰古者建邦設都莫不法天因地體物順人于以創制立極故大而城郭次及官府以至饗祀鄉射之所庠塾倉庫之司澤梁關市之利莫不相厥攸居垂之久遠以藩王室以奠民人固爲政所必先也金陵自長干肇越石頭昉吳代有建置以迄今茲規模弘遠矣君子享其成則思敬其事敬其事則思圖其功圖其功則思明其道詩云止基迺理爰衆爰有書曰明作有功惇大成裕建置之義大矣哉

江寧府志卷之七終

江寧府志卷之八

賦役上

世祖章皇帝 敕諭內一欵徵收錢糧悉照萬曆年間則例其天啓崇禎加增盡行蠲免爰稽明制以備參考

洪武戸一十六萬三千九百一十五

口一百一十九萬三千六百二十

弘治戸一十四萬四千三百六十八 視洪武減一萬九千五百四十七

口七十一萬二千三 視洪武減四十八萬一千三百二十

隆慶戸一十四萬九千九百六十一

口八十萬一千五百一十七

洪武田土七萬二千七百一頃二十五畝

弘治官民田土六萬九千九百七十四頃八畝一分八釐五毫一絲視洪武減二千七百二十七頃十六畝八分一釐四毫九絲

萬曆官民田土六萬九千四百五頃二畝五分九釐八毫四絲六忽二微二纖視洪武減五百六十九頃五畝五分八釐六毫六絲三忽七微八纖

洪武夏稅麥一萬一千二百六十石

絹一千四百六疋

秋糧米三十二萬六百一十六石

弘治夏稅小麥一萬一千六百五十四石四斗四升五

勺五抄五撮視洪武增三百九十四石四斗四升五勺五抄五撮

絲綿農桑絲共折絹一千三百五十七疋一丈三尺四寸二分七釐二毫視洪武減四十八疋一丈六尺五寸七分二釐八毫

秋糧米二十一萬四千九百六十四石五斗八升勺一抄視洪武減一十萬五千六百五十一石四斗一升八合八勺九抄

嘉靖十六年巡撫歐陽鐸通計夏麥絲絹馬草鹽鈔共准平米三萬六千一百六十五石二斗九合一勺又加里甲雜派平米一十三萬一千七百四十四石八斗十三升二合三勺時賦役繁難鐸奏准秋糧總徵民頗稱便但里甲額辦雜派等項已徵米在官其後科派重出所徵米如故自減里甲尚多七萬餘石不知其所從來以上二

頃合秋糧平米共三十八萬二千八百七十四石六斗二升二合五勺一抄內除荒白并陸續除豁共存平米三十五萬四千三百四十二石一斗六升九合五勺一抄八撮八圭五粟

萬曆三年奏減里甲平米三萬二千九百七石四斗六升五合二抄二撮一圭七粟一粒共存平米三十二萬一千四百三十四石七斗四合四勺九抄五圭七粟九粒里甲秋糧帶徵本欲便民但銀既在官隨意入銷遇有經費仍復重派今將諸項還歸里甲減去原額平米以杜侵漁餘具里甲奏中

荒白銀五千一百六十三兩四錢七分九釐九毫九

絲五忽一微二纖五塵准平米一萬三百二十六石九斗五升九合九勺九抄二圭五粟二項共平米三十三萬一千七百六十一石六斗六升四合四勺八抄五撮九圭二粟九粒

（陳以伐荒白米議）夫曰荒白者何虛田之稅也曰虛田者何濱江坍沒存其虛數故也存之者何國稅有數不可縮也則減半而徵之復爲之均攤於一邑之田共出之是爲虛田之稅也已而有叢弊焉叢弊者何夫江水之有噬齧其常勢也丁之者不得不鳴於公家以均其稅而力弱者則不能鳴力强者未必當鳴而鳴焉即使縣官親勘之猶不得實是故有倖免者有不得免者夫邇年田數視國初則有間矣安在其不可減也往者吾不聞矣頃年大中丞海忠介丈量魚鱗而籍之誰能指東爲西冒彼爲此使當此時除其虛數第舉國稅之防而均之見田之中何不可者而當時猶存其名是後則漸增而未已也諺曰三十年河東三十年河西言其長於彼則消於此長於此則

消於彼常勢然也今二百年來但見其消而不見其長攤免者纍纍而壓科者寥寥則何爲其然也往又間攢造之歲司委之官以荒白爲豪家之魄令其享無糧之田而槩縣爲之出說豪家亦受其私恩而不辭則鄙夫者之爲之也甚哉荒白之難覈也後有鳴者當致謹焉

起運平米三十萬九千二百四十三石六斗一升六合二勺 抄

存留平米一萬四千四百二十八石八斗五升五合七勺一抄二撮七圭 府縣學俸驛米取給於此

派剩平米八千八十九石一斗九升四合五勺五抄三撮二圭二粟九粒 派剩者存留之餘貯積於縣如遇不時加派則取給於此不復重擾于民若復改派則爲厲階然不以應加派則又未免乾沒也

坊廂櫃銀九百兩萬曆三年奏准上江二縣里甲[illegible]外又有坊夫乃洪武十三年取蘇浙人戶塡實京師原無田產不當差役正統二年本府府尹鄺埜始徵櫃銀以助里甲之不足今里甲猶有定數而坊夫輪季出銀每年五里朋當上江二縣至派銀三千餘兩不過支應廩費甚至里甲已編又重派坊夫坊民受累逃移過半今遵部查照坊夫丁戶每年上元縣定編銀五百四十兩江寧縣三百六十兩此外分文不得私行科派暗令坊夫賠庀修理紙劄刑具動支自行賦罰應該二縣出辦者方行支取其二縣里甲已編者不得重派坊夫止照原編銀數逐一查議立爲定規每年終巡視科道造冊奏繳坊夫不致流離轉徙以虛祖宗塡實京師至意自後法久弊生正額常十之三而橫征常十之七坊廂人戶流亡謀脫其籍櫃銀滋少官俾其難吏神其術改令坊民自收自用而陰責其賠償票僉殷實之家囊金待用不問多寡添撥各衙門差使及讌席節禮花燈諸饋送無名之費又十之八九官吏恐喝營私不知其極坊籍之民皮骨僅存而自經自溺者日聞矣撫江都御史海瑞應天府尹汪宗伊郡仲穌徐

申先後商酌未能釐剔肅清至萬曆三十八年庠生張崇嗣坊民方壽李羅等連名告爲額外重科雜擾困苦等事蒙操江都御史丁賓署應天府府丞衛一鳳批發應天府江防治中袁世振會同上元縣知縣周三錫江寧縣知縣陳格言儒學教授何節聚積坊民盡得其情乃議坊銀悉免徵派而各項供辦所需同外縣之例增入條編加派不多里甲令其可出坊廂盡去其籍立石永遠遵行而坊民始得安枕而臥矣

南京戶部都稅司鈔銀一百二十九兩二錢六分一釐九毫二絲七忽六微解府轉解部仍劄府支用

南京戶部正鈔銀一千八百六十四兩七錢一分九釐九毫五絲九忽八微龍江江東聚寶宜課課司太平門稅課司朝陽門分司龍江裏外河泊所批驗茶引所解府轉解南京戶部以上諸司屬府舊徵本色送府解部隆慶以後奏改折銀

又部院會題委主事御史各一員監督鋪戶報稅[illegible]單批司徵銀即銀已輸分司矣季終又解府給文[illegible]解徒滋煩費不若以諸司經屬南京戶部爲便也

南京戶部鈔銀四百二十四兩九錢八分八釐七毫八絲龍江關石灰山關江東巡檢司瓜埠巡檢司解府轉解部

南京戶部本色鈔六萬八千七百二貫八百五十一文銅錢一十五萬二千八百六十文八分折色鈔銀六十二兩二錢六分三釐三毫四絲八忽九微六塵各縣解府轉解部

飛銀二百五十六兩三錢九分三釐八毫三絲七忽七微各縣解府轉解部

魚油翎鰾銀四百三十八兩一錢六分七釐九毫二絲二忽八微七纖五塵各縣解府類解

蘆課銀一萬四千六百八十四兩六分二釐三毫六絲三忽五微五塵一沙

草場租銀除成熟報納民糧外該銀一千七百一十四兩二錢一分九釐八絲二忽八微

匠班銀一千一百六十七兩七錢五分共二千五百九十五名冊淨銀四錢五分

里甲銀六萬二千二百二兩八錢三毫六絲六忽五微二纖萬曆二年奏准國初里甲之設以催攢勾且十年役九年空閒于民甚便也後有

一切私費盡科里甲於是不得已乃爲十甲合銀朋當之者甲之費于秋糧內帶徵坐派少則謂之派剩料價初意派剩存積以待不時之徵也久則那移支用不可詰問有一縣派剩十兩以上者一遇加派仍行科斂甚至一年暫派而次年[illegible]則開稱該縣徵收作正支銷以愚百姓耳目上江二縣宛大二縣相同乃派走遞夫百司所集安能應付民困極矣巡撫歸併龍江遞運所小民稱便二縣又巧立小夫名色且勒二甲朋當歲派銀幾二千兩今遵部除去秋糧內帶徵里甲銀兩扣算通縣丁糧編派正數無復派剩銀兩又裁革二甲朋當小夫應該夫馬於驛遞應付其六合縣夫出自排門輪流科斂爲弊更甚亦編定名數以絕弊端原額里甲該銀一萬六千四百五十二兩有奇今將各項雜派歸併里甲共編六萬二千餘兩其實里甲項下止徵銀八千七百三十三兩六錢四分四釐七毫八絲四忽

均徭銀四萬七千三兩二錢四分九釐五毫八絲八忽四微四纖九塵六沙七渺外帶閏月銀六十五兩

六錢六分六釐四毫萬曆三年奏准各縣均徭原有定額嘉靖十六年書冊已非初

制然不若今之冗濫也銀力二差俱有定數銀差者謂以差編銀不復雇役也力差者派與銀數自當雇役悉聽其便非然所編之外繼民過取也自一條編行有司於門皂斗庫獄卒狥情加添工食有至三五十兩者浚民膏脂以潤左右深為民病且祖宗舊制役民不過里甲均徭應天所屬又巧立十丁夫名色凡不時之徵則派十丁夫弊不可言今遵詔將十丁夫查革凡各衙門一應銀力俱以書冊為據查復舊額切見應天府所派差徭俱干各衙門應役往往挑留批廻額外多取小民受累乞勅該部查議通行遵奉明詔

條編始末初洪武十八年詔應天五府州為典工之地民產免租官產減租之半官產者逃絕一入民暨抄沒等項入籍於官者也初半租多寡不一嘉靖中均為一斗五升而雜徭不與焉其更佃實同當田第契券則書承佃而已大約官產什居二三民產什居七八雜徭惟併於民產而國初雜徭亦稀歲後大吏創勸借之說民田畝科二升名曰勸米絲錢供應稍繁加徵二升名曰勸耗延及正德則陞科

七八升矣十甲輪年宇內通行事例未始不戾於法制之內而正嘉以來事日增役日繁在小民利於官產而官則少在優免人戶利於民田以省雜徭而買者賣者或以官作民或以民作官以各就其所利於是民田減價出鬻者日益多而差役之併於細戶者日益甚猾胥乘之恣詭寄花分之弊而催時不急之征無名之費一切取責於現年現年竭蹶不足支一歲之役而所索於花戶者每糧一石至銀四五兩益宇內盡然而南都爲甚維時一條編法已行於數省矣隆慶中中丞海忠介許以官田承佃於民者日久各自認爲已業實與民田無異而糧則多寡懸殊差則有無互異於是奏請清丈而官民悉用扒平糧差悉取一則革現年之法爲條編考成科價一應供辦俱槩縣十甲人戶通融均派而向來叢弊爲之一清優免之家不失本等恩例而細民偏累之病一旦用瘳於是田價日增民始有樂業之漸矣至於四差分合輕重之數尤有可述者往周文襄巡撫時以丁銀不足支用復倡勸借之說以糧補丁於是稅糧之外每石加征若干以支供辦名里甲銀若秋糧之外則有夏麥農桑絲絹馬草等項色目繁雜民易混而奸

易托嘉靖十六年巡撫石江歐陽悉舉里甲諸項併八秋糧名曰均攤事則簡便矣以其總總帶徵會計不得不寬支銷不盡謂之派剩初制派剩存積以待不時之征久則那移支用不可詰問議曰作正支銷淪胥乾沒萬曆三年京兆汪宗伊繼之奏請扣編正數無復剩派又請裁革諸濫差條列正辦刻諸縣賦役冊以通曉所部又載諸府志蓋每歲省派五千餘金自後雖微有出入而槩不越更化以來法制之舊罔視疇昔不啻霄壤矣

驛傳銀一萬五千七百七十七兩三錢八分萬曆三年兵部題奉欽依近來各驛疲苦至極假借勘合肆行牌票者絡繹於途各撫按通不嚴禁查詰却只要增驛協濟豈正本清源之道該縣驛不必添其餘依擬欽此欽遵查得嘉靖十六年書冊每上中下馬驢給與鞍轡晌具草料工食有差帶徵支應銀兩給與該驛支隔又帶徵鋪陳馬價銀兩俱以馬驢上下其數扣年貯庫填入循環稽查後來不考立法初意止扣作[illegible]銀兩馬驢來必一年倒死每歲給與價銀至于馬[illegible]

帶徵支應銀兩亦不復查給各驛支關秋糧內已會計廪米各驛又申編舘夫自當及按舘夫名數徵要又不考原議各驛支應之額至增一倍此名之所以益竭也遵詔復舊却存馬價買馬查給會計廪米扣給馬驢帶徵支應銀兩切見遠年勘合并各省牌票仍前出號甚至本非軍情一槩借用火牌視織內如邊方甚騷觀聽且竭百姓之力不足以應其無窮之求乞敕該部查議通行嚴禁查詰查照書冊將府屬驛遞夫馬支應俱行改正復舊均徭驛傳銀派有定額中隆慶二年減江防軍餉銀一千三百三十三兩有奇健勇銀五百四十兩鄉兵銀一千四百四十兩至萬曆二年又增蒿師水手銀一千一百兩隆慶三年減海防銀一萬二千八百有奇至五年又增七千叁百八十餘兩此皆往事自奏准定例之後良有司遵而行之可也

上元

坊廂凡十有六十八坊十三坊十二坊織錦坊九坊伎藝坊貧民坊六

坊 木匠坊 東南隅 正東隅 太平門廂 三
門廂 金川門廂 江東門廂 石城圖廂

鄉凡十有八 泉水鄉 道德鄉 盡節鄉 興賢鄉
金陵鄉 慈仁鄉 鍾山鄉 北城
鄉 清風鄉 長寧鄉 惟政鄉 開寧鄉 宣義
鄉 鳳城鄉 清化鄉 神泉鄉 丹陽鄉 崇禮
鄉

編戶共一百五十里

戶三萬五千四百三十八

口一十四萬二千五十

田地雜產除欽賜外民田五十四萬四千二百六十八畝七分六釐八毫五絲三忽 原額畝科平米六升六合八勺九抄五撮九圭一粟今畝科平米六升九勺八抄四撮五圭二粟五粒八顆

畊江并神泉等鄉荒田一萬九千五十八畝八分四

釐八毫三絲四忽畝科荒白米七升六勺五抄八撮八圭四粟

民地一十三萬九千二百六十八畝七分二釐三毫三絲原額畝科米四升令畝科平米三升五合

壓科蘆地三千八十畝七分九釐七毫原額畝科平米七升七勺五抄八撮八圭四粟令畝科平米七升

與江寧神泉等鄉荒地七千九百五十六畝九分七釐八毫四絲畝科荒白米四升

民山塘灘場潭蕩一十七萬五千六百六十五畝九分五釐二毫畝科平米一升

實徵平米四萬五百六十四石一斗四合五勺六抄

四撮九圭五粟欽賜田土秋糧在內

荒白米三千八百一石八斗四升七合三勺二抄九撮每石折銀二錢五分各縣同　共該銀九百五十兩四錢六分一釐八毫三絲二忽二微五纖　准平米一千九百石九斗二升三合六勺六抄四撮五圭二項共平米四萬二千四百六十五石二升八合二勺三抄九撮四圭五粟

起運平米三萬九千三百四十六石七斗四升二合二勺一抄

存留平米二千六百二十七石一斗五升一合四勺

派剩平米四百九十一石一斗三升四合六勺一抄九撮四圭五粟書冊上元縣派剩米止二升銀止五分緣里甲內盈甲銀已于萬曆五年住徵此項合入派剩各縣司

南京戶部折鈔銀六兩二錢六分八釐四毫八絲二忽

房屋酒醋銅錢二萬一千五百四十七文

蘆課銀七千八百六十四兩一錢一分三毫七絲三忽六微五纖

草場租銀二百二十七兩三錢九分三釐七毫二絲四忽

匠班銀一百七十八兩六錢五分

里甲銀七千四百三十六兩七錢一分一毫九絲八忽三微二纖丁七分石一錢伍分伍釐一毫六絲二忽七微

均徭驛傳銀五千八百四十八兩一分二釐六毫丁六分石一錢二分五釐三毫九微內均徭三千六百兩一錢六分六釐六毫驛傳二千二百四十七兩八錢四分六釐

坊夫銀伍百四十兩

舊會計帶徵里甲條編并坊夫小夫共徵銀一萬八千八百七十一兩三錢八分四釐八毫一絲今共徵銀一萬三千八百二十四兩七錢二分二釐七毫九

絲八忽三微二纖每年減銀三千四十六兩六錢六分二釐一絲一忽六微八纖

江寧

坊廂凡三十五人匠坊五　正西舊坊二　貧民坊二　正南舊坊二　正東新坊　鐵猫局坊　正西新坊　正西伎藝坊　城南伎藝廂二　儀鳳門廂二　城南人匠廂　城南脚夫廂　江東新廂　清涼門廂　安德門廂　三山舊廂二　三山伎藝廂　三山富戶廂　三山新廂　石城關廂　劉公廟廂　神策門廂　毛翁渡廂　江東舊廂

鄉凡二十一鳳東鄉　鳳西鄉　安德鄉　菜園務鄉　新亭鄉　建業鄉　光澤鄉　惠化鄉　處真鄉　歸善鄉　銅山鄉　朱門鄉　山南鄉　上北鄉　太南鄉　大北鄉　萬善鄉　隨車鄉　馴翬鄉　永豐鄉　萬僊鄉　編戶共六十八里

戶一萬七千五百二十六

戶五萬三千八百二十八

田地雜產除欽賜功臣外民田四十七萬一百二十畝七分三釐五毫一絲二忽二微原額畝科平米七升五合五勺五抄四撮二圭今畝科平米六升八合九勺一抄八撮七圭一粟四粒一顆

荒田五千七百五十畝一分三釐五毫一絲畝科荒白米七升五合五勺五抄四撮二圭

灘田一百二十七畝六分五釐畝科荒白米四升

民地一十四萬四千五百八十八畝三分三釐五毫一絲五忽六微原額畝科平米四升今畝科平米三升五合

荒地五百四十七畝七分九釐七毫五絲畝科荒白米四

又六十八畝四分畝科荒白米二升

山塘蕩産灘場一十萬八千八百二十九畝四分七釐一毫三絲伍忽畝科平米一升

實徵平米三萬九千一百七十九石九斗六升六合合三勺九抄八撮三圭一粟六粒欽賜田上秋糧在內

荒白米四百六十二石八斗三升二合九勺三抄六撮八圭桼粟二粒共該銀一百一十五兩七錢八釐一毫八絲四忽二微准平米二百三十一石四斗一升六合三勺六抄八撮四圭二顆共平米三萬九千四百一十一石三斗八升二合七勺六抄六撮七圭

一粟六粒

起運平米三萬六千一百四十五石八斗九升三合五勺三抄二撮

存留平米二千三百六石四斗三升七合八勺八抄

一撮派剩平米九百五十九石五升一合三勺五抄

三撮七圭一粟六粒

南京戸部折鈔銀五兩四錢二分四絲六忽 房屋酒醋

銅錢一萬八千六十五文

蘆課銀三千八百六十八兩三分八釐八絲七忽三

微四塵

草塲租銀一百七十五兩三錢七分七釐一毫一絲
八微
匠班銀一兩八錢
里甲銀共三千八百六十八兩八錢八分六釐七毫
九絲一忽九微三纖丁四分五釐石八分六釐三毫五絲三忽六微
均徭驛傳銀共三千九百三十八兩七錢五分二釐
六毫丁五分石九分二釐四毫八絲二忽五微內均徭二千一百一十七兩一錢五分六釐六毫驛傳一千八百二十一兩五錢九分六釐
坊夫銀三百六十兩
舊會計帶徵里甲條編并坊夫小夫共銀一萬二千

七百一十兩二錢一分四釐九毫六絲五忽二微今共徵銀八千一百六十七兩六錢三分九釐九絲一忽九微三纖每年減銀四百五十二兩五錢七分五釐八毫七絲三忽三微七纖

句容

坊凡四東南隅　西南隅　東北隅　西北隅

鄉凡十六通德鄉　福祚鄉　臨泉鄉　上容鄉　承仙鄉　政仁鄉　茅山鄉　崇德鄉　句容鄉　來蘇鄉　望仙鄉　移風鄉　孝義鄉　仁信鄉　風壇鄉　瑯琊鄉

編戶二百一十四里

戶三萬六千九十六

口二十一萬五千九百八十六

田七十三萬五百四十一畝八分八釐五毫原額每畝科平米十升五合八勺八撮四圭三粟六粒今畝科平米六升七合八勺八抄五圭七粟七粒七顆畝科量折荒米二合七勺五抄六撮二粟二粒

荒田六千九百九十三畝四分九釐三毫畝科荒白米一斗六升五合

田二十四萬八千六百九十六畝四分六釐八毫原額每畝科平米二升七合一勺今畝科平米三升又帶徵量折荒田賠荒一合六勺

荒地五千一百九畝六分三釐四毫畝科荒白米一斗一升五合

山塘蕩塌四十五萬四千六百五十七畝四分六釐五毫山畝科米六合又賠荒一合蕩原額畝科米一升四合九勺七抄今畝科米一升

實徵平米六萬一十八石六斗九升九合九勺八抄
五撮八圭
荒白米四千五百四十七石五斗五升七合七勺共
該銀一千一百三十六兩八錢八分九釐四毫二絲
五忽惟平米二千二百七十三石七斗七升八合八
勺五抄二項共平米六萬二千二百九十二石四斗
七升八合八勺三抄五撮八圭
起運平米五萬八千三百八十九石六斗六升五合
五勺
存留平米二千二百九十二石一斗七升五合九勺

四抄八撮

派剩平米一千六百一十石六斗三升七合三勺八抄七撮四圭

南京戶部折鈔銀五兩四錢五分三釐三毫一絲六微

房屋酒醋本色鈔一百六十貫一百六十一文

窑冶銅錢一萬八千五百文

稅課局本色鈔二萬三千四百七十三貫七十三文

商稅歲閏銀一百二十八兩五分三釐二毫三絲七忽七微

蘆課銀四百二十三兩八錢九分六毫六絲一微

草蕩租銀五百七十三兩六錢五分

匠班銀五百兩八錢五分

里甲銀一萬四千二兩三錢二分一釐六毫七絲七忽丁八分五釐石一錢七分二釐五毫一絲八忽九微

均徭驛傳銀一萬七千一百九十兩三錢九分五釐六毫八絲二忽二微五沙丁一錢石二錢一分九釐三絲九忽七微內均徭一萬三千一百七十三兩六錢五分五釐六毫八絲二忽二微五沙驛傳四千一十六兩七錢四分

舊會計里甲等項共編銀三萬八千七百四十八兩五錢三分五釐五毫八絲七忽二微五沙今共徵銀三萬一千一百九十二兩七錢一分七釐三毫五絲

九忽二微五沙每年減銀七千五百五十五兩八錢一分八釐二毫二絲八忽

溧陽

坊凡八東坊 西坊 南坊 北坊 中坊 中左坊 中右坊 新坊

鄉凡十三永成鄉 福賢鄉 舉福鄉 明義鄉 惠德鄉 德隨鄉 從山鄉 桂壽鄉 奉安鄉 崇來鄉 來蘇鄉 永泰鄉 永定鄉 編戶二百一十里萬曆三年又析置二十里

戶二萬四千八百三十三

口十六萬一千八百八

田一百一十一萬一千六百四十八畝三分六釐五

臺原額畝科米八升四合五勺二抄五撮三粒 今畝科米七升六合六勺二抄一撮二粟

地一十四萬六千四百四十六畝二分三釐九毫原額畝科米三升二合七勺二抄五撮八圭三粟今畝科米三升

山塘三十四萬九千八畝九分二釐原額畝科米五合二勺八抄三撮二圭三粒今畝科米五合

實徵平米八萬五千四百六十八石六斗五升八合八勺六抄二撮三圭七粒

荒白米五千八百四十五石三斗八升七合七勺共該銀一千四百六十一兩三錢四分六釐八毫五絲准平米二千九百二十二石六斗九升三合七勺二

項共平米八萬八千三百九十一石三斗五升一合

五勺六抄二撮三圭七粒
起運平米八萬三千一百一十四石四斗四升九合
二勺五抄
存留平米二千六百一十三石二斗三升七合九勺
六抄
派剩平米二千六百六十三石六斗六升五合三勺
五抄二撮三圭七粒
南京戶部折鈔銀一兩五錢九分四毫房屋酒醋本
色鈔一千九百五十七貫四百八十五文窑冶商稅
歲閏銀三十五兩八錢四分九釐二毫

草場租銀三百四十三兩九錢八分九釐二毫

匠班銀三百一十二兩七錢五分

里甲銀一萬三千七百八十七兩九錢六分九釐一毫九絲丁六分五釐石一錢三分三釐三毫五絲四忽八微

均徭驛傳銀一萬四千七百八十八兩九錢五分四釐四絲八忽一微七纖三沙七渺丁七分石一錢四分五釐七毫三絲六忽內均徭一萬一千一百一十七兩三錢四分四絲八忽一微七纖三沙七渺驛傳三千六百七十一兩六錢一分四釐

舊會計里甲等項共編銀三萬四千三百六十九兩四錢八分二釐三毫六絲外閏月銀五百三十五兩

七分六釐九毫六絲今共編銀二萬八千五百七十六兩九錢二分三釐二毫三絲八忽一微七纖三沙七渺每年減銀五千七百九十二兩五錢五分九釐一毫二絲一忽八微二纖九塵六沙三渺外閏月銀五百三十五兩七分六釐九毫六絲

溧水

坊廂八東隅　西隅　南隅　北隅　東北隅　東南隅　西南隅　西北隅

鄉廂十一上元鄉　思鶴鄉　贊賢鄉　白鹿鄉　豐慶鄉　歸政鄉　崇賢鄉　長壽鄉　山湯鄉　仙壇鄉　儀鳳鄉編戶共一百四里

戶一萬七千七百六十四

口一十萬五千六百五十六

田四十九萬三千四百九十四畝八分七釐一毫一絲三忽七微原額畝科米七升九合一勺二抄三撮五圭今畝科米七升三合一勺二抄五撮七圭五粒

荒田九千三百八十七畝七分九釐五毫六絲四忽畝科荒白米七升九合一勺二抄三撮五圭

廢田四千七百六十八畝一分二釐三毫七絲四忽畝科荒白米二升六合三勺七抄四撮五圭

草塲一千五百七十四畝八分三釐五毫五絲畝科荒白米一升五合八勺二抄四撮七圭

地一十五萬二千八百二十一畝九分三釐五毫九

絲一忽五微原額畝科米二升七合四勺四抄一撮　今畝科米二升

荒地八千四百五十畝二毫一絲七忽原額畝科米一升三合七勺二抄五圭　今畝科米一升

雜產五十二萬五千一百七十三畝八分九釐九毫四絲五忽二微山塘原畝科米三合五勺六抄三撮八圭五粟　今畝科米三合五勺溝瀼畝科平米一合七勺八抄一撮九圭二粟五粒

實徵平米四萬六百五十七石二斗九升四合九撮二圭一粟二粒

荒白米一千三百二十四石四斗四合九勺五抄八撮七圭該銀三百三十一兩一錢一釐二毫三絲九

忽六微七纖五塵准平米六百六十二石二斗二合四勺七抄九撮三圭五粟二項共平米四萬一千三百一十九石四斗九升六合四勺八抄八撮五圭六粟二粒

起運平米三萬八千五百四石三斗五升一合二勺

存留平米一千五百九十三石七斗六合二勺七抄五撮二圭五粟

派剩平米一千二百二十一石四斗三升九合一勺三撮三圭一粟二粒

南京戶部折鈔銀一錢二分三釐房屋本色鈔五百

三十八貫七百五十文鑪冶銅錢一千四百八十八文稅課局本色鈔一千五百九十九貫七百五十四文商稅門攤銅錢四千二百九十八文折色鈔銀三錢三分酒醋河泊所折色鈔銀五兩六錢九分伍釐

魚課

魚油翎鰾折銀一百二十三兩四錢九分一釐

草場租銀一十四兩八錢五分七釐

匠班銀一百兩三錢五分

里甲銀一萬二百七十八兩六錢九分一釐四絲八忽四微七纖丁九分五釐石二錢七釐一絲七忽

均徭驛傳銀一萬七百六十八兩九錢九分二毫二絲九忽八微六纖一塵四沙六渺丁一錢一分石二錢一分五釐四毫六絲三忽三微內均徭八千二百八十三兩九錢四分二釐二毫二絲九忽八微六纖一塵四沙六渺驛傳二千四百八十五兩四分八釐

舊會計里甲條編等項共徵銀二萬三千五百九十二兩一錢六釐五毫七絲二忽八微七塵五沙外閏月二百三十六兩六錢四分六釐今共徵二萬一千四十七兩六錢八分一釐二毫七絲八忽三微三纖一塵四沙六渺每年減銀二千五百四十四兩四[illegible]二分五釐二毫九絲四忽四微七[illegible]六塵四渺外閏月二百三十六兩六錢四分六釐

高淳

鄉凡七崇教鄉　立信鄉　遊山鄉　安興鄉　唐昌鄉　永寧鄉　永豐圩鄉編戸共四十一里

戸一萬二千五百二十六

口六萬七千四百七十三

田四十四萬六千九百三十二畝九分一釐原畝科米八升九合七勺五抄五撮九圭　今畝科米八升六合五抄六撮二圭八粟畝帶徵荒米七合九勺五抄一撮二圭

廢田五百二畝二釐五毫原畝科米三升　今畝科米二升五合

地七萬六千四百四十八畝二分七釐原畝科米二升　今畝科

米二升五合
象馬塲地一千八百一十七畝三釐二毫原畝科米一升五合今畝科一升二合
雜產二十萬八千七百八十四畝八分一釐糜圩荒灘畝科米一升山墩河蕩溝塘畝科米四合沙塲水灘畝科米五合
實徵平米四萬一千二百六石三斗二升六合五勺
六抄五撮一圭七粟四粒
荒白米三千五百五十三石二斗九升七合六勺該
銀八百八十八兩三錢二分四釐四毫准平米一千
七百七十六石六斗四升八合八勺二項共平米四

萬三千八十二石九斗七升五合三勺六抄五撮一圭七粟四粒

起運平米四萬一千一百二十一石五斗二升二合六勺五抄

存留平米九百八十六石一斗二升五合四勺九抄一撮二圭五粟

派剩平米九百七十五石三斗二升七合二勺二抄三撮九圭二粟四粒

解京戶部本色鈔二千九百一十三貫六百二十八文窑冶商稅門攤銅錢三千二百九十文折鈔銀八

錢四分三釐（酒醋房屋）河泊所鈔銀一十二兩五錢七分四釐五毫八絲七忽（魚課）

魚油翎鰾折銀貳百五十四兩五錢九分三釐

草塲租銀一百九十八兩四錢一分七釐

象塲租銀五十九兩五錢九分五毫

匠班銀六十五兩二錢五分

里甲銀七千三百五兩三錢一分一釐二絲六忽（丁七分五釐石一錢六分三釐三絲八忽五微）

均徭驛傳銀四千五百四十六兩一錢四分二釐八毫九絲六忽四纖九塵九沙四渺（丁五分石一[illegible]釐八毫八絲[illegible]）

一徵丙均徭四千三百二十八兩八錢六分六釐弍毫九絲六忽四纖九塵九沙四渺驛傳二百一十七兩二錢七分六釐

舊會計里甲條編等項共徵銀一萬二千七百九十六兩七錢三釐四毫二絲六忽四纖九塵九沙四渺外閏月一百四十二兩五錢三分一釐今共徵一萬一千八百五十一兩四錢五分三釐九毫二絲二忽四纖九塵九沙四渺每年減銀九百四十五兩二錢四分九釐五毫四忽外閏月一百四十二兩五錢三分一釐

江浦

鄉凡七孝義鄉　白馬鄉　任豐鄉　遵教鄉　懷德鄉　豐城鄉　崇德鄉編戶共

一十九里

戶二千六百六

口二萬五千一百三十六

田一十三萬八畝一分一釐三毫四絲七微二纖原畝科米七升四合今科米六升五合八勺八抄七撮四圭三粟

地四萬六千六十三畝五分二釐二毫一絲三忽原畝科米四升二合今科米四升

山塘雜產八千六百五十七畝原畝科米一升五合六勺八抄今畝科米一升

實徵平米一萬四百九十五石一升三合四勺二抄

九撮九圭二粟
黄白米一千十八石二斗零該銀二百五十四兩五錢六分一釐六絲四忽准平米五百九石一斗二升二合一勺二抄八撮二項共平米一萬一千四百石一斗三升五合五勺五抄七撮九圭二粟
把運平米九千六百六十一石六斗五升七合一勺八抄五撮
存留平米一千一百九十六石二斗九升一合九勺
派剩平米一百四十六石一斗八升六合四勺七抄二撮九圭二粟

南京戶部折鈔銀一兩七錢八分六釐五毫房屋銅錢五千九百五十五文稅課局本色鈔三萬八千六十貫商稅門攤銅錢七萬九千三十四文折色鈔銀八錢七分四釐二毫酒醋

牙稅銀九兩五錢三分六釐八毫

蘆課銀八百三十四兩五錢八分七釐七毫二忽四微五纖一塵一沙

草場租銀一十六兩九錢九分七釐四毫二絲

匠班銀四兩五分

里甲銀二千四百五十一兩五錢七分四釐九毫五

絲二忽四微丁一錢五分石一錢四分六毫六忽八微

均徭驛傳銀二千四百五十九兩八錢二分九釐二毫八絲九忽八纖七塵一沙丁一錢五分石一錢四分五釐九絲二忽二微

内均徭二千一百二十九兩四錢九分九釐三毫八絲九忽八纖七塵一沙外閏月五兩驛傳三百二十五兩三錢三分

舊會計里甲條編等項共徵銀六千七百五十九兩二錢二釐四毫九絲五忽七微一纖八塵一沙外閏月五十六兩四錢二釐今共徵銀四千九百一十一兩四錢四釐三毫四絲一忽四微八纖七塵一沙每年減銀一千八百四十七兩七錢九分八釐一毫五絲四忽二微三纖一塵外閏月五十六兩四錢二釐

六合

里凡二東里西里城內

都凡五東三都南四五都北四五都上三都下三都編戶共十七里

戶三千一百七十二

口二萬九千五百八十

官民田一萬八千五百五十九畝五分九釐三毫一絲官田原畝科米一斗五升　今畝科米一斗二升民田原畝科米九升六合　今畝科米大升七合五撮五粟

官民地七千一百九十四畝四分六釐二毫六絲官地原畝科米一斗四升　今畝科米一斗民地原畝科米九升六合　今畝米九升

官民塘一千七百七十一畝三分二釐五毫五絲（官塘原畝科米一斗一升今畝科米一斗民塘畝科米七升）

農桑三千七十株（株科米一升四合一勺四抄）

實徵平米三千七百四十四石六斗四升六合八抄

撒餘米四十五石一升二合二勺三抄三撮六圭四

粟八粒

荒白米一百石三斗四升八合該銀二十五兩八分

七釐准平米五十石一斗七升四合二項共平米三

千七百九十四石八斗一升四合六勺八抄起運平

米二千九百五十九石三斗三升四合八勺五抄

存留平米八百一十三石七斗二升六合七勺七抄一撮八圭

派剩平米二十一石七斗五升三合五抄八撮二圭

南京戶部折鈔銀四分九釐五毫三絲 房地銅錢一百六十五文稅課局折鈔銀一錢五分五釐二毫 酒醋銅錢五百一十七文河泊所折鈔銀二十一兩九分八釐九毫九絲四忽 魚課

商稅歲閏銀八十二兩九錢五分四釐六毫

魚油翎鰾折銀六十兩八分二釐六毫五絲

蘆課銀一千六百九十三兩四錢三分五釐五毫二

絲

草場租銀一百六十四兩二分一釐四毫

匠班銀四兩五分

里甲銀三千七十一兩三錢三分五釐四毫八絲一忽四微丁一錢七分二釐六毫五絲九忽九微石二錢

均徭驛傳銀三千三百五兩二錢一分八釐五毫四絲三忽八微三沙六渺丁二錢三釐三毫二絲七忽四微六纖石二錢一分四釐內均徭二千三百八兩二錢八分八釐五毫四絲三忽八纖三沙六渺外閏月五兩驛傳九百九十一兩九錢三分

舊會計里甲條編等項共徵銀一萬二十九兩五分

一釐六毫四絲三忽八纖三沙六渺外閏月二十九
兩今共徵七千六百六十三兩五錢五分四釐二絲
五忽四微八纖三沙六渺每年減銀二千二百六十五兩四錢九分七釐六毫一絲七忽三微外閏月二十九兩

江寧府志卷之八終

江寧府志卷之九

大清賦役

賦役全書成于順治十四年總撒條鞭折冊可稽丈量冊定于康熙三年中間田畝人丁不無增減然參差不一郡志錢糧惟以全書為準

一府田畝大總

原額田地山塘草蕩灘塲雜產等項通共陸萬捌千伍百肆拾柒項捌畝玖分貳釐陸毫伍忽貳微內各縣科則不等共該平米叁拾貳萬貳千肆百叁拾陸石伍斗玖升陸合肆勺柒抄陸撮捌圭伍顆外加上元縣金陵一圖民徐通開荒成熟陞出平米貳石捌斗伍升柒合玖勺陸抄捌撮壹圭貳粟

實徵熟平米叁拾貳萬貳千肆百叁拾玖石肆斗伍升肆合肆勺肆抄肆撮玖圭貳粟伍顆俱照新訂經制起存錢糧實數驗派其徵本色漕南孤貧等米壹拾伍萬玖千伍百壹拾陸石壹斗伍升陸合貳勺其徵折色條編并玖釐地畝漕折等項銀貳拾柒萬陸千捌百捌拾肆兩捌錢玖分貳釐壹毫捌絲伍忽壹微柒纖捌塵肆渺伍漠內除鄉紳舉貢生員吏承等戶各縣科則不等共免銀壹千伍百捌拾玖兩陸錢叁毫玖絲捌忽玖微伍纖伍沙壹塵陸渺陸漠照得優免壹項案准部文不免起解各部正供止免存留雜辦差徭錢糧但紳衿雜職間有陞遷事故逐一增減不

一今照現在確數開載如有消長該縣預詳○院司
于每年派根易知由單內再爲增減報部部查考續於
順治十五年四月內准
部議停免改解戶部

實徵折色條編并玖釐地畝漕折等項共銀貳拾柒萬伍千貳百玖拾伍兩貳錢玖分壹釐柒毫捌絲陸忽貳微壹纖伍沙陸塵柒渺玖漠

實徵漕南孤貧等項共米壹拾伍萬玖千伍百壹拾陸石壹斗伍升陸合貳勺

一府屬各縣戶口人丁大總

原額人丁壹拾捌萬柒千玖百貳拾陸丁叁分柒釐

又于順治五年審增人丁壹萬陸百陸拾伍丁玖分

捌釐合原額審增人丁共壹拾玖萬捌千伍百玖拾貳丁叁分伍釐內除優免鄉紳舉貢生員吏承等戶人丁伍千伍百捌拾玖丁伍分各縣科則不等共免銀柒百陸拾兩肆錢貳分肆釐照得優免丁徭一項于順治十五年四月內准部文止免鄉紳舉貢生員本身壹丁應免銀叁百柒拾柒兩陸錢捌分伍釐陸毫餘丁并吏承不免銀叁百捌拾貳兩柒錢叁分捌釐肆毫改解戶部

實在當差人丁壹拾玖萬叁千貳丁捌分伍釐各縣科則不等共徵銀貳萬肆千貳百柒拾兩貳錢伍分玖釐

一府屬田地人丁銀數大總

原額田地人丁共徵銀貳拾玖萬玖千伍百陸拾伍
兩伍錢伍分柒毫捌絲陸忽貳微壹纖伍沙陸塵柒
渺玖漠
外六合縣商稅餘鈔抵解銀貳百壹拾叁兩肆錢玖
分貳釐陸毫又鎮江府協濟夫馬銀壹千肆拾肆兩
又揚州府屬協濟銀肆拾貳兩又和州協濟銀伍拾
兩又寧國屬協濟銀叁百貳拾肆兩又新擬寧國府
操馬銀肆百捌拾兩又太平府操馬銀壹千壹百伍
拾貳兩又鎮江府操馬銀壹千伍百陸拾兩又廣德
州操馬銀伍百肆拾兩又寧國府屬驛傳協濟銀叁

百肆拾陸兩貳錢又徽州府屬馬夫銀壹百伍拾肆兩肆錢又寧國府屬銀貳百捌拾叁兩叁錢叁分又本省城原編五城房號協濟銀伍百兩以上各府協濟並六合縣商稅共銀陸千陸百捌拾玖兩肆錢貳分貳釐陸毫通前本府屬田畝人丁共銀叁拾萬陸千貳百伍拾肆兩玖錢柒分叁釐叁毫捌絲陸忽貳微壹纖伍沙陸塵柒渺玖漠

戶部本折銀壹拾壹萬貳千陸百肆拾陸兩陸分壹釐壹毫壹絲玖忽伍微貳纖貳沙壹塵捌渺貳漠

禮部折色銀叁千玖拾叁兩肆錢陸分貳釐

兵部折色銀叁萬肆百叁拾柒兩壹錢玖分捌釐

工部本折銀壹萬柒千伍百柒拾伍兩伍錢捌分肆釐肆毫貳絲柒忽伍微

鋪墊銀貳百柒兩玖分貳釐貳毫伍絲

四部本折綱司水脚解費等銀伍千陸百壹拾兩伍錢玖分壹釐陸絲叁忽壹微肆纖捌沙壹塵陸渺叁漠

輕齎等銀壹萬柒千伍百伍拾柒兩肆錢壹分叁釐叁毫伍絲陸忽貳微

本色蘆席楞木松板銀貳百貳拾陸兩陸錢陸分伍

釐玖毫玖絲

攺解南省折色銀貳萬叁千肆百壹拾柒兩玖錢玖分伍釐柒絲捌忽貳微捌纖壹沙貳塵

驛站夫馬等項銀叁萬肆千叁拾柒兩捌錢玖分陸釐肆毫絲叁忽捌纖柒沙壹塵內除外府協濟銀伍千玖百柒拾伍兩玖錢叁分又除本地伍城房號銀伍百兩除貳項協濟外實徵條編銀貳萬柒千伍百陸拾壹兩玖錢陸分陸釐肆毫肆絲叁忽捌纖柒沙壹塵

兵餉銀壹萬壹千玖百肆拾肆兩玖錢壹分陸釐玖

毫壹絲貳忽貳微柒纖伍沙伍塵叁渺捌漠
各衙門銀貳千壹百貳拾兩叁錢捌分陸釐陸毫肆
絲叁忽柒微叁纖貳沙
經費銀壹萬肆千玖百陸兩貳錢叁分肆釐
存留支給銀壹萬玖千貳百柒拾貳兩柒錢叁分肆
釐肆毫玖絲捌忽陸微玖纖陸沙叁塵
裁省解部銀壹萬叁千貳百兩零柒錢肆分壹釐陸
毫叁忽柒微柒纖叁沙壹塵玖渺陸漠
外優免丁粮貳項解部銀壹千玖百柒拾貳兩叁錢
叁分捌釐柒毫玖絲捌忽玖微伍纖伍沙壹塵陸渺

陸漠

實徵本色米豆壹拾伍萬玖千伍百壹拾陸石壹斗伍升陸合貳勺

京倉兌運漕糧正兌本色正米柒萬肆千伍百貳拾玖石該耗米貳萬玖千捌百壹拾壹石陸斗外加溧陽縣裹河剝船米柒百玖拾貳石玖斗

改稅淮安府常盈倉本色正米貳萬柒百捌拾石該耗米陸千貳百叁拾肆石外加溧陽縣裹河剝船米貳百貳拾肆石柒斗玖升

存留本省駐劄兵糧本色米貳萬壹千壹百叁石壹

斗叁升柒合貳勺豆肆千貳百柒拾陸石柒斗貳升

玖合

存留各縣孤貧口糧本色米壹千柒百陸拾肆石

外禮部額編本色藥材今改本折正損耗費銀肆拾

壹兩柒分捌釐陸毫陸絲貳忽此項原編句容溧陽溧水三縣一遞一年

輪流辦解赴部交納不入縣徹

解不在田畝人丁正項徵銀數

戶部項下

商稅并協濟昌平州正損銀捌拾柒兩肆錢玖分玖

釐陸毫

兵部項下

牧馬岡地租正項銀壹千伍百柒拾肆兩玖錢貳分叁釐壹毫柒絲伍忽壹微叁纖

工部項下

漁戶辦解蘇膠翎毛銀肆百伍拾伍兩貳錢柒分壹釐肆毫伍絲內揚州府江都儀真泰興三縣又鎮江府丹徒縣合四縣共協濟銀伍拾陸兩伍分壹釐肆毫陸絲玖忽捌微貳纖伍沙各縣自辦徑解實派本府屬銀叁百玖拾玖兩貳錢壹分玖釐玖毫捌絲壹微柒纖伍沙

班匠人役銀叁百伍拾柒兩玖錢壹分陸釐伍毫

改解南省兵餉項下

軍草場并湖地租銀伍百叁拾伍兩玖錢貳分壹釐柒毫

船鈔梔鈔銀貳百玖拾柒兩伍錢肆分

水面漁課銀叁拾柒兩叁錢伍分捌釐捌毫玖絲貳忽貳微內江都等四縣協濟六合縣銀壹拾玖兩伍錢貳分陸釐叁毫肆絲各縣自徵徑解實派本府屬銀壹拾柒兩捌錢叁分貳釐伍毫伍絲貳忽貳微

外商稅餘鈔協濟六合縣條編正項銀貳百壹拾叁

兩肆錢玖分貳釐陸毫巳入前項禮兵二部抵解蒼
朮馬價草料等項訖
外餘鈔存銀叁拾叁兩陸錢伍分貳釐肆毫應裁解
戶部充餉
學田租銀捌百貳拾肆兩玖錢肆分叁釐壹毫貳絲
捌忽制錢貳萬壹千陸百文
本府所屬解布政司轉解四部折色銀數
夏稅折色起運
戶部項下折色
太倉庫麥折銀肆百伍拾壹兩水脚銀肆兩伍錢壹

分解費銀玖兩貳分此項原額折色正麥肆百伍拾壹石每石折銀壹兩共銀肆百伍拾壹兩

銀硃折色銀壹千壹百肆拾兩伍錢陸分貳厘伍毫鋪墊銀肆拾壹兩捌錢貳分陸毫貳絲伍忽水脚銀壹拾壹兩肆錢伍厘陸毫貳絲伍忽解費銀貳拾貳兩捌錢壹分壹厘貳毫伍絲此項原解甲字庫本色銀硃陸百叁拾伍觔每觔原編銀伍錢鋪墊銀壹錢壹分於順治十年六月內奉

旨除解本色外該折色銀硃叁百捌拾觔叁兩每觔折價叁兩

臓硃折色陸兩柒錢肆分伍厘鋪墊銀叁兩玖錢伍厘水脚銀陸分柒厘肆毫伍絲解費銀壹錢叁分肆

釐玖毫此項原解甲字庫本色贓硃叁百貳拾觔捌兩每觔原編銀壹錢玖分鋪墊銀壹錢壹分於順治十年六月內奉
旨除解本色外折色贓硃叁拾伍觔捌兩每觔折價壹錢玖分

蘇黃折色銀捌兩伍錢陸分貳釐伍毫鋪墊銀肆兩柒錢玖釐叁毫柒絲伍忽水脚銀捌分伍釐陸毫貳絲伍忽解費銀壹錢柒分壹釐貳毫伍絲此項原解甲字庫本色蘇黃壹百壹拾肆觔每觔原編銀壹錢鋪墊銀壹錢壹分於順治十年六月內奉
旨原解本色外該折色蘇黃肆拾貳觔捌拾叁兩每觔折價貳錢

黑鉛折色銀陸拾肆兩壹錢叁分柒釐伍毫鋪墊銀壹拾兩柒分捌釐柒毫伍絲水脚銀陸錢肆分壹釐

叁毫柒絲伍忽解費銀壹兩貳錢捌分貳厘柒毫伍
絲此項原解甲字庫本色黑鉛壹千捌百玖拾貳觔捌兩每觔原編銀叁分伍厘鋪墊銀壹分壹厘於順治十年六月內奉
旨除解本色外該折色黑鉛玖百壹拾陸觔肆兩每觔折價柒分

烏梅折色銀伍拾陸兩伍錢叁分貳厘伍毫鋪墊銀
壹拾伍兩伍錢肆分陸厘肆毫叁絲柒忽伍微水脚
銀伍錢陸分伍厘叁毫貳絲伍忽解費銀壹兩壹錢
叁分陸毫伍絲此項原解甲字庫本色烏梅壹千柒百貳拾柒觔肆兩每觔原編貳分鋪墊銀壹分壹厘於順治十年六月內奉
旨除解本色外解折色烏梅壹千肆百壹拾叁觔伍兩每觔折價肆分

生銅折色銀肆拾叁兩貳錢鋪墊銀捌兩陸錢肆分

水脚銀肆錢叁分貳厘解費銀捌錢陸分肆厘此項原解丁字庫本色生銅伍百肆拾觔每觔原編銀伍分鋪墊銀壹分陸厘於順治十年六月內奉
旨全改折色每觔折價捌分

紅熟銅折色銀壹百叁拾捌兩貳錢肆分陸厘捌毫柒絲伍忽鋪墊銀壹拾柒兩壹分伍厘水脚銀壹兩叁錢捌分貳厘肆毫陸絲捌忽柒微伍纖解費銀貳兩柒錢陸分肆厘玖毫叁絲柒忽伍微此項原解丁字庫本色紅熟銅壹千叁百伍拾陸觔每觔原編銀壹錢鋪墊銀壹分陸厘於順治十年六月內奉
旨除解本色外該折色紅熟銅壹千陸拾叁觔柒兩每觔折價銀壹錢叁分

黃蠟折色銀壹百肆拾肆兩伍錢伍分鋪墊銀伍兩

柒錢捌分貳厘水脚銀壹兩肆錢肆分伍厘伍毫解

費銀貳兩捌錢玖分壹厘此項原解丁字庫本色黄蠟肆百柒拾陸觔每觔原

編銀貳錢鋪墊銀壹分陸厘於順治十年六月内奉

旨除解本色外該折色黄蠟叁百陸拾壹觔陸兩每觔

折價

肆錢

牛筋折色銀壹拾玖兩肆錢捌分鋪墊銀玖錢肆分

捌厘水脚銀壹錢玖分肆厘捌毫解費銀叁錢捌分

玖厘陸毫此項原解丁字庫本色牛筋壹百貳拾壹觔拾叁兩每觔原編銀捌分鋪墊銀壹分

陸厘於順治十年六月内奉

旨全改折色每觔折價壹錢陸分

水牛角折色銀壹百貳拾伍兩鋪墊銀捌兩柒錢伍

分水脚銀壹兩貳錢伍分解費銀貳兩伍錢此項原解丁字

庫本色水牛角壹百貳拾伍副每副原編銀壹錢鋪墊銀柒分於順治十年六月内奉
旨全改折色每副
折色銀壹兩

黃牛皮折色銀捌兩壹錢肆分鋪墊銀貳兩玖錢陸分水脚銀捌分壹厘肆毫解費銀壹八陸分貳厘捌毫此項原解丁字庫本色黃牛皮叁拾柒張原編銀貳錢貳分鋪墊銀捌分於順治十年六月内奉
旨全改折色每張
折價貳錢貳分

蘄草折色銀伍兩水脚銀伍分解費銀壹錢此項原解南供用庫今改解北蘄草壹千觔每觔原編銀貳厘伍毫於順治十年六月内奉
旨全改折色每
觔折價伍厘

以上戶部下折色合計十三欵共銀貳千叁百玖拾捌

兩陸錢肆分陸厘柒毫陸絲捌忽柒微伍纖

秋糧折色起運

戶部項下折色

太倉庫米折銀壹萬貳千叁百伍拾陸兩伍錢壹分伍釐柒毫壹絲貳忽捌微捌纖水脚銀壹百貳拾叁兩伍錢陸分伍釐壹毫伍絲柒忽壹微貳纖捌沙捌塵解費銀貳百肆拾柒兩壹錢叁分叁毫壹絲肆忽貳微伍纖柒沙陸塵查此項原額折色米貳萬伍百玖拾肆石壹斗玖升貳合捌勺伍抄肆撮捌圭每石折銀陸錢奉文每石加解費銀貳分

光祿寺米折銀貳千伍百玖拾兩水脚銀貳拾伍兩

玖錢解費銀伍拾壹兩捌錢此項原額折色米叄千柒百石每石折銀柒錢每石奉文加解費貳分

京庫草折銀玖千壹百柒拾貳兩貳錢水脚銀玖拾壹兩柒錢貳分貳釐解費銀壹百捌拾叁兩肆錢肆分肆釐查此項原額馬草叄拾萬伍千柒百肆拾包每包折銀叄分每包奉文加解費貳分

光祿寺改折稻穀銀叄拾伍兩水脚銀叄錢伍分解費銀柒錢查此項原解南光祿寺續改解北原額折色稻穀壹百石准正米伍拾石折銀柒錢

京倉兌運漕糧改折銀壹萬柒千捌百貳拾玖兩柒錢水脚銀壹百柒拾捌兩貳錢玖分柒釐解費銀叄百伍拾陸兩伍錢玖分肆釐查此項高淳縣原額[illegible]軍正米壹萬叄千壹百

貳拾玖石萬曆年題准永折每石折銀柒錢共銀玖千壹百玖拾兩叁錢水脚銀玖拾壹兩玖錢叁釐於天啟伍年復改本色加耗肆斗該耗米伍千貳百伍拾壹石陸斗共正耗米壹萬捌千叁百捌拾石陸斗於順治捌年玖月拾伍日准　巡撫上官

題請改折色戶部覆於順治捌年拾貳月貳拾伍日

奉

旨是依議欽遵在案改折正兌米壹萬叁千壹百貳拾玖石每石折銀柒錢共銀玖千壹百玖拾兩叁錢水脚銀玖拾壹兩玖錢叁釐每正銀壹兩加解費貳分該銀壹百捌拾叁兩捌錢陸釐共耗米伍千貳百伍拾壹石陸斗免派於民又溧水縣爲水虛虛糧日增事申詳　撫院張

題請折色戶部題覆於順治拾伍年叁月拾伍日奉

旨准改折色正兌米壹萬貳千叁百肆拾貳石每石比照高淳縣事例折銀柒錢共銀捌千陸百叁拾玖兩肆錢水脚銀捌拾陸兩叁錢玖分肆釐解費銀壹百柒拾貳兩柒錢捌分捌釐其耗米肆千玖百叁拾陸石捌斗免派於民內溧水縣銀捌千陸百叁拾玖兩肆錢水脚銀捌拾陸兩叁錢玖分肆釐解費銀壹百

柒拾貳兩柒錢捌分捌釐　高淳縣銀玖千壹百玖拾兩叁錢水脚銀玖拾壹兩玖錢叁釐解費銀壹百捌拾叁兩捌錢陸厘

改兌淮安府常盈倉漕糧改折銀肆千叁百叁拾貳兩水脚銀肆拾叁兩叁錢貳分解費銀捌拾陸兩陸錢肆分　查此項高淳縣原額改兌正米叁千柒百貳拾壹石每石折銀陸錢共銀貳千貳百叁拾貳兩陸錢於天啓伍年復改本色實徵正米叁千柒百貳拾壹石每石加叁耗米壹千壹百壹拾陸石叁斗於順治捌年玖月拾伍日准　巡按上官　題請折色戶部覆　題於順治捌年拾貳月貳拾伍日奉

旨是依議欽遵在案改徵改兌米叁千柒百貳拾壹石每石折銀陸錢共銀貳千貳百叁拾貳兩陸錢水脚銀貳拾貳兩叁錢貳分陸釐解費銀肆拾肆兩陸錢伍分貳釐共銀米壹千壹百壹拾陸石叁斗免派於民又漂水縣爲水虐虛糧日增等事申詳　撫[illegible]題請折色戶部覆題於順治拾伍年叁月初

旨准改折色改兌米叄千肆百玖拾玖石每石比照高淳縣例折銀陸錢共銀貳千玖拾玖兩肆錢水脚銀貳拾兩玖錢玖分肆釐解費銀肆拾壹兩玖錢捌分捌釐其耗米壹千零肆拾玖石柒斗免派於民內

溧水縣銀貳千玖拾玖兩肆錢水脚銀貳拾兩玖錢玖分肆釐解費銀肆拾壹兩玖錢捌分捌釐

高淳縣銀貳千貳百叄拾貳兩陸錢水脚銀貳拾貳兩叄錢貳分陸釐解費銀肆拾肆兩陸錢伍分貳釐

原解南今新准部文改解北各衛倉無耗折色平米銀捌百貳拾玖兩伍錢伍分伍釐水脚銀捌兩貳錢玖分伍釐伍毫原係高淳縣徵解查此項原額刊載南京各衛倉無耗折色平米壹千陸百伍拾玖石壹斗壹升每石折銀伍錢共銀捌百貳拾玖兩伍錢伍分伍釐水脚銀肆兩壹錢肆分柒釐柒毫伍忽於崇禎玖年爲留都空匱等事准

南京戶部正堂張題准自貳年起改徵本色各衛倉水兌平米壹千陸百伍拾玖石壹斗壹升加貳捌耗米肆百陸拾肆石伍斗伍升捌勺今據高淳縣申詳撫

院張　題請改折部覆於順治拾伍年叁月拾柒日
奉
旨仍徵折色照數改編前銀隨漕折一并解部其耗米肆百陸拾肆石伍斗伍升伍合比照漕糧事例免派於
民

九釐地畝銀陸萬貳千陸百貳兩伍錢伍分柒釐柒毫捌絲壹忽陸微肆纖貳沙壹塵捌渺貳漠水腳銀陸百貳拾陸兩貳分伍釐伍毫柒絲柒忽捌微壹纖陸沙肆塵貳渺壹漠解費銀壹千貳百伍拾貳兩伍分壹釐壹毫伍絲伍忽陸微叁纖貳沙捌塵肆渺叁漠

以上八款共銀壹拾壹萬叁千叁拾玖兩玖錢伍分

肆釐叁毫肆絲玖忽叁微伍纖柒沙捌塵肆渺陸漠

夏稅折色起運

禮部項下折色

光祿寺麥折銀肆百捌兩水脚銀肆兩捌分解費銀捌兩壹錢陸分 查此項原額折色正麥肆百捌石每石折銀壹兩

秋糧折色起運

禮部供應肥猪羊隻雞鵝共銀壹千伍百伍拾貳兩貳錢水脚銀壹拾伍兩伍錢貳分貳釐解費銀叁拾壹兩肆分肆釐

太常寺牛犢銀捌拾伍兩伍錢水脚銀陸兩解費銀

壹兩柒錢壹分

禮部蒼术銀玖百玖拾貳兩貳錢伍分水脚銀壹百伍拾貳兩伍錢外加解費銀壹拾玖兩捌錢肆分伍釐　查此項原額蒼术叁萬玖千陸百玖拾觔每觔價銀柒釐該銀貳百柒拾柒兩捌錢叁分水脚銀貳百兩於萬曆四十七年奉部劄開本色改折壹萬觔每觔折銀貳分伍釐該銀貳百伍拾兩水脚銀貳兩伍錢實徵本色貳萬玖千陸百玖拾觔每觔價銀柒釐該銀貳百柒兩捌錢叁分原編水脚除改折色減四分之一實徵水脚銀壹百伍拾兩今於順治八年九月內奉

旨全改折該折色蒼术叁萬玖千陸百玖拾觔每觔折銀貳分伍釐

禮部藥材並紅黃紙價伍拾伍兩伍錢壹分貳釐水脚銀伍錢伍分伍釐壹毫貳絲解費銀壹兩壹錢壹

分貳毫四絲　貼備蒼朮藥材使費銀五十兩

以上計六欵共銀叁千叁百八十叁兩九錢八分八

厘叁毫陸絲

外禮部原編本色藥材今改折色銀數生玄胡折色

銀捌兩柒錢貳分捌厘水脚銀捌分柒厘貳毫捌絲

解費銀壹錢柒分肆厘伍毫陸絲

金銀花折色銀壹兩玖錢玖分捌厘水脚銀壹分玖

厘玖毫捌絲解費銀叁分玖厘玖毫陸絲

白扁豆折色銀壹兩陸錢貳分水脚銀壹分陸厘貳

毫解費銀叁分貳厘肆毫

瓜簍子折色銀捌錢壹分水脚銀捌厘壹毫解費銀壹分陸厘貳毫

黑牽牛折色銀貳兩捌錢貳分陸厘伍毫水脚銀貳分捌厘貳毫陸絲伍忽解費銀伍分陸厘伍毫叁絲

紫葳折色銀壹錢肆分玖厘玖毫水脚銀壹厘肆毫玖絲玖忽解費銀貳厘玖毫玖絲捌忽

馬蹄香折色銀壹兩壹錢伍厘水脚銀壹分壹厘伍絲解費銀貳分貳厘壹毫

元胡索折色銀叁兩捌錢捌分捌厘水脚銀叁分捌厘捌毫捌絲解費銀柒分柒厘柒毫陸絲

以上禮部項下原編本色藥材今改折色藥材一款
計捌味共銀貳拾壹兩柒錢伍分玖厘壹毫陸絲貳
忽隨本徵解原派溧陽句容溧水叄縣徵收各縣輸
流一遞一年起解不入縣撒

兵部項下折色

兵部備用折色馬捌百叄拾叄匹伍分每匹折銀叄
拾兩共銀貳萬伍千伍兩內除六合縣滁州衛軍馬
田畝佃戶輸納銀壹百貳兩又功臣田畝佃戶銀壹
拾兩壹錢肆分伍厘玖毫陸絲叄忽捌微又商稅抵
解銀壹百伍拾貳兩叄錢伍厘伍毫玖絲陸忽四微

以上叁項除抵解外實徵條編銀貳萬肆千柒百肆拾兩伍錢肆分捌釐肆毫叁絲玖忽捌微水脚銀貳百伍拾兩伍分解費銀伍百兩壹錢

兵部草料銀肆千肆百兩貳錢伍分柒釐肆毫柒絲內除六合縣商稅抵解江浦縣協濟草料不派條編銀貳拾柒錢柒分玖釐貳毫壹絲實徵條編銀肆千叁百柒拾玖兩肆錢柒分捌釐貳毫陸絲水脚銀肆拾肆兩貳釐伍毫柒絲肆忽柒微內除六合縣商稅抵解協濟江浦草料水脚銀貳錢柒釐柒毫玖絲貳忽壹微實徵條編銀肆拾叁兩柒錢玖分肆釐柒毫

捌絲貳忽陸微奉部每兩加解費貳分共銀捌拾捌兩伍釐壹毫肆絲玖忽肆微

兵部草場租銀貳百伍拾玖兩柒錢肆分貳釐伍毫叁絲水脚銀貳兩伍錢玖分柒釐肆毫貳絲伍忽叁微解費銀伍兩壹錢玖分肆釐捌毫伍絲陸微

草場租銀柒百陸拾兩壹錢玖分捌釐水脚銀柒兩陸錢壹釐玖毫捌絲解費銀壹拾伍兩貳錢叁釐玖毫陸絲

太僕寺短班醫獸拾名每名銀拾貳兩共銀壹百貳拾兩十年一解每年徵銀拾貳兩水脚銀陸分解費

銀貳錢肆分

以上兵部自馬價起自太僕寺獸醫止計伍欵共銀叁萬壹千叁百伍拾兩貳錢伍分叁厘玖毫肆絲

工部項下折色

工部肆司料價銀壹萬陸千貳百壹拾貳兩陸錢玖分伍毫陸絲伍忽水脚銀壹百陸拾貳兩壹錢貳分陸厘玖毫伍忽陸微伍纖解費銀叁百貳拾肆兩貳錢伍分叁厘捌毫壹絲壹忽叁微

營繕司料價銀伍千壹百捌拾捌兩陸分玖毫捌絲捌微水脚銀伍拾壹兩捌錢捌分陸毫玖忽捌微捌

沙解費銀壹百叁兩柒錢陸分壹厘貳毫壹絲玖忽陸微壹纖陸沙

虞衡司料價銀貳千伍百玖拾肆兩叁分肆毫玖絲肆微水脚銀貳拾伍兩玖錢肆分叁毫肆忽玖微肆沙解費銀伍拾壹兩捌錢捌分陸毫玖忽捌微捌沙

都水司料價銀肆千伍百叁拾玖兩伍錢伍分叁厘叁毫伍絲捌忽貳微水脚銀肆拾伍兩叁錢玖分伍厘伍毫叁絲叁忽伍微捌纖貳沙解費銀玖拾兩柒錢玖分壹厘陸絲柒忽壹微陸纖肆沙

屯田司料價銀叁千捌百玖拾壹兩肆分伍厘柒毫

叁絲伍忽陸微水脚銀叁拾捌兩玖錢壹分肆毫伍
絲柒忽叁微伍纖陸沙解費銀柒拾柒兩捌錢貳分
玖毫壹絲肆忽柒微壹纖貳沙

工部營繕司磚料銀玖百兩水脚銀玖兩解費銀拾
捌兩

工部都水司黃麻銀陸拾肆兩伍錢捌分肆厘水脚
銀陸錢肆分伍厘捌毫肆絲解費銀壹兩貳錢玖分
壹厘陸毫捌絲遇閏加銀壹兩捌錢柒厘壹毫捌絲
壹忽貳微伍纖

工部都水司白蔴銀肆拾伍兩伍錢玖分玖厘柒毫

玖絲叁忽柒微伍纖水脚銀肆錢伍分伍厘玖毫玖絲柒忽玖微叁纖柒沙伍塵解費銀玖錢壹分壹厘玖毫玖絲伍忽捌微柒纖伍沙遇閏加銀壹兩叁錢伍分壹厘捌絲柒忽伍微

工部都水司魚線膠銀陸兩肆錢壹分柒厘壹毫壹絲水脚銀陸分肆厘壹毫柒絲壹忽壹微解費銀壹錢貳分捌厘叁毫肆絲貳忽貳微遇閏加銀壹錢柒分壹厘陸毫肆絲

御用監匠役衣糧銀叁百貳拾肆兩水脚銀叁兩貳錢肆分解費銀陸兩肆錢捌分遇閏加銀貳拾柒兩

以上工部四司料價起至匠役衣糧止計陸欵共銀壹萬捌千柒拾玖兩捌錢玖分貳毫壹絲貳忽捌微壹纖貳沙伍塵遇閏加銀叁拾兩叁錢貳分玖厘玖毫捌忽柒微伍纖

本府所屬解布政司轉解戶部本色物料數

夏稅本色起運

戶部項下本色

甲丁二庫本色顏料原編價銀貳百柒拾柒兩捌錢捌分叁厘柒毫伍絲鋪墊銀捌拾伍兩玖錢叁分柒厘陸絲貳忽伍微貼備蒼朮藥材顏料使費銀貳百

肆拾陸兩柒分玖釐貳毫

甲字庫

本色銀硃貳百伍拾肆觔拾叁兩每觔原編價銀伍錢鋪墊銀壹錢壹分共價銀壹百貳拾柒兩肆錢陸釐貳毫伍絲鋪墊銀貳拾捌兩貳分玖釐叁毫柒絲伍忽

本色賦硃貳百陸拾柒觔每觔原編銀壹錢玖分鋪墊銀壹錢壹分共價銀伍拾兩柒錢叁分鋪墊銀貳拾玖兩叁錢柒分

本色藤黄柒拾壹觔叁兩每觔原編銀壹錢鋪墊銀

壹錢壹分共價銀柒兩壹錢壹分捌厘柒毫伍絲鋪

墊銀柒兩捌錢叁分陸毫貳絲伍忽

本色黑鉛玖百柒拾陸觔肆兩每觔原編銀叁分伍

厘鋪墊銀壹分壹厘共價銀叁拾肆兩壹錢陸分捌

厘柒毫伍絲鋪墊銀壹拾兩柒錢叁分捌厘柒毫伍

絲

本色烏梅叁百壹拾叁觔拾伍兩每觔原編銀貳分

鋪墊銀壹分壹厘共價銀陸兩貳錢柒分捌厘柒毫

伍絲鋪墊銀叁兩肆錢伍分叁厘叁毫壹絲貳忽伍

微

丁字庫

本色紅熟銅貳百玖拾貳觔玖兩每觔原編銀壹釐

鋪墊銀壹分陸釐共價銀貳拾玖兩貳錢伍分陸釐

貳毫伍絲鋪墊銀肆兩陸錢捌分壹釐

本色黃蠟壹百壹拾肆觔拾兩每觔原編銀貳錢鋪

墊銀壹分陸釐共價銀貳拾貳兩玖錢貳分伍釐鋪

墊銀壹兩捌錢叁分肆釐

承運庫

原解江南今改解京本色壹分貳釐絹壹百陸拾叁

疋伍分陸釐每疋原徵銀柒錢該銀壹百壹拾肆兩

肆錢玖分貳厘綳司水脚銀陸拾柒兩叁錢柒分貳毫伍絲捌忽

供用庫

原解江南今改解京供用庫本色黃白蠟原編價銀貳百玖拾伍兩水脚銀貳兩玖錢伍分綳司銀貳百伍兩貳錢伍分

本色黃蠟壹千壹百觔每觔原編銀貳錢共銀貳百貳拾兩

本色白蠟壹百伍拾觔每觔原編銀伍錢共銀柒拾伍兩

以上戶部項下本色自甲字庫本色銀硃起至供用庫本色白蠟止計十欵共銀壹千貳百玖拾肆兩玖錢陸分貳厘貳毫柒絲伍微

本府所屬兌運本色漕糧米數

秋糧本色起運

戶部項下

京倉兌運漕糧本色正米柒萬肆千伍百貳拾玖石每石加耗肆斗該耗米貳萬玖千捌百壹拾壹石陸斗外加溧陽縣裏河剥船米每石叁升該耗米柒百玖拾貳石玖斗共正耗米壹拾萬伍千壹百叁拾叁

石伍斗此項原額正米捌萬陸千捌百柒拾壹石每石加耗肆斗該耗米叁萬肆千柒百肆拾捌石肆斗外加溧陽縣裏河剝船米每石叁升該耗米柒百玖拾叁石玖斗內撥溧水縣爲水虐虛糧日增等事申詳　巡撫張具　題改拆部覆於順治拾伍年叁月初肆日奉

旨准改折色正米壹萬貳千叁百肆拾貳石已入前項折色欵內徵銀解部免編耗米肆千玖百叁拾陸石捌斗免派於民

改兌淮安府常盈倉本色正米貳萬柒百捌拾石每石加耗叁斗該耗米陸千貳百叁拾肆石外加溧陽縣裏河剝船米每石叁升該耗米貳百貳拾肆石柒斗玖升共正耗米貳萬柒千貳百叁拾捌石柒斗入升此項原額正米貳萬肆千貳百柒拾玖石每石耗叁斗該耗米柒千貳百捌拾叁石柒斗外加溧

陽縣裏河剝船米每石叁升該耗米貳百貳拾肆石柒斗玖升內據溧水縣爲水虐虛糧日增等事申詳巡撫張具題部覆於順治拾伍年叁月初四日奉

旨准改折色正米叁千肆百玖拾玖石已入前項折色並內徵限解部原編耗米壹千肆拾玖石柒斗免派於民

以上戶部漕糧共正耗船腳米壹拾叁萬貳千叁百柒拾貳石貳斗玖升

本府支給運官叁分蘆席銀壹百陸拾陸兩柒錢貳分伍厘

叁分楞木松板銀伍拾玖兩玖錢肆分玖毫玖絲

以上蘆席楞木貳欵共銀貳百貳拾陸兩陸錢陸分

伍厘玖毫玖絲

本府解淮安府漕河貳庫輕賫河工銀數

二六輕賫米銀壹萬壹百捌拾壹兩柒錢叁分水脚銀壹百壹兩捌錢壹分柒厘叁毫解費銀貳百叁兩陸錢叁分肆厘陸毫

楞木松板銀壹百叁拾玖兩捌錢陸分貳厘叁毫壹絲解費銀貳兩柒錢玖分柒厘貳毫肆絲陸忽貳微此項原編銀壹百玖拾玖兩捌錢叁厘叁毫內撥本色叁分銀伍拾玖兩玖錢肆分玖毫玖絲給發運官採辦本色赴部交納

隨糧壹升蘆席米銀叁百捌拾玖兩貳分伍厘解費

銀柒兩柒錢捌分伍厘此項原編銀伍百伍拾伍兩柒錢伍分內撥出本色叁分銀壹百陸拾陸兩柒錢貳分伍厘給發運官採辦本色赴部交納

改兌項下貳升變易米銀貳百肆拾貳兩柒錢玖分

解費銀肆兩捌錢伍分伍厘捌毫

正改兌壹分籮銀壹千壹百壹拾壹兩伍錢水脚

銀壹拾壹兩壹錢壹分伍厘解費銀貳拾貳兩叁錢

叁分

[illegible]升過江米銀肆千壹兩肆錢

溜夫工食銀壹千壹百壹拾壹兩伍錢水脚解費銀

貳拾伍兩叁錢柒分伍厘陸毫

以上共計柒欵共銀壹萬柒千伍百伍拾柒兩肆錢壹分叁厘叁毫伍絲陸忽貳微

本府解布政司轉解禮工貳部本色物料數

秋糧起運

禮部項下本色

生玄胡柒拾觔每觔原編銀捌分該銀伍兩陸錢

金銀花伍拾觔每觔原編銀壹分該銀伍錢

石膏壹百觔每觔原編銀壹厘該銀壹錢

河首烏貳拾肆觔每觔原編銀伍厘該銀壹錢貳分

菝蕠仙伍拾斤每觔原編銀柒厘該銀叁錢伍分

威靈仙伍拾觔每觔原編銀壹分該銀伍錢

蒼术貳千肆百叁拾觔每觔原編銀伍釐該銀壹拾貳兩壹錢伍分　查本色藥材壹項原編價銀肆拾兩肆錢肆分伍釐肆毫內除撥解折色藥材壹千貳百伍拾陸觔捌錢共折銀貳拾壹兩壹錢貳分伍釐肆毫已入前項折色款內隨本起解外實存本色原編銀壹拾玖兩叁錢貳分以上藥材等項仍解本色價值奉

旨照刊書價值開列每年二月　督　撫確查時估

題明填入易知單內照數徵派委官辦解不許遺累民間等因在案遵行原編句容溧陽溧水三縣輪流一遞一年起解不入縣撤

以上禮部藥材共銀壹拾玖兩叁錢貳分

工部項下本色

都水司本色白蔴陸百伍拾壹觔陸兩捌錢壹分價

銀壹拾玖兩伍錢肆分貳厘柒毫陸絲捌忽柒微伍
纖遇閏加蘇壹拾玖觔肆兩捌錢貳分價銀伍錢柒
分玖厘叁絲柒忽伍微
都水司本色魚線膠叁拾肆觔陸兩叁分捌厘價銀
貳兩柒錢伍分壹毫玖絲遇閏加膠拾肆兩柒錢壹
分貳厘價銀柒分叁厘伍毫陸絲
以上工部二欵共銀貳拾貳兩貳錢玖分貳厘玖毫
伍絲捌忽柒微伍纖遇閏加銀陸錢伍分貳厘伍毫
玖絲柒忽伍微
本府解布政司留充本省兵餉糧料支用米豆數[illegible]

原解南光祿寺改解江寧倉本色正麥壹百陸拾壹石今奉文每麥壹石折徵豆壹石伍斗共准豆貳百肆拾壹石伍斗每石加耗伍斗伍升船錢貳升盤用伍升共陸斗貳升該耗豆壹百肆拾玖石玖斗叁升共正耗豆叁百玖拾壹石貳斗叁升外綱司水脚銀伍拾伍兩貳錢伍分此項綱司銀兩改充本省兵餉

原解南光祿寺改解江寧倉本色黃豆叁百柒石內牛料黃豆明季原免泒壹百伍石其餘仍徵本色黃豆貳百貳石每石加耗貳斗船錢叁升盤用伍升共貳斗捌升該耗豆伍拾陸石伍斗陸升又稻穀叁百

叁拾石內撥出折色稻穀壹百石已入前項折色欵內徵解戶部外實徵本色稻穀貳百叁拾石准正米壹百壹拾伍石每石加耗貳斗船錢叁升盤用伍升共貳斗捌升該耗米叁拾貳石貳斗外綱司水脚銀捌拾陸兩玖錢陸分柒釐捌毫肆絲此項綱司水脚銀兩改充本省

兵餉

原解南神宮監改解江寧倉本色白熟糯米伍拾石准糙粳米伍拾伍石糙粳米肆百伍拾石稻穀肆百石准正米貳百石共准正米柒百伍石每石加耗貳船錢不等盤用伍升該耗米貳百伍石陸斗伍升

陸合芝蔴貳拾石今奉文每石改徵豆貳石伍斗准豆伍拾肆石黃豆貳百石柒豆陸拾石每石改徵黑豆壹石伍斗准豆玖拾石共准豆叁百肆拾石每石加耗貳斗船錢不等盤用伍升該耗豆玖拾柒石叁斗柒升伍合外綱司水脚等銀肆百伍兩柒錢陸分捌釐此項綱司水脚門攤銀兩留充本省兵餉

原解南長安左等四門倉改解江寧倉本色正米肆千玖百伍拾貳石肆斗每石加耗貳斗船錢不等盤用伍升該耗米壹千肆百叁拾壹石伍斗捌升貳合共正耗米陸千叁百捌拾叁石玖斗捌升貳合外水

脚門籌銀叁百貳拾貳兩玖錢柒分貳釐柒毫

原解南各衛倉改解江寧倉本色無耗黑豆壹千伍百陸拾玖石柒斗壹升肆合水脚門籌銀伍兩伍錢壹分捌釐壹毫叁絲貳忽

原解南酒醋局改解江寧倉本色正麥伍百石麥穩壹百伍拾石准小麥拾伍石共准正麥伍百壹拾伍石今奉文每麥壹石改徵豆壹石伍斗共准豆柒百柒拾貳石伍斗每石加耗伍斗伍升船錢叁升盤用伍升共陸斗叁升該耗豆肆百捌拾陸石陸斗柒升伍合共正耗豆壹千貳百伍拾玖石壹斗柒升伍合

外綱司水脚銀伍拾壹兩伍錢

原額南神宮監改解江寧倉本色正麥肆拾伍石今

奉文每石徵豆壹石伍斗共徵豆陸拾柒石伍斗每

石加耗伍斗伍升船錢叁升盤用伍升共陸斗叁升

該耗豆肆拾貳石伍斗貳升伍合共正耗豆壹百壹

拾石貳升伍合水脚銀壹拾捌兩

原解南酒醋局改解江寧倉本色綠豆叁拾石今奉

文每石改徵黑豆壹石伍斗准豆肆拾伍石每石加

耗貳斗船錢叁升盤用伍升共貳斗捌升該耗豆壹

拾貳石陸斗稻皮貳百石准正米壹拾石每石加耗

貳斗船錢叁升盤用伍升共貳斗捌升該耗米貳石捌斗外綱司水脚銀貳拾肆兩

原解南供應庫改解江寧倉本色黑豆壹百叁拾石黃豆貳拾石共豆壹百伍拾石每石加耗貳斗船錢不等盤用伍升該耗豆肆拾叁石伍升共正耗豆壹百玖拾叁石伍升外綱司水脚銀玖拾兩

原解南各衛倉改編本省領運各衛官丁行月二糧本色水兌平米壹萬陸百陸拾貳石捌斗玖升每石加耗貳斗船錢叁升盤用伍升共貳斗捌升該耗米貳千玖百捌拾伍石陸斗玖合貳勺共正耗米壹萬

叁千陸百肆拾捌石肆斗玖升玖合貳勺此項原行糧係

江句容溧陽溧水江浦六合徵解之數其高

淳縣行粮已入前項折色欵內隨漕解部

以上留充本省兵糧計拾款共米豆貳萬伍千叁百

柒拾玖石捌斗陸升陸合貳勺綱司水脚門籌等銀

壹千伍拾玖兩玖錢柒分陸釐陸毫柒絲貳忽

各縣存留米數

養濟院孤貧肆百玖拾名每名給本色米叁石陸斗

共米壹千柒百陸拾肆石遇閏加米壹百肆拾柒石

本府改解布政司留充本省兵餉等項支用銀數

稅糧起運戸屬項下改充南餉均徭起運戸屬項下

禮屬項下兵屬項下刑屬項下工屬項下及通政司
及南國子監及南京畿各道項下改充本省駐劄滿
漢官兵糧餉及供應機房食米柴夫脚價共銀貳萬
貳千叁百伍拾捌兩壹分捌釐肆毫陸忽貳微捌纖
壹沙貳塵
本府解給驛站協濟銀數
驛站
龍江遞運所座船水夫壹百貳拾名每名銀柒兩貳
錢外修船銀貳兩共銀壹千壹百肆兩內減編江寧
縣原編操院座船修理銀貳拾肆兩實編銀壹千捌

拾兩遇閏加銀貳拾柒兩

紅座船水夫陸拾肆名每名工食銀柒兩貳錢共該銀肆百陸拾兩捌錢外遇閏加銀叁拾捌兩肆錢

接遞水夫貳百柒拾名每名工食銀柒兩貳錢共該銀壹千玖百肆拾肆兩外遇閏加銀壹百陸拾貳兩

金陵驛奉　内院經制議定每年馬價工食草料等項共銀柒千貳百伍拾陸兩捌錢内除原編鎮江府協濟夫馬銀壹千肆拾肆兩又揚州府屬協濟銀肆拾貳兩又和州協濟銀伍拾兩又寧國府屬協濟銀叁百貳拾肆兩新撥寧國府操馬銀肆百捌拾兩又

太平府操馬銀壹千壹百伍拾貳兩又鎮江府操馬銀壹千伍百陸拾兩又廣德州操馬銀伍百肆拾兩又句容縣海防抵給銀陸百零肆兩叁錢貳分以上各府州縣協濟共銀伍千柒百玖拾陸兩叁錢貳分除抵給外實徵條編銀壹千肆百陸拾兩肆錢捌分遇閏加銀壹百柒拾貳兩陸分陸厘陸毫陸絲

江東驛奉　内院經制議定每年馬價草料工食等項共銀肆千貳百柒拾陸兩肆錢内除原編本地五城房號協濟銀伍百兩又寧國府屬驛傳協濟銀叁百肆拾陸兩貳錢又徽州府屬夫馬銀壹百伍拾肆

兩肆錢又寧國府屬銀貳百捌拾叁兩叁錢叁分又句容縣海防抵給銀貳百肆拾壹兩叁錢叁分以上各款共協濟銀壹千伍百貳拾伍兩貳錢陸分除抵給外實徵條編銀貳千柒百伍拾壹兩壹錢肆分遇閏加銀貳百肆拾玖兩叁錢柒分貳釐伍毫壹絲

江寧驛奉　內院經制議定每年馬價草料工食等項共銀叁千兩於順治拾年閏陸月內奉　江南總督部院馬　題部覆准撥給抵兌浙省協濟馬價銀貳百伍拾貳兩貳項共銀叁千貳百伍拾貳兩遇閏加銀貳百柒拾壹兩

江寧驛庫斗各一名每名銀柒兩貳錢共銀拾肆兩肆錢內裁革庫子壹名銀柒兩貳錢抵給羈候所更夫工食遇閏加銀壹兩貳錢

龍江水馬驛站船水夫壹百伍拾玖名每名銀柒兩貳錢共銀壹千壹百肆拾肆兩捌錢遇閏加銀玖拾伍兩肆錢

龍江水馬驛支應銀叁百兩遇閏加銀貳拾伍兩

龍江驛斗級壹名銀柒兩貳錢庫子壹名銀捌兩共銀拾伍兩貳錢改作供應人役工食遇閏加銀壹兩貳錢陸分陸釐陸毫陸絲

江東驛廚役壹名銀柒兩貳錢遇閏加銀陸錢
江東驛斗級壹名銀拾兩庫子壹名銀陸兩陸錢遇
銀拾陸兩陸錢改作傘價傳報人役工食遇閏加銀
壹兩叁錢捌分叁釐叁毫叁絲
江淮驛驢價銀伍百捌拾捌兩遇閏加銀肆拾玖兩
江淮驛騾價銀壹百玖拾玖兩伍錢遇閏加銀壹拾
陸兩陸錢貳分伍釐查此項係江浦縣徵給原編銀貳百柒拾叁兩捌錢內除銀柒拾肆兩叁錢在於江都寶應貳縣原編協濟東葛驛馬價銀內抵解該縣寔編銀壹百玖拾玖兩伍錢此項銀柒拾肆兩叁錢係江都寶應貳縣徵解又在該縣平米驗派似屬重設應裁摘出已入於後項存留舊編款內充餉

江淮驛馬價銀貳百肆拾肆兩又海防抵給銀叁百肆拾兩玖錢捌分柒釐叁毫捌絲玖忽捌纖柒沙壹塵又於順治拾年閏陸月內准 江南總督部院馬題部覆准撥給抵兌浙省馬價銀玖百捌拾叁兩叁錢叁分遇閏加銀壹百叁拾兩陸錢玖分叁釐壹毫貳絲

江淮驛支應銀肆百兩遇閏加銀叁拾叁兩叁錢叁分叁釐叁毫叁絲

東葛驛馬價銀玖拾陸兩玖錢捌分柒釐遇閏加銀捌兩零捌分貳釐貳毫伍絲

東葛驛支應銀玖拾叁兩陸錢伍分遇閏加銀柒兩
捌錢零肆釐壹毫柒絲
東葛驛原編馬價銀叁百陸拾柒兩伍錢又海防抵
給銀壹千陸拾陸兩玖錢玖分又於順治拾年閏陸
月內准　江南總督部院馬　題部覆准撥給抵兌
浙省馬價銀壹百玖拾兩遇閏加銀壹百叁拾伍兩
叁錢柒分肆釐壹毫陸絲　查得江浦縣爲冒陳苦衷等事於順治拾壹年內申
詳布政司轉詳前任巡撫部院周　批據布政司呈
詳江浦縣江淮東葛二驛衝繁應遞不敷請入加添
撥補緣由蒙批江淮東葛二驛既經該司覆核衝繁
不敷馬價循例于府屬存剩銀內通融撥補仍將撥
補款報明以憑咨　部定奪繳又據江浦縣爲咨訪
地方疾苦等事於順治拾叁年陸月內申詳驛鹽道

轉詳前任　巡撫都院張蒙批該道職司郵政調劑
宜詳據覆江浦邑小極衝所加夫役工食在於裁剩
銀內批給既經將款移送布政司仰道會同該司核
實貫各款報明內部支銷繳續于順治拾肆年拾貳月
內蒙前任　巡撫部院張准　戶部咨開據江南布
政司呈詳江浦縣江淮東葛二驛路極衝繁應遞馬
匹除歲給額協之外尚不敷價銀叁千壹拾兩壹錢
肆分叁釐循例於江寧府屬存剩裁扣銀內撥補又
走遞夫役工食每夫日食叁分豈堪奔騰比照鄰封
陸分之例不敷銀壹千柒百貳拾貳兩亦于裁扣銀
內添補詳奉撫院批允照款支給造冊呈報緣由到
部查得驛遞馬匹歲有定額應給價銀載入刊書今
藩司以裁省存剩銀內撥補二驛衝站之需既經詳
明撫院批允撥補應將貳驛并長夫細數緣由開[illegible]
冊報查考又經造冊呈報在案續奉　部駁查錢[illegible]
項款各有定額不便據為撥補仍應編入裁剩項[illegible]
解部遵奉查覆間于康熙叁年玖月內奉到　部[illegible]
內開金陵等驛撥動解南裁扣等銀內先因該撫[illegible]
經說明造入　兵部核定衝僻冊內字樣臣部[illegible]
今據該撫疏稱各驛實係衝疲錢糧萬難議減[illegible]

[illegible]准　兵部咨稱衝僻冊內有各驛動支等語具[illegible]
再議相應請
勑仍於解南裁扣銀內支用可也等因奉有依議之
旨欽遵在案相應仍舊
刊註裁剩內撥給
大勝驛站船水夫一百名每名銀柒兩貳錢共銀柒
百貳拾兩遇閏加銀陸拾兩
大勝驛支應銀壹百柒拾陸兩遇閏加銀壹拾肆兩
陸錢陸分陸釐陸毫陸絲
大勝庫斗各一名每名銀柒兩貳錢共銀壹拾肆兩
肆錢內裁革庫子一名銀柒兩貳錢抵給驛候所更
夫工食遇閏加銀壹兩貳錢

雲亭驛原額馬價銀玖百捌拾貳兩叁錢貳分又海防抵給銀壹百玖拾兩又蒙　前任巡撫部院周咨明　內部准撥補缺額馬價銀壹千伍百壹拾捌兩陸錢伍釐貳毫貳絲捌忽又奉　部文准撥給抵兌浙省馬價銀壹百伍拾貳兩遇閏加銀貳百叁拾陸兩玖錢壹分肆毫叁絲

雲亭驛步夫陸拾叁名每名銀柒兩貳錢共銀肆百伍拾叁兩陸錢遇閏加銀叁拾柒兩捌錢

雲亭驛支應銀叁百捌拾玖兩貳錢遇閏加銀叁拾貳兩肆錢叁分叁釐叁毫叁絲

雲亭驛庫子壹名銀叁兩陸錢遇閏加銀叁錢
龍潭驛支應銀貳百貳拾兩遇閏加銀壹拾捌兩叁錢叁分叁釐叁毫叁絲
龍潭驛步夫肆拾伍名每名銀柒兩貳錢共銀叁百貳拾肆兩遇閏加銀貳拾柒兩
龍潭驛庫子各壹名共銀柒兩貳錢遇閏加銀陸錢
龍潭驛原編馬價銀肆百壹拾捌兩叁錢叁分又掌節任巡撫部院周　咨明　內部准撥抵缺額銀捌百零捌兩壹錢貳分陸釐捌毫貳絲陸忽又奉
部文准撥給抵兌浙省馬價銀壹百玖拾捌兩遇閏

加銀貳百零貳兩叁分捌釐壹絲
棠邑驛馬驢銀捌百叁拾捌兩伍錢柒分遇閏加銀
陸拾玖兩捌錢捌分捌毫叁絲
棠邑驛騾價銀陸拾叁兩遇閏加銀伍兩貳錢伍分
棠邑驛支應銀肆百貳拾伍兩遇閏加銀叁拾伍兩
肆錢壹分陸釐陸毫陸絲
呈允加編棠邑驛馬價銀肆百捌拾兩又溧陽溧水
高淳三縣協濟銀壹百玖拾兩捌錢共銀陸百柒拾
兩捌錢內除六合縣荒白撒餘田認銀伍拾肆兩柒
錢玖分壹釐貳毫實徵條編銀陸百壹拾陸兩零捌

釐捌毫遇閏加銀伍拾壹兩叁錢叁分肆釐陸絲

滁州大柳樹驛馬銀壹百貳拾陸兩遇閏加銀壹拾兩伍錢 查此項係六合縣徵給原編銀貳百貳拾兩叁錢叁分內查江浦縣舊全書刊載將江都寶應二縣原議東葛驛馬價今改協濟本縣夫內扣銀玖拾肆兩叁錢叁分抵給大柳樹驛馬價銀本縣徑將前項給散走遞夫工食又查得走遞夫工食于順治叁年前任撫院訂正經制將走遞夫工食在本縣平米內驗派徵給此項銀玖拾肆兩叁錢叁分摘出另入後項存留項下克餉實該驛銀壹百貳拾陸兩

均徭

本府所屬解操漕二院兵餉銀數

漕標兵餉項下

海防銀伍千壹百捌拾肆兩叁錢陸分叁釐壹毫叁絲叁忽伍微叁纖壹沙柒塵伍渺水脚銀貳拾伍兩玖錢貳分壹釐玖毫壹絲肆忽玖微叁纖壹沙陸渺捌漠解費銀壹百零叁兩陸錢捌分柒釐貳毫陸絲貳忽陸微柒纖陸塵叁渺伍漠

池陽兵餉銀肆百玖拾伍兩伍錢捌分肆釐玖毫柒絲陸忽柒微貳纖肆沙壹渺水脚銀貳兩肆錢柒分柒釐玖毫貳絲肆忽捌微捌纖叁沙伍塵玖渺伍漠解費銀玖兩玖錢壹分壹釐陸毫玖絲玖忽伍微叁纖肆沙肆塵捌渺

操院兵餉項下

操院兵餉銀叁千伍百兩　編銀七百兩遇閏加銀

叁百貳拾兩奉裁解費充餉銀捌拾肆兩

江防銀壹千伍百捌拾肆兩奉裁解費充餉銀叁拾

壹兩陸錢捌分

操院取用淳化鎮防守弓兵陸名每名銀陸兩共銀

叁拾陸兩遇閏加銀叁兩

操院取用秣陵鎮防守弓兵陸名每名銀陸兩共銀

叁拾陸兩遇閏加銀叁兩

操院抽取江淮江東龍潭三司防守弓兵壹拾壹名

內陸名每名銀拾貳兩又伍名每名銀壹拾兩共銀壹百貳拾貳兩水脚銀陸錢壹分遇閏加銀壹拾兩壹錢陸分陸釐陸毫陸絲

撫院取用荻港營防守弓兵陸名每名銀拾貳兩共銀柒拾貳兩遇閏加銀陸兩

撫院抽取瓜埠巡檢司防守弓兵陸名每名銀壹拾貳兩共銀柒拾貳兩水脚銀叁錢陸分遇閏加銀陸兩

本府所屬解各衙門銀數

撫院項下

轎傘夫銀柒拾貳兩解費銀壹兩肆錢肆分遇閏加銀陸兩　經制原編銀捌拾陸兩肆錢順治十三年奉部文裁銀壹拾肆兩肆錢又解費銀貳錢捌分捌釐解　部

門子工食銀陸兩解費銀壹錢貳分遇閏加銀伍錢　經制原編門子銀壹拾兩叁錢玖分于順治十三年奉　部文扣裁銀肆兩叁錢玖分解費銀捌分柒釐捌毫解　部

冊房寫本吏銀壹百壹拾柒兩壹錢伍分水脚銀陸分壹釐肆絲解費銀貳兩叁錢肆分叁釐　查此項奉部駁全書簽開撫院項下已有額辦書吏廩給銀兩何得又設此項寫本吏銀應裁解　部充餉

撫院項下除抵經費外餘剩銀壹百柒拾陸兩叁錢

玖分壹釐肆毫

又冊房寫本吏銀壹拾伍兩壹錢解費銀叁錢零貳釐查此項奉　部駁全書簽開撫院已有額辦書吏廩給何得又設此項寫本吏銀應裁解　部充餉

布政司曆日板銀叁兩解費銀陸分

學院供應銀伍拾陸兩伍錢貳分陸釐捌毫壹忽陸微加編銀肆拾伍兩貳錢捌分陸釐水腳銀貳錢貳分陸釐壹毫伍絲壹微解費銀貳兩零叁分陸釐貳毫伍絲陸忽叁纖貳沙遇閏加銀捌兩肆錢捌分肆釐肆毫

學院修理衙舍銀肆拾兩此項于順治九年四月入議全裁續于順治

六月內奉總督部院馬　題調剤驛田永除民累事部覆准撥給江淮東葛二驛抵兌協濟馬價

協濟蘇松學院供應銀貳拾叁兩叁錢叁分叁釐叁毫

漕院項下邳州供應銀壹拾叁兩伍錢柒分六釐水腳盤費銀肆兩伍錢伍分陸釐捌毫奉裁充餉另編

裁扣項下

按院稟給監生稟糧副本等銀壹百柒拾伍兩貳錢編增心紅銀肆拾兩水腳銀柒錢零捌毫解費銀肆兩叁錢零肆釐查此項先准部數全書裁開部頒文經費冊內按院項下原無監生稟糧副本等銀此項應收解　部充餉

協濟淮安府米折銀壹千柒百壹拾陸兩伍錢水脚火耗銀貳拾柒兩叁錢捌分伍釐解費銀貳拾肆兩壹錢壹分

查此項原額淮安府倉正米伍千石每石折銀伍錢共銀貳千伍百兩水脚火耗銀肆拾叁兩肆錢柒分原解該府廳給自

本朝以來止撥上元溧陽高淳三縣徵解前數解交淮安府廳統歸漕部院給散本地兵餉其江寧句容溧水三縣共銀柒百捌拾叁兩伍錢水脚火耗銀壹拾陸兩零捌分伍釐改入前項南餉支用

布政司曆日銀壹百壹拾兩肆錢捌分陸釐捌毫水脚銀貳兩貳錢玖釐柒毫叁絲陸忽

布政司朝

覲路費紙張銀叁年共銀捌拾兩每年徵銀貳拾陸兩

陸錢陸分陸釐陸毫

按察司朝

覲路費紙張銀叁年共銀玖兩每年徵銀叁兩

以上各衙門自撫院轎傘夫起至按察司朝

覲止計拾伍款共銀貳千柒百肆拾玖兩貳錢叁分柒釐肆毫捌絲叁忽柒微叁纖貳沙內奉　部駁全書簽開應裁撫院門子寫本吏轎夫按院監生廩糧副本等項共銀叁百柒拾肆兩叁錢貳分陸釐陸毫肆絲附役裁省數內改解　戶部又順治玖年肆月會議全裁學院修理衙舍銀肆拾兩續于順治拾年閒

六月內奉　總督部院馬　題准撥給江淮東葛二
驛抵兌浙省協濟馬價又裁　撫院項下供應抵編
經費外餘剩銀壹百柒拾陸兩叁錢玖分壹釐肆毫
附後裁省數內改解　戶部又奉駁裁邳州供應幷
水脚盤費銀叁拾捌兩壹錢叁分貳釐捌毫附後裁
省數內充餉外實解各衙門銀貳千壹百貳拾兩叁
錢捌分陸釐陸毫肆絲叁忽柒微叁纖貳沙遇閏加
銀壹拾陸兩叁錢柒分壹釐玖毫

本府所屬各縣解給府廳縣佐官員俸薪衙役工食
等項銀數

本府知府員下照經制新編○俸銀壹百伍拾兩遇閏加銀捌兩柒錢伍分○薪銀貳拾玖兩肆分肆釐○心紅紙張油燭銀伍拾兩遇閏加銀肆兩壹錢陸分陸釐陸毫陸絲○修宅家伙銀伍拾兩奉裁解部○皁圍傘扇銀貳拾兩奉裁解部○書辦貳拾肆名每名銀陸兩遇閏加銀伍錢門子貳名每名銀陸兩遇閏加銀伍錢○馬快拾名每名工食並草料銀拾陸兩遇閏加銀壹兩肆錢○步快拾陸名每名銀陸兩遇閏加銀伍錢○皂隷拾陸名轎傘扇夫柒名獄卒拾貳名庫書壹名倉書壹名庫子肆名斗級陸名皆每名陸

兩遇閏加銀伍錢○修倉備辦刑具銀貳拾兩
本府江防管糧理事同知三員各員下照經制新編
○俸銀各捌拾兩共銀貳百肆拾兩遇閏加銀貳拾
兩○薪銀各壹拾兩伍錢伍分陸釐○心紅紙張各
銀貳拾兩共銀陸拾兩遇閏加銀伍兩○修宅家伙
各銀壹拾兩奉裁解部○皁圍傘扇各銀壹拾兩奉裁解部○
書辦各陸名門子各二名步快各八名皁隷各拾貳
名燈夫各二名轎傘扇夫各七名每名銀陸兩[illegible]
加銀伍錢
裁汰本府同知四員各員下照經制新編

俸銀各肆拾貳兩伍錢伍分共銀壹百柒拾兩貳錢查此項于順治拾年奉總督部院咨開准兵部撥給雲龍二驛抵充浙江省協馬價銀兩薪銀心紅紙張修宅家伙桌圍傘扇銀兩奉文全裁書辦門子步快皂隸燈夫轎傘扇夫工食銀兩奉文全裁

本府南北督捕通判二員各員下照經制新編

俸銀各陸拾兩共銀壹百貳拾兩遇閏加銀拾兩

薪銀各貳拾叁兩肆錢陸分　心紅紙張各銀貳拾兩共銀肆拾兩遇閏加銀叁兩叁錢叁分零　修宅家伙各銀壹拾兩奉裁解部　桌圍傘扇各銀壹拾兩奉裁解部

書辦各六名門子各二名步快各八名皂隸各十二名燈夫各二名轎傘扇夫各七名每名銀陸兩

遇閏每名加銀伍錢

裁汰本府通判四員各員下照經制新編

俸銀各叁拾伍兩肆錢陸分共銀壹百肆拾壹兩捌錢肆分查此項于順治拾年內奉　總督部院准戶部咨撥給江寧驛銀貳拾兩陸錢撥給龍潭驛銀肆拾玖兩叁錢貳分撥給雲亭驛銀柒拾兩玖錢貳分抵浙江省馬價薪銀心紅紙張修宅家伙桌圍傘扇銀兩奉文全裁書辦門子步快皂隸燈夫轎傘扇夫工食銀兩奉文全裁

本部裁汰推官一員照經制新編俸銀薪銀心紅紙張銀桌圍傘扇修宅家伙銀兩奉文全裁書辦門子步快皂隸燈大轎傘扇夫工食銀兩奉文全裁

本府經歷員下照經制新編

俸銀肆拾兩遇閏加銀叁兩叁錢叁分零　薪銀捌

兩貳錢　書辦一名門子一名皂隸肆名馬夫一名

每名銀陸兩遇閏每名加銀伍錢

本府裁汰知事一員

俸銀書辦門子皂隸馬夫工食銀兩奉文全裁

本府照磨員下照經制新編

俸銀叁拾壹兩伍錢貳分遇閏加銀貳兩陸錢貳分

書辦一名門子一名皂隸四名馬夫一名每名銀

陸兩遇閏每名加銀伍錢

本府檢校員下照經制新編

俸銀叁拾壹兩伍錢貳分遇閏加銀貳兩陸錢貳分

書辦一名門子一名皂隸四名馬夫一名每名銀
陸兩遇閏每名加銀伍錢
本府廣積庫朝陽司副司二員　司獄司一員　都
稅司聚寶宣課司龍江宣課司江東宣課司常平倉
茶引所龍江鈔關遞運所大使共八員　江東司林
陵司江淮司巡檢三員　龍江驛江東驛金陵驛驛
丞三員各員下照經制新編
俸銀各叁拾壹兩伍錢貳分遇閏各加銀貳兩陸錢
貳分　書辦各一名皂隸各二名每名銀陸兩遇閏
每名各加銀伍錢

本府儒學教授一員照經制新編

俸銀叁拾壹兩伍錢貳分遇閏加銀貳兩陸錢貳分

齋夫六名每名銀拾貳兩遇閏每名加銀壹兩

門子三名每名銀柒兩貳錢遇閏每名加銀陸錢

學書一名銀柒兩遇閏加銀陸錢　喂馬草料銀拾

貳兩遇閏加銀壹兩　廩生膳夫四名每名銀貳拾

兩共銀捌拾兩遇閏加銀陸兩陸錢陸分零

奉裁訓導二員門子二名

知縣八員

俸銀各肆拾伍兩共銀叁百陸拾兩遇閏加銀叁拾

兩　薪銀各拾捌兩肆錢玖分　心紅紙張銀各貳拾兩共銀壹百陸拾兩遇閏加銀壹拾叁兩叁錢叁分○修宅家伙各銀貳拾兩○迎送上司傘扇銀各拾兩此項奉裁解部○吏書各十二名門子各二名皂隸各十六名每名銀陸兩遇閏每名加銀伍錢○馬快各八名共六十四名每名工食草料銀拾陸兩捌錢共銀壹千柒拾伍兩貳錢遇閏加銀捌拾玖兩陸錢○民壯各五拾名燈夫各四名禁卒各八名轎傘扇夫各七名庫書各一名倉書各一名庫子各四名斗級各四名每名銀陸兩遇閏加銀伍錢○修理倉監銀

各貳拾兩

縣丞八員

俸銀各肆拾兩共銀叁百貳拾兩遇閏加銀貳拾陸兩陸錢陸分○薪銀各捌兩貳錢○書辦各一名門子各一名皂隸各四名馬夫各一名每名銀陸兩遇閏每名加銀伍錢

典史八員

俸銀各叁拾壹兩伍錢貳分共銀貳伯伍拾貳兩壹錢零遇閏加銀貳拾壹兩壹分零○書辦各一名門子各一名皂隸各四名馬夫各一名每名銀陸兩遇

閏每名加銀伍錢

淳化鎮廣通鎮瓜埠巡檢三員江寧驛雲亭驛龍潭驛江淮驛東葛驛棠邑驛驛丞六員稅課司大使一員

俸銀各叁拾壹兩伍錢貳分遇閏加銀貳兩陸錢貳分零〇書辦各一名皂隸各貳名每名銀陸兩遇閏每名加銀伍錢

儒學教諭四員訓導四員

俸銀各叁拾壹兩伍錢貳分共銀貳百伍十貳兩壹錢陸分遇閏加銀貳拾壹兩壹分零〇齋夫各六名

共四十八名每名銀拾貳兩共銀伍百柒拾陸兩遇
閏加銀四拾捌兩○學書各一名門子各三名每名
銀陸兩遇閏每名加銀伍錢○喂馬草料各拾貳兩
遇閏加銀壹兩
奉裁教諭四員訓導四員門子十六名
各縣廩生膳夫各二名共十六名每名銀貳拾兩共
銀叁百貳拾兩遇閏加銀貳拾陸兩陸錢陸分零
府屬存留照舊支給銀數
春秋祭祀本府文廟行釋菜禮銀貳拾陸兩柒錢貳
分　啓聖祠祭銀貳兩　都城隍祭銀貳兩　鄉賢

祠祭銀拾貳兩肆錢　周公祠祭銀肆兩玖錢陸分

程明道祠祭銀肆兩捌錢　表忠祠祭銀拾貳兩

陸錢肆分　泰厲壇祭銀拾貳兩肆錢伍分零

新進士牌坊三年共銀肆百貳拾玖兩玖錢玖分零

中式舉人牌坊銀三年共陸百柒拾貳兩零

本府儒學廩生肆拾名每名銀拾貳兩奉裁解部

香燭銀肆兩捌錢

本府儒學廩生膳夫餘銀伍拾陸兩奉裁解部

各縣學廩生壹百陸拾名共銀壹千玖百貳拾兩奉裁解部

香燭銀叁拾捌兩肆錢

各縣儒學廩生餼夫餘銀叁百捌拾肆兩此項全裁撥給雲龍二驛

學院并府縣考試生童覆試閱卷供應等項三年共銀伍拾肆兩玖錢零查此項于順治十三年九月准部議裁銀玖兩壹錢陸分解部

舊舉人會試盤纏三年共銀捌百叁拾玖兩玖錢零

應試生員盤纏三年共銀叁百肆拾貳兩肆錢

按院觀風考試生員折賞花紅紙筆墨銀壹百伍拾玖兩肆錢此項于順治十三年九月內准部議裁銀柒拾玖兩柒錢解部

科舉謄錄彌封書手對讀生員每年徵銀捌拾柒兩叁錢零此項于順治十三年九月內准部議裁銀肆拾叁兩陸錢零

學院考試武生供應銀柒拾伍兩　奉裁銀叄拾柒兩伍錢解部

武場供應三年共銀叄百捌拾兩　此項于順治十三年九月部議裁銀陸拾叄兩叄錢

龍池神明句曲山神祭銀伍兩

各縣文廟啓聖鄉賢名宦山川社稷邑厲等壇祭銀陸百陸拾貳兩壹錢陸分

歲貢生員盤纏銀貳百兩

桃符門神春牛芒神銀貳拾陸兩

鄉飲酒席銀壹百貳拾捌兩　查此項原額銀壹百捌拾兩于順治九年奉裁撫院訂正全書酌留壹百貳拾捌兩餘銀伍拾貳兩咨明內部撥補雲龍二驛站銀又于順治十三年[illegible]

年九月准部議陸拾肆兩解部

主考供事官出場下程并租辦什物等項三年共銀伍拾陸兩壹錢零查此項于順治十三年九月內准部議裁銀玖兩叁錢零解部

舉人歲貢入監盤纏跂抵科場募夫銀柒兩柒錢查此項于順治十三年九月內准部議裁銀叁兩捌錢伍分解部

季考試卷銀壹百捌拾捌兩查此項于順治十三年九月內准部議裁銀玖拾肆兩解部

各縣文廟新任朔望行香講書紙筆墨銀伍拾壹兩貳錢查此項于順治十三年九月內奉　部議全裁

科舉考官鹿鳴等宴并米麵等項三年共銀壹千壹

百肆拾陸兩陸錢肆分

本府朝

覲盤費造冊紙劄每年徵銀柒拾壹兩叁錢叁分零查此項于順治十三年九月內准部議裁三分之二解部

各縣朝

覲盤費紙劄吏書工食等項每年共徵銀貳百柒拾貳兩查此項于順治十三年九月內准部議裁三分之二解部

各縣養濟院孤貧共肆百玖拾名每名給柴布銀壹兩此項于順治十三年九月內准部議全裁復于康熙五年內奉

旨仍給孤貧柴布銀兩

走遞夫皂共柒百柒拾肆名每名銀柒兩貳錢共銀伍千伍百柒拾貳兩捌錢遇閏加銀肆百捌兩陸錢查此項於順治拾叁年准部議裁溧陽溧水高淳叁縣銀共陸百陸拾玖兩陸錢解部（

走遞馬貳百壹拾壹匹六合縣改業邑驛馬玖匹俱每匹銀拾捌兩共銀叁千柒百玖拾捌兩遇閏加銀貳百伍拾柒兩伍錢查此項於順治拾叁年准部議裁溧陽溧水高淳叁縣銀共柒百捌兩解部

各縣備用銀壹千肆百柒拾伍兩查此項原編銀壹千柒百伍拾兩於順治玖年奉撫院訂正全書裁句容溧陽溧水高淳肆縣共銀貳百柒拾兩撥補雲龍貳驛缺額站銀又順治拾叁年玖月內部議全裁解部

各縣供應上司下程小飯中火等銀貳千貳百陸拾
壹兩伍錢內除溧陽縣銀陸拾叁兩捌錢溧水縣銀
陸拾兩高淳縣銀陸拾柒兩改給棠邑驛馬價實編
銀貳千柒拾兩柒錢查此項於順治玖年撫院訂正全書議裁銀肆百玖拾玖兩陸錢撥補雲龍貳驛缺額帖銀
看守督學察院門子壹名銀叁兩陸錢遇閏加銀叁
錢○淳化鎮公館門子貳名每名銀肆兩遇閏加銀
叁錢叁分○板橋公館門子壹名銀叁兩遇閏加銀
貳錢伍分○明道書院門子壹名銀柒兩貳錢改給
督學察院門子工食遇閏加銀陸錢○白兔鎮公館

門子一名銀叄兩遇閏加銀貳錢伍分○看守巡撫察院門子　名銀柒兩貳錢遇閏加銀陸錢○貢院門子二名每名銀肆兩遇閏加銀叄錢叄分○上輿埠公館門子一名銀貳兩遇閏加銀壹錢陸分零○浦子口西門館門子一名銀叄兩遇閏加銀貳錢伍分○東葛館門子一名銀叄兩遇閏加銀貳錢伍分○各縣察院并府館門子九名每名銀叄兩共銀貳拾柒兩遇閏加銀貳兩貳錢伍分○看守本府大門夜歇人夫十五名每名銀貳兩捌錢捌分共銀肆拾叄兩貳錢遇閏加銀陸錢○本府府前鋪兵十七名

每名銀柒兩貳錢共銀壹百貳拾貳兩肆錢遇閏加銀拾兩貳錢○上江二縣解糧老人共六名每名銀柒兩貳錢奉裁解部○上江二縣聽差老人共八名每名銀柒兩貳錢共銀伍拾柒兩陸錢奉裁解部○本府攢造各縣錢糧塡寫由票紙張工食銀肆拾叁兩貳錢○本府陰陽生一名銀肆兩捌錢遇閏加銀肆錢○高淳縣義民官吏八名每名銀柒兩貳錢共銀伍拾柒兩陸錢攺給常平倉斗級更夫工食遇閏加銀肆兩捌錢○上江二縣接遞皂隸二十名共銀壹百肆拾肆兩○各縣舖司兵三百七十五名各編不等共銀

貳千肆百柒拾柒兩柒錢外句容縣新增銀壹百叁拾柒兩貳錢又溧水縣新增銀壹百肆拾壹兩玖錢貳分原額新增共銀貳千柒百伍拾陸兩捌錢壹分遇閏加銀貳百貳拾玖兩柒錢叁分○淳化鎮巡檢司弓兵拾貳名每名銀柒兩貳錢共銀捌拾陸兩肆錢遇閏加銀叁兩陸錢查此項于順治拾叁年玖月內准部議裁銀肆拾叁兩貳錢改解戶部○江寧鎮弓兵拾貳名每名銀柒兩貳錢共銀捌拾陸兩肆錢遇閏加銀叁兩陸錢查此項于順治拾叁年玖月內准部議裁銀肆拾叁兩貳錢改解戶部○瓜埠巡檢司弓兵拾貳名每名銀柒兩貳錢共銀捌拾陸兩肆錢遇閏加銀叁

兩陸錢查此項于順治拾叁年玖月內准部議裁銀肆拾叁兩貳錢歇解戶部 ○秣陵鎮巡檢司弓兵拾貳名每名銀柒兩貳錢共銀捌拾陸兩肆錢遇閏加銀叁兩陸錢查此項于順治拾叁年玖月內奉部議裁銀肆拾叁兩貳錢解部 ○江淮巡檢司弓兵拾伍名內操院取甲哨手叁名內壹名銀拾兩又貳名每名銀拾兩捌錢在司弓兵拾貳名每名銀柒兩貳錢共銀壹百壹拾捌兩水脚銀壹錢伍分遇閏加銀陸兩貳錢叁分零查此項于順治拾叁年玖月內准部議裁銀肆拾叁兩貳錢解部 ○江東巡檢司弓兵拾陸名內操院取用荻港哨手肆名每名銀拾兩捌錢在司拾貳名每名銀柒兩貳錢共銀壹百貳

拾玖兩陸錢外哨手水脚銀貳錢壹分零遇閏加銀

柒兩貳錢查此項于順治十三年九月內准部議裁銀肆拾叁兩貳錢解部○廣通鎮巡檢司弓兵十二名每名銀柒兩貳錢共銀捌拾陸兩肆錢遇閏加銀叁兩陸錢查此項于順治十三年九月內准部議裁銀肆拾叁兩貳錢解部○各縣吹鼓手陸拾捌名內五十八名每名銀柒兩貳錢又十名每名銀陸兩共銀肆百柒拾柒兩陸錢遇閏加銀叁拾玖兩捌錢○上江二縣僱夫驢騾銀捌拾兩查此項于順治九年該前撫院訂正全書二縣既有經費額編民銀似屬重派再查布政司新設造冊紙張銀兩原未編載今議將此項改抵以爲造冊紙張之用○

上江二縣更夫拾名每名工食銀壹兩捌錢共銀壹

拾捌兩外遇閏加銀壹兩伍錢○各縣徵收條編折色錢糧公用由票紙劄銀壹百柒拾柒兩查此項于順治九年准部議裁銀玖拾伍兩解部

協濟安慶府倉折色正米五百貳拾叁石各折不等共銀貳百玖拾捌兩陸錢玖分零外火耗銀陸兩伍錢零○協濟恤刑銀貳拾壹兩叁分零查此項于順治九年前撫院訂正全書議裁撥補雲龍二驛缺額馬價

本府鹽糧玖百叁拾貳兩陸錢陸分零奉撫院裁撥補雲龍二驛缺額馬價

本府撥剩銀柒百肆拾貳兩貳錢零奉裁解部充餉

上江二縣坊廂丁口攺入條編銀肆百肆兩柒錢零

此項原編上江二縣供應往來上司下程中火小飯之用

本府抄案農民銀壹百兩柒錢玖分零 此項奉撫院裁撥補雲龍貳驛馬價

滁州大柳樹驛中下馬貳匹驢壹頭共銀玖拾肆兩叁錢叁分 此項原載巳詳允將江都寶應貳縣原議東葛城馬價今改協濟夫銀內撥玖拾肆兩叁錢叁分抵給大柳樹驛馬價本縣徑將前銀給賞走遞夫工食查得走遞夫銀於順治三年奉前撫院訂正經制將此項工食在於本縣平米內除派徵給此係重設應載係江浦縣徵解

沿江墩臺肆座每座看墩夫叁名共拾貳名每名銀伍兩共銀陸拾兩遇閏加銀伍兩

雲亭驛夫馬銀叁拾貳兩此項原係撫院駐劄句容協濟該驛夫馬今駐劄蘇州仍屬無議裁撥補雲龍貳驛額馬價

棠邑驛內解本府鋪陳銀貳拾壹兩柒錢伍分查此項于順治九年前撫院訂正全書議裁撥補雲龍二驛缺額馬價

寧太道抽取棠邑驛廩糧銀貳拾叁兩肆錢查此項該驛不屬本道所轄其銀并未支取應裁撥補龍潭驛缺額馬價

本府常平倉斗級捌名每名銀柒兩貳錢奉撫院裁撥補雲亭驛馬價

協濟江浦縣鹽糧銀叁拾兩奉撫院議裁撥補龍潭驛缺額馬價

寧太道抽取雲亭龍潭貳驛蔬米銀肆拾陸兩捌

查此項該驛不屬本道所轄並未支取議裁續撥補雲亭驛馬價

看守大察院門厨各一名每名銀叁兩共陸兩查此項係冗役應裁續撥補雲亭驛缺額馬價

裁扣鰣魚廠船網銀內撥充本省兵餉外餘銀貳拾兩柒錢陸分零查此項議裁續撥補龍潭驛缺額馬價

江浦縣墩臺八座看墩夫二十四名每名銀叁兩外隨操守城墩夫三十名每名銀伍兩叁錢捌分零共銀貳百叁拾叁兩伍錢捌分零查此項原編隨操墩夫五十一名每名銀叁兩陸錢共銀壹百捌拾叁兩陸錢遇閏加銀拾伍兩叁錢餘銀肆拾玖兩玖錢捌分解部充餉

裁扣句容縣海防銀內協濟金陵驛馬價餘水脚銀

陸兩肆分奉撫院議裁撥補雲亭驛缺額馬價

龍潭墩夫二名每名銀柒兩貳錢共銀拾肆兩肆錢

遇閏加銀壹兩貳錢

新河口把截哨官一員銀柒兩貳錢

裁扣墩夫三十二名每名銀柒兩貳錢共銀貳百叁

拾兩肆錢此項順治九年撫院訂正全書議裁續撥補雲亭驛缺額馬價

修城夫料銀九百兩解費銀拾捌兩查此項候督撫二院動支修理

本省城垣年終報銷

春牛廠門子銀肆兩陸錢遇閏加銀叁錢捌分零

江淮驛騾價銀摘出餘銀柒拾肆兩叁錢查此項係前驛站裁

內江淮驛騾價已有江都寶應二縣抵解此係重設

以上自本府文廟祭祀起至江淮驛騾價止計九十五款共銀叁萬貳百壹拾柒兩捌分零

本府屬蘆課銀叁萬壹千叁百伍拾柒兩叁錢壹分零 上元縣額銀壹萬柒千叁百玖拾肆兩玖分 江寧縣額銀柒千肆百柒拾陸兩貳錢肆分 句容縣額銀壹千陸百壹拾叁兩壹錢零 溧陽縣額銀壹百陸拾捌兩伍錢零 溧水縣額銀叁拾叁兩壹錢零 高淳縣額銀拾伍兩肆錢零 江浦縣額銀壹千陸百貳拾陸兩玖錢零 六合縣額銀貳千壹百壹拾柒兩貳錢零 橫海衛額銀伍百玖拾玖兩零 江陰衛額銀玖拾兩壹錢零 江寧左衛額銀貳百貳拾叁兩伍錢零

上江二縣房號銀壹萬壹千叁拾陸兩壹錢零

查得房號之設始于明萬曆三十四年間因坊廂之患初除城中差役繁重而條編額設不足應副蠹書乘機立有挨門總甲之名各家輪流晝則答應上官夜則支更巡警一遇地方火盗人命必至傾家蕩產操江都院丁賓府尹陸長庚深恤民隱延請鄉紳姚履素等從長商確因地方之繁簡分爲五百六十餘鋪編稅房號各科則不等勸民輸納置櫃按季征收以民間樂輸之脂膏還民間身家之衛護僱覔總甲火夫將房號銀兩派給工食凡上司差役民間火盗一鋪有一鋪之應承一鋪有一鋪之稟報總甲雖甚么微實得民間提綱挈領之意而小民乃得各安其業

興朝鼎新此項奉裁改爲正餉總甲火夫既無工食即議退役然稽查逃人盤詰奸宄確不可少萬不得已僉沿門增添總甲工食是一役而兩征也然戶口日繁房號日益若將增益之房號通盤打算均攤爲總甲之工食免百姓重征之困亦仁政之一端也姚若觀記

田畝內免編寬民款項

本色漕糧水兑米數

京倉兑運兑耗米壹萬壹百捌拾捌石肆斗

改兑淮安府常盈倉耗米貳千壹百陸拾陸石

江南水兑耗米肆百陸拾肆石伍斗伍升捌勺

隨漕項下折色銀數

輕賫銀壹千柒百零陸兩柒錢柒分水脚銀壹拾柒

兩零陸分柒釐柒毫

楞木松板銀叁拾兩壹錢玖分陸釐柒毫

貳升變易米銀叁拾柒兩貳錢壹分

蘆蓆米銀捌拾肆兩貳錢伍分

篦纜銀壹百陸拾捌兩伍錢水脚銀壹兩陸錢捌分

伍釐

溜夫工食銀壹百陸拾捌兩伍錢

陸升過江米銀陸百零陸兩陸錢

雜辦內減徵寬民欵項

本縣門攤鋪戶本色鈔玖萬貳千柒拾叁貫肆百叁

拾陸文徵稅銀壹百壹拾柒兩伍錢貳分玖釐捌毫

肆絲捌忽水脚銀壹兩壹錢柒分伍釐貳毫

本縣浦子口商稅本色鈔叁萬伍千玖百柒拾壹貫

遞門攤鈔貳千玖拾叁貫

各縣折色鈔捌千玖百玖拾壹貫捌百肆拾文每貫
折銀陸毫該銀伍兩叁錢玖分伍釐陸毫肆忽遇閏
加銀肆錢肆分伍釐伍毫肆絲肆忽
各縣折色鈔肆萬柒千捌百叁拾捌貫每貫折銅錢
貳文該錢玖萬伍千陸百柒拾陸文遇閏加鈔貳千
肆百玖拾貫折銅錢肆千玖百捌拾文
各縣本色銅錢捌千捌百壹拾伍文遇閏加錢陸百
玖拾肆文
各縣酒醋折鈔壹千肆百伍拾柒貫每貫折銀陸毫
該銀捌錢柒分肆釐貳毫

各縣折色房屋酒醋鈔壹千叁百陸拾肆貫柒文折銀捌錢壹分捌釐肆毫肆絲貳忽

高淳縣本色窑冶鈔壹百貳拾捌貫肆拾叁文銅錢貳千柒百叁拾貳文伍分遇閏加銀柒分叁毫柒絲錢伍百伍拾捌文以上六款下順治三年奉內院訂正經制改編前款南餉項下由畝項下徵解各款免派于民

高淳縣鰣魚鱘魚銀壹百柒拾伍兩貳錢此項下順治三年奉內院訂正經制改編前款南餉項下鰣魚廠銀肆陸兩柒分陸釐叁毫壹絲鱘魚廠銀貳拾叁兩陸錢玖分肆釐以上三項入下田畝徵解其漁戶出辦免編

本府屬戶口

戶壹拾叁萬壹百零肆戶

口男婦軍匠共陸拾叁萬壹百零七口

江寧府志卷之九終

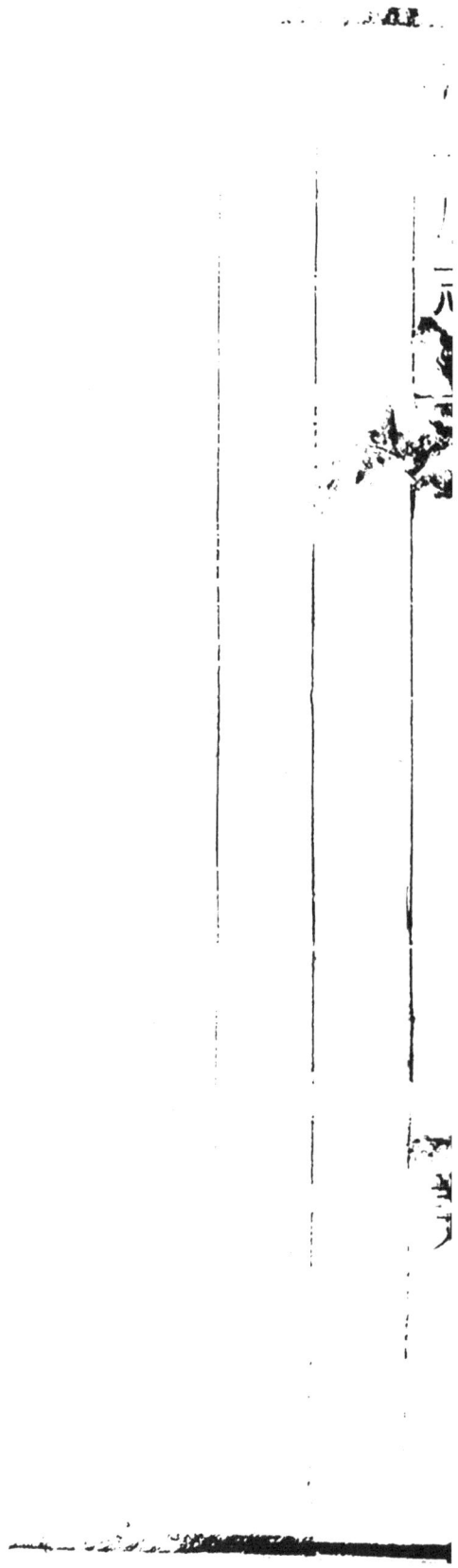